NONFICTION
論創ノンフィクション
035

沖縄でも暮らす

「内地」との二拠点生活日記 2

藤井誠二

論創社

まえがき

本書は既刊『沖縄の街で暮らして教わったたくさんのことがら――「内地」との二拠点生活日記』（二〇二二）の続編にあたる。その本は二〇一八年六月から二〇二〇年二月まで、ぼくが東京以外のもう一つの拠点である沖縄で過ごした日録である。

本書は、その続きの二〇二〇年二月二六日から二〇二二年五月二五日まで、双葉社の「TABILISTA《タビリスタ》」（二〇二二年末で終了）というウェブマガジンで不定期連載をしたものに、他媒体で書いた文章を何篇も付け足したり、日記掲載時は仮名で書いていた人を実名にしたりするなど、新たに編み直したものだ。結果、けっこうな束の厚みになった。

通して読み返してみると、自分の身のまわりに起きたさまざまな事象に対してもやもやと考えることはなく、淡々と記している自分に気づく。内省的な思考が苦手なのだ。そして、「二拠点日記」などと銘打ってはいるものの、書き綴ってあることは沖縄にいるときだけの日々である。が、東京やその他の土地で体験したことや、思い出した過去の出来事も挿入したりしているから、書き綴っている場所は「沖縄」でも、アタマの中はあちらこちらに飛んでいる。

ぼくが沖縄に「半移住」するようになってから十数年が経った。国際通りからほど近いマンションは購入した時点で築五〇年近く、したがって今は築六〇数年ということになる。思えば、「復帰」の一〇年以上前に建てられたマンションなので、年がら年中、どこかの部屋や箇所で修繕工事をしている。拙宅も鉄製の門扉が付け根から腐食して倒壊寸前となり、去年（二〇二二年）の初秋に新しいものに取り替えた。老朽化しているとはいえ、建物全体が時代を感じさせるヴィンテージなデザインで、自分では気に入っている。部屋全体はもともと2ＬＤＫだったが、ワンルームにリノベーションしており、建設当時しか使われていなかったもの（バスタブ等）はそのまま残している。その部屋で日記を欠かさずつけてきた。

沖縄で起きた出来事や、出会った人のことを記録する。そのときにいつも意識しているのは、沖縄から「日本」を見るとどう見えるのか、「日本」は沖縄をどう扱っているのか、といったことだ。

この場合、「日本」というのは、沖縄と対置する位置づけになり、「日本」を「ヤマト」と呼ぶ、ネガティブな意味合いを含蓄した言い方に替えてもいい。「ヤマト」を腑分けしていくと、単なる一般的な観光客「ナイチャー」だったり——ナイチャーという言葉も多少の侮蔑感をともなうことが多い——政府であったり、沖縄を差別、冷笑、嘲笑するネトウヨや差別主義者であったり、悪意はないが無邪気な「沖縄好き」人間だったりすることもあり、使い方の文脈でグラデーションがかかる。そして、ぼく自身はどこにカテゴライズされるのだろうとよく考える。

沖縄県外出身者であることはまちがいないが、県外からやってきて、勝手に「半移住」などと自認し、沖縄についてあれやこれや取材しては発表するぼくのふるまいは、どう見られているのだろうか。考えすぎといわれようが、なんといわれようが、ぼくはそういう「沖縄でも暮らす」という人生の時期をいま選択している。

表紙は、取材させてもらった——写真家のジャン松元さんと作った『沖縄ひとモノガタリ』（琉球新報社）に所収——こともあるアーティストの宮城《みやぎ》恵輔《けいすけ》さんの絵だ。彼は若い時期に飲酒してオートバイに乗り、自損事故を起こし、生死をさまよい、両腕の自由がきかない障がいを負った。

だから、口でタッチペンをくわえ、タブレットに作品を描く。

時間に追われて走り回っているような男の絵は、ぼくがモデル。「内地」の大半の人々が思うほど、沖縄はのんびりしたところではない。それは幻想だ。生きるために、稼ぐために、走り回るようにほとんどの県民が働いているのが「ほんとうの沖縄」の一面だと思う。

「内地」とのさまざまな格差のなかで、構造的に劣等に置かれていることが主たる原因の一つだと思う。その時間の流れの中でぼくも動き回ってきた記録である。

目次

II 沖縄の「多様性」を考える　70

III 差別され、排除される人々を記録する　140

V　今日も沖縄で暮らすぼくは、どこへ向かっていくのだろう　295

I 取材の日々から「やーぐまい」の日々に

01 バルコニーに野鳥がやってきた

2020年2月26日

東京で税理士と打ち合わせして確定申告の書類を作ったあと、羽田空港から那覇空港へ。コロナ禍の影響だろう、空港に人は少なく感じる。拙宅に荷物を置いて、風を入れると、晩飯を食いにひとりで「すみれ茶屋」へ。マスターの玉城《たまき》丈二《じょうじ》さんや常連さんたちと、いちばん美味いゴーヤーの食い方から、ユタ（民間の霊媒師）の「あるある話」まで盛り上がる。

ユタの言うことを信じるどころか、頼っている人は沖縄に少なくないし、とくに移住してきた人にはもう洗脳というしかないくらいにハマっている人も見聞きしたことがある。日常の行為のすべてをユタの指示に従う人もいた。ある建築関係者から聞いたが、設計から建築の準備万端整って、さあいよいよ地鎮祭というときにユタがやってきて、「ここは場所が悪いからやめなさい」の一言で施主は縮み上がってしまい、すべて白紙に戻すという出来事があったという。

スーパーに寄って大好きな島豆腐やら野菜やら食材を買い込んで帰宅。

2月27日

カメラマンの深谷慎平さんが牧志《まきし》のアーケード商店街の一角のビル内にある「kukulu《ククル》」という不登校の子どもの居場所を運営するNPOに連れていってくれて、活動をずっと担ってきた石橋《いしばし》佳子《けいこ》さんを紹介してくれた。子ども食堂を開いているときは、大人も参加して食べることができる（大人は有料）。スタッフの安次富亮伍《あしとみりょうご》さん、又吉樹里《またよしじゅり》さんともお目にかかった。

深谷さんもこの活動をたまに手伝っているのだが、今回の食事メニューには、彼が米軍基地のビーチから収穫してきたもずく（もちろん許可あり）を石橋さんがかき揚げにした料理が入っていて、すこぶる美味かった。ゲームなどに興じていた子どもたちも、知らない大人（ぼくのこと）がいるからか、テーブルについておとなしく食べている。石橋さんはご高齢だが、バイタリティは衰えておらず、その活動に敬服しつつ、食事をいただく。

そのあとは、深谷さんの車に乗せてもらって宜野湾《ぎのわん》市まで送ってもらう。アーティストの町田隼人さんの取材。インタビューが終わったころに撮影のためにジャン松元さんが車でやってきて、ジャンさんが町田さんの自宅内にあるアトリエで撮影した。

そのあと、ぼくは栄町《さかえまち》へ戻り、深谷さんと再び合流して「ちぇ鳥」で焼き鳥。「CHILL OUT《チルアウト》」へ流れると、店を譲り、県内移住して今帰仁《なきじん》村の古民家に住み、琉球料理を追求するという衝撃の決意をオーナーの黄泰灝《ファンテホ》さんがから聞いて驚いた。そのあと「蛸屋本店」でジュンク堂書店那覇店（以下、ジュンク堂書店）の森本浩平店長と、eスポーツの運営をしている会社の岡野寛さんと合流。センベロコース。二〇代の岡野さんが料理の大半を持ち帰る。さらに「DENNY'S」というセンベロステーキへと流れた（当然、センベロコース）。

最近、センベロめぐりばかりやっている。那覇の飲食店街はちょっとしたセンベロブームで、しかも昼間の早い時間から開けている。故・中島らもさんが発明したとされる「センベロ」なる用語、沖縄で定着している。

2月28日

一〇冊ぐらい置いてあるG・ガルシア＝マルケスの本から短編だけをたまに読みながら、バルコニーを掃除したり、植物の剪定《せんてい》したり、寝ころんだり。外出せず。

そういえば、沖縄へ初めて来た二五年ぐらい前、松尾《まつお》にあった民宿に泊まっていて、滞在中は近くのやちむん屋（陶器屋）に毎日通っていた。沖縄の焼き物の力強さは、柳宗悦《やなぎむねよし》をはじめ、濱田庄司、河井寛次郎なども、沖縄のやちむんに惚れ込んでしまったことはやちむん好きなら有名な話だろう。そのころに買った湯飲みは、今でもいくつも持っている。

その店の女性オーナーがぼくよりひとまわり以上は歳上で、顔を出すたびに沖縄の文化についていろいろ教えてくれた。ある夜は近くの居酒屋に連れていってくれて、よもぎを入れたジューシーの雑炊《ぞうすい》（フーチバジューシーとメニューには表記してあった）をごちそうしてくれたり、ある夜はどこだか忘れたが、海まで車に乗せていってくれて夜景を見せてもらった。イチャリバチョーデーという言葉を教えてもくれた。一度会えばキョウダイみたいなもんだ、という沖縄の諺《ことわざ》だがそれを地でいくような天然な女性だった。

無垢の信頼というか、ここまで一旅人を受け入れる彼女のパーソナリティに正直、驚かされた。身体の接触は一度もなかった。なぜか、ぼくはセクシャルな気持ちにはならなかった。その店はすでになくなっていて違う建物になっているが、あの女性は元気なのかなあ。ぼくが沖縄にハマっていくルーツをたどっていくと、まちがいなく彼女の存在がある。

2月29日

バスでコザへ。約束の時間より早めについたのでゲート通りをぶらぶら歩く。嘉手納《かでな》基地に向かって左側の町は、再開発でゆくゆくはなくなってしまうという。「一本堂」という沖縄空手の「聖地」的ショップで一本堂オリジナルワッペンを買う。ソーセージショップの「TESIO《テシオ》」にも寄り、オーナー職人の嶺井大地《みねいだいち》さんからコザ（とりわけ一番街あたり）の街おこしの話をあれこれ聞いた。

そのあと「よねさかや」で不動産関係の仕事をしている新崎康裕《あらさきやすひろ》さんと飲む。この店はアーケードのある歩道にテーブルを出して料理や酒を出す。一応テントみたいなものも頭上にはる。しばらくしたら地元選出の県議会議員・玉城満《たまきみつる》さんも寄ってくれて、かるく飲む。最終の那覇行きのバスに乗って那覇に戻り、栄町「おとん」へ。もう深い時間帯だ。常連の島村学さんが、近くの居酒屋にいたカメラマンの仲程長治《なかほどちょうじ》さんを呼んできてくれて久々に会う。

3月1日

『ヤンキーと地元』（二〇一九）が話題になった（同書はのちに二〇二〇年の第六回沖縄書店大賞を受賞）打越正行《うちこしまさゆき》さんが東京の私大に就職が決まったので送別会を栄町の「福岡アバンギャルド」で。ジュンク堂書店の森本店長、「おとん」の池田哲也さん、深谷慎平さん、普久原朝充《ふくはらときみつ》さんと集まり、打越さんがじつは一度も行ったことがないと言うので「アラコヤ」でテッポウ（豚の直腸）の串焼きをつまみにワインを飲む。で、立ち飲み屋「トミヤランドリー」へ流れる。安里（栄町）で三軒はしごしたわけだ。

3月2日

ジュンク堂書店で三上智恵著『証言 沖縄スパイ戦史』（集英社新書）と大矢英代《おおやはなよ》著『沖縄「戦争マラリア」―強制疎開死３６００人の真相に迫る』（あけび書房）を買う。ものすごい力作だ。アタマが下がる。

深谷さんの車に乗せてもらい、糸満《いとまん》へ向かってもらった。「ひめゆり平和祈念資料館」館長の普《ふ》天間《てんま》朝佳《ちょうけい》さんに雑誌「ＡＥＲＡ」の「現代の肖像」の取材を直にお願いしようと思ったから。編集部からお願いをしてもらっているが、顔を見てお願いしようとアポなしでいきなり訪問した。お話をていねいに聞いてくださり、前向きに検討してもらえることになった。人はやはり会ってコミュケーションしたほうがいいな。とくに取材申し込みは顔を見てお願いしたほうがいい。帰りに糸満の「道の駅」へ寄って沖縄そばを食べて、拙宅まで送ってもらった。

3月3日

モノレール牧志駅から那覇空港へ移動。羽田空港から荻窪の新刊書店「Ｔｉｔｌｅ」でひらかれる尹雄大《ゆんうんで》さんのトークライブに直行するはずだったが、コロナ禍の影響で中止に。今月末に開かれるはずだった上原健太郎さんと下地《しもじ》ローレンス吉孝さん（いずれも社会学者）とおこなうはずだったトークライブも取りやめになった。雄大さんは東京に来ているので、晩飯に誘ってみたら自宅近くまで来てくれた。彼の新刊『モヤモヤの正体―迷惑とワガママの呪いを解く』（二〇二〇）刊行のお祝いで、パートナーと三人で行きつけの和食居酒屋へ。

3月26日

夕方、那覇に着いた。腹が減っていたので泊《とまり》の「串豚」へ直行。常連の知り合いらと雑談。コンビニで食料などを買い込んで拙宅へ。

3月27日

写真家のジャン松元さんと合流して糸満の「ひめゆり平和祈念資料館」へ。途中で打ち合わせがてら「そば処たから家」で沖縄そばを食べる。ジャンさんは肉汁を食べた。前回に直《じか》に申し込んだ普天間館長が、ぼくが担当する「AERA」の取材を受けてくれることになったのだ。ジャンさんは「琉球新報」のぼくの月イチ連載の相棒なのだが、彼はフリーランスなので今回は普天間館長を撮ってもらうことになった。

終わったあと、ジャンさんの自家用車を彼の家まで戻してから、連れ立って栄町市場へ。栄町市場は「ひめゆり学徒隊」が動員された「沖縄師範学校女子部」と「沖縄県立第一高等女学校」があったところ。安里《あさと》の交差点から与儀《よぎ》に向かう幹線道路は「ひめゆり通り」と命名されている。両校の同窓会館はいまでも場内にあり、たまに使われている。飲み屋の看板などに混じって同窓会館の所在が明記されているが、歴史を知らなければ見落としてしまうかもしれない。

ジャンさんと「おとん」へ顔を出す。店には拙著『沖縄アンダーグラウンド―売春街を生きた者たち』(二〇一八)を常に数冊置いてもらっている(サインを入れさせてもらってます)のだが、しばしば常連さんが買ってくれる。芋焼酎を舐めていたら、近くの店に立憲民主党参議院議員(当時)の有田芳生《よしふ》さん――彼がフリージャーナリスト時代から知り合いで、いまは同党沖縄県連の幹事長

（当時）もやっている――がいると店で聞いた。挨拶でもしようとその店をさがして入ると、よく似た人が飲んでいた。恥をかいたなと場内を歩いていると、故・翁長《おなが》雄志《たけし》前知事の息子さんの翁長雄治《たけはる》さんと邂逅《かいこう》したので初対面の挨拶をした。

疲れていたのでぼくはそれで帰ったが、Twitterをのぞいたら、あのあとジャンさんは「まるまん」で山羊汁を食べて帰ったらしい。あそこの山羊汁は絶品だ。

3月28日

バスに揺られて宜野湾市の「BOOKSじのん」へ。社長の池原暁子《あきこ》さんがレジにいたのでご挨拶。店長の天久斉《あめくひとし》さんは不在（あとで電話かかってきた）。上里和美著『アメラジアン―もうひとつの沖縄』（一九九八）と下嶋哲朗著『沖縄・聞き書きの旅』（一九七八）を購入。上里さんは、作家のオーガニックゆうきさんのお母さまだと池原さんからお聞きして、ちょっとびっくり。おふたりとは去年の沖縄書店大賞の授賞式でお目にかかった。拙著『沖縄アンダーグラウンド』は沖縄本部門で大賞、オーガニックさんの小説の『入れ子の水は月に轢かれ』（二〇一八）は小説部門で準大賞だった。

そのあとは歩いて真栄原《まえはら》新町（元真栄原新町と書いたほうがいいのかな）内にあるギャラリー「PIN-UP」へ歩いていって、町田隼人さんの個展におじゃました。ご本人が在廊中で、あらかじめ買うことを約束しておいた彼の作品を見て、代金を支払った。前にも同じシリーズの作品を買ったので、デビュー直後の町田さんの描いた「女性」画二点が拙宅にくることになった。

バスで那覇市内に移動して、栄町で普久原朝充さんと深谷慎平さんと合流し、栄町市場内の「おとん」、センベロ寿司屋で人気急上昇中の「寿司亭 暖治」へ。握り五貫と飲み物二杯がセットで一〇〇〇円。握りを追加しても二〇〇〇〇円でお釣りがくる。土産の折り詰めを「おとん」に届けた足で、安里交差点にある台湾料理屋「アグーバオ」へ流れて、日本語が流暢な台湾出身の店員さんと台湾の花ブロックからタトゥーまで話が広がり、店員さんの背中の見事なタトゥーを見せてもらう。

勢いがついてしまって、三人で旧三越の一階と地下にさまざまな飲食店が入る「市場」を視察。島ぞうりをつっかけていたせいか、雨で床が滑って思わず尻もち。最後は「一幸舎」でラーメンを少しすすって帰宅。なんか久々に飲み食いしてしまった。

今日は沖縄戦時、渡嘉敷島《とかしき》で集団自決があった日だ。これに軍命があったかどうかをめぐって、『沖縄ノート』(一九七〇)を書いた大江健三郎さんや版元の岩波書店らが、軍人の遺族から名誉毀損で訴えられた。

渡嘉敷島へはかつて何度も旅したことがある。たいがいは同じ民宿に泊まってシュノーケリング三昧《ざんまい》の日々だったが、のちに故・灰谷健次郎さんが別邸を持っていたので泊めてもらったこともある。山の斜面に建つ灰谷邸へ行く途中にある集落の共同売店で、彼は豚のソーキ肉やらゴーヤーを買い込んで、慣れた手つきで料理を作ってくれた。

泡盛を飲んですいすいと泳ぐ灰谷さんの真似をしたら足をつって溺れてしまい、必死でブイにしがみついて、浜に上がっていた灰谷さんに助けを求めたことがある。灰谷さんは「おまえなんか、死んでしまえ~」とあきれ顔で笑いながら、観光客の浮輪を借りて救出にきてくれたが、彼のおかげで一命を取り留めた。彼が亡くなったあと、某週刊誌にそのエピソードをぼくが語ると活字になっていた。

3月29日

二日酔い。音楽もかけずに、テレビで地上波をつけっぱなしにして寝てばかりいる。たまにのそのそと起き出して、沖縄の政治史に関する本を何冊か読むが、ほとんどアタマに入ってこない。すぐに横になってしまう。夜になってやっと拙稿のゲラに目を通す。

バルコニーのガジュマルの枝葉に野鳥が巣を作って、卵をあたためていることに気がついた。前にも一度、別の鉢植えに野鳥が巣を作り、雛が巣立っていった。今度はわがバルコニーの中でいちばん大きいガジュマルの鉢だ。この部屋をこしらえてすぐの時期にもらったときは数十センチだったが、植え替えて鉢を巨大化させてやったら縦横三メートル以上のデカさに成長した。

このガジュマルをくれたのは当時のマンションの管理人をつとめていた山本直幸さんだった。長崎出身で大阪で暮らしてきた彼はいま、難病指定されている病《やまい》にガンを併発して闘っている。ぼくが部屋を作ったときは意気揚々としていて、近所の安居酒屋によく飲みに連れていってくれたり、車であちこちに連れ出してくれて、沖縄での暮らしのイロハを教えてくれた。カラオケがある店にいくと機嫌よさ気に沖縄民謡を歌っていた。

その巨大化したガジュマルを見つめていると、マイクを上方に傾けて歌う彼の癖や、艶のある歌声が蘇る。動かないでいる鳥をたまに見に行くと、じっと見つめ返される。視線をそらさない。無事に雛が生まれて巣立ってほしい。

3月30日

朝から仕事。バスに乗って浦添市の屋富祖《やふそ》にある平敷兼七《へしきけんしち》ギャラリーへ。娘さんの七海さんにインタビューさせてもらう。平敷さんのネガをスキャンしてプリントしたものの販売をはじめていて、思わず何点か購入。それから平敷さんの作品を胸にプリントしたTシャツも販売していて、それも衝動的に買う。プリントされているのは昔の安里三叉路の様子だ。平敷さんはかつてカメラマンをやりながらジーンズショップをやっていて、そのショップのロゴをそのままTシャツのタグに転用したんだそうだ。粋だなあ。平敷兼七ファンとしてはたまらない。

　帰りに壺屋の「陶 よかりよ」に寄り、前に取り置きしておいたキム・ホノさんの猫の置物と、増田良平さんのちいさな壺を購入。その足でひとりで泊の「串豚」に行って腹を満たした。

3月31日

　夕方に琉球新報社へ。二年目に入った月イチ連載「藤井誠二の沖縄ひと物語」の打ち合わせ。そのあとは新都心のスターバックスへ。地元放送局でデジタルコンテンツを制作する宮平《みやひら》のぼるさんと会ってコーヒーを飲む。宮平さんと別れたあとは栄町の「潤旬庵《うりずんあん》」で普久原朝充さんと待ち合わせ。彼が監修した『沖縄島建築―建物と暮らしの記録と記憶』（二〇一九）がいま絶好調（二〇二〇年に沖縄書店大賞準大賞を受賞）。ジュンク堂書店の森本店長から電話があり、浮島通りのオープンしたての焼肉店「萬たく」にいるというので移動。Eスポーツ事業を展開する岡本寛さんもいた。そこでシロセンマイとハラミ刺しを皆でつついてから、隣接した「せんべろJi－Ji《ジィージ》」へ移動。画家の大城英天《おおしろえいてん》さんがいたので、ご挨拶。

4月1日

　冷蔵庫にあった野菜と島豆腐などを炒めて食べる。ほとんど毎日、こんな感じで島豆腐と何かを炒めた料理を作る。日中は家にこもって仕事をする。夕方に近くのコンビニに行き、地元誌「モモト」とJTA発行の「コーラルウェイ」の最新号を買う。前者は組踊《くみおどり》特集、後者は「世界に誇る空手」特集。その足で「すみれ茶屋」へ歩いていって晩飯。客はぼくひとり。「モモト」はいつもながら秀逸。いのうえちずさんの編集能力や問題意識、センスのよさにいつも刮目《かつもく》させられる。

4月2日

昼すぎにアーティストの町田隼人さんが拙宅に作品を届けてくれた。近くでお茶でも、と車に乗り込んで走り始めたら、最近できたばかりのカフェがあいている。うちから歩いても数分。そこは松岡政保《せいほ》さんの邸宅があったところで、立派な洋館と庭が豪壮な存在感を醸し出していた。庭というより小さな森という感じだった。

松岡さんはアメリカ占領下の琉球政府四代目首席。そこを壊してお孫さんがカフェやギャラリーを複数棟建てた。「märch《マーチ》」という。風が吹き抜け、広々とした静かな心地いいロケーション。そこではお茶を飲めるし、雑貨などの販売コーナーもある。部屋着で行ける距離にこんなスペースがあってうれしい。ギャラリーの一角には松岡さんの業績を紹介する展示がされてあった。

そこのカフェで町田さんといろんな話をした。ちなみに彼の両親とぼくは同い年。町田さんは、「ウチナンチュ」という言葉がニューヨークに半年ほど滞在を経験してから苦手になったそうだ。沖縄県外、つまり「内地」の人という意味で比較的普通に使われているが、どこか蔑視的なニュアンスを含んでいると彼は言う。きっと昔からその言い方はあるのだろう。戦前の那覇の地図を見ると「大和人《ヤマトンチュ》墓」とか「大和人町」という表記もある。くっきりとした「境界」があったのだ。

「居酒屋でグループで飲んでいるとしますよね。こちらはみんな沖縄出身者で、別のテーブルでグループが飲んでいて、あいつらナイチャーだ、とか、あいつらヤマトンチュだ、という。何気なく誰かが言うのですが、悪意はなくても、壁や隔たりを作るようなニュアンスが若干あるんですよね」

　こうした微妙なニュアンスを沖縄にいて感じるか、感じないか。その意味を考え続けることが、沖縄の歴史と直結することになる。まぎれもないヤマトンチュであるぼくは、そのあたりの言葉にこだわりたいと思う。歴史や関係性の中で「言葉」の輪郭は変わってくる。思えばかつては「内地」では、アパートや飲み屋で「沖縄人お断り」が当たり前だった時代がある。いまでもそれはあって、何年か前に沖縄の地元紙の記者が、沖縄出身ということで、東京支社に転勤のために借りようとした物件を断られた、「差別事件」があった。

　せっかくだから散歩しようということになり、浮島《うきしま》通りを歩いた。「ブンコノブンコ」（当時）に寄り、運営している饒波《のは》夏海《なつみ》さんとしばらく話をする。店には町田さんの作品を紹介した冊子も置いてあって、懇意にしているそうだ。「märch」でコーヒーを飲んできた話をすると、もともと牧《まき》志《し》でやっていて、松岡邸を取り壊してから移転したそうだ。

　敗戦直後に賑わった神里原《かんざとばる》あたりもうろついた。町田さんの世代だとこの街の名前すら知らないという。道路の拡幅などで当時の面影を残す建物は、もう半壊状態といってもいいほどの朽ちた姿をさらしている。

　町田さんに拙宅まで送ってもらい、冷蔵庫に入っているものを食べる。神里原の取り壊したゴミ捨て場に打ち捨ててあった陶器のシーサーを拾ってきたので、熱湯で消毒。シーサーは家の守り神。このテのものはゴミとしてそのままにしておけないタチである。とりあえずバルコニーに置いた。

明日「4・3」はシーサーの日らしい。

4月3日

夕刻まで原稿を書いて、沖映《おきえい》通りにあるFM那覇のスタジオへ歩いて向かう。ジュンク堂書店の沖縄本コーナーを小一時間チェックして、通りの向かい側にあるスタジオへ。知念《ちねん》忠彦さん（みらい財団理事）と饒波《のは》正博（沖縄赤十字病院脳外科部長）さんの同級生コンビがパーソナリティの「マー坊ター坊のまちづくりハッピーレディオ」というトーク番組へ。二歳上のおふたりを相手に拙著『沖縄アンダーグラウンド』の取材こぼれ話を披露する。

リクエスト曲を用意せよとのことだったので、中川敬《たかし》さん（ソウル・フラワー・ユニオン）の「満月の夕」をかけてもらった。阪神・淡路大震災のときに作られた曲だが、ぼくは名曲だと思っているし、沖縄民謡などをロックと融合させている中川さんの才気をリスペクトしている。

二〇一九年六月にぼくは脳卒中（右小脳出血）をやったばかりなので、目の前に脳外科医師がいるだけで安心しますよ、というフリでスタートして、一気に三回分を収録。番組は「究極の大人の遊び」というふれこみで、かつ音楽番組なので、かける曲は八〇~九〇年代のロックが多くなる。饒波さんがJAGATARA《じゃがたら》の曲をかけた。久々に聞いたが、江戸アケミ、かっこええなあ。

牧志の市場通りまで歩いてパーソナリティのおふたりがいつも収録のあとに寄るという「kana《カナ》」という居酒屋。バーのような雰囲気だがいかにも隠れ家。看板がないし、何も書いてない壁に引き戸があってそれが入り口なので、きわめてわかりにくいが、いい雰囲気。そのあと浮島通りに流れて焼き肉「萬たく」へ。やはりコロナの影響だろう、客はゼロ。先日来たばかりなので、マスターが覚えていてくれて、あらためて名刺交換。川淵大樹さん、ありがとう。メニューにない部位などを供してくれた。饒波さんはここでタクシーをひろって帰宅。そして知念さんと、深谷慎平さんと合流するために「トミヤランドリー」へ。

4月4日

昼前に起き出して洗濯。バルコニーに干す。乾いた洗濯物は室内に取り込み、乾燥機の下に置いた。夕刻のフライトで羽田へ。新型コロナ禍の影響で空港には人がまばら。この日以降、沖縄どころか、東京から離れることができなくなるなんて予想すらしていなかった。東京都などに緊急事態宣言が出されたのはこの三日後、四月七日のことだ。

02　ひめゆり平和祈念資料館へ

2020年5月29日

一カ月半ぶりにぐらいに沖縄に来た。東京での巣籠もり生活はそれほど苦ではなかった。コロナ禍に関係なく、東京にいるときはほぼ毎日、家から仕事場まで裏道を自転車をこいでいく。帰りに常連の店でテイクアウトして家に帰る。その繰り返し。ふだんから都心にはめったにいかない。すし詰め電車にはぜったい乗らない。取材や打ち合わせでたまに来るときがあるが、とにかく人が集まっているところは、コロナに関係なく苦手で仕方がない。一〇年ぐらい前にパニック障害急性期だったころ――一年間ぐらい続いた――から、とくに人込みは意識的に避けるようになった。もともとぼくは「密」嫌いなのだ。

バルコニーのガジュマルを見ると、まだ野鳥がじっと巣にうずくまっていた。この一カ月のうちにてっきり雛《ひな》が巣立っていたと思いきや、違った。親鳥がじっとぼくを見つめていた。たまに餌をあげる素振りをするので、おなかの下に雛がいるのかな。鳥を驚かせないように、大量の落ち葉などの掃き掃除をする。やはり鳥の名前がわからない。

国際通りに出てみると、人はまばらで、中国語などの外国語がほとんど聞こえなくなった。気味が悪いほど静かな国際通りだ。店もまだシャッターをおろしたままのところが多い。コロナ前の活気が戻るのはキビしいかもしれない。

夕方に栄町へ行って「おとん」で建築家の普久原朝充さんと合流。石獅子を彫るアーティスト・若山大地さんから政治家、漁師まで、この日は客全員が知り合い。待ち合わせたわけではなく、みんなたまたま居合わせた。

5月30日

松原耕二さんの『反骨—翁長家三代と沖縄のいま』(二〇一六)のページをめくっていたら午後三時をすぎたので、牧志の高良《たから》レコード店を目指して歩いた。途中でマスクをしていないことに気づいて、「沖縄の風」という店で「琉球帆布マスク」を買う。帆布だけあってごわごわ感がすごい。そして暑い。

そしたら「フジイさ〜ん」という声が聞こえて振り向いたら、激ウマラーメングループを展開する野崎達彦さんが車の運転席で笑っていた。いまは宜野湾《ぎのわん》でも「ラブメン」という店をやっているが、前は栄町で「ムサシヤ」というラーメン屋を経営していた。天才的なラーメン職人。全身タトゥーがよく似合っている。いかついルックスだが、あんな人ばかりだったら世界は平和になるのになと思わせる人なのである。

高良レコード店の前で社長の高良雅弘さんと合流、むつみ橋交差点のスタバに行ってコーヒーを飲む。高良さんから沖縄県ロック協会が作った『OKINAWAN ROCK 50周年記念史』(二〇一四)を借りた。いま高良レコード店は建て替わっていてテナントビルになっているが、上階はネットカフェが入っていて、ホテルがわりにしている人も多いそうだ。国際通りのど真ん中。最高の立地じゃないか。

普久原朝充さんと栄町「アラコヤ」で待ち合わせ。ホルモンを串に打った串焼きがやはり絶品。そのあと「おとん」に顔を出したら、ジュンク堂書店の森本店長と、彼のドラムの師匠の弓座《ゆみざ》志簡《ともひろ》さんが店外のスペース(常連は「おとん・アネックス」と呼んでいる)で飲んでいて、四人で盛り上がった。弓座さんは栃木県出身。プロのドラマーで某有名バンドのバックをつとめていたこともある。いまは沖縄に移住していて、最近は、MELISSAというペルー出身の女性ボーカリスト(県系四世)のプロデュースを始めたばかりで「ESPERANZA」というCDをもらった。早速聴いてみたが、声がすごく心地よい。

5月31日

終日、本や資料を読む。ひめゆり平和祈念資料館に関する書物数冊に目を通す。とくに「証言員」として活動してきたひめゆり学徒の生き残った人たちの言葉を丹念にひろう。ひめゆり学徒だった伊波園子さんの『ひめゆりの沖縄戦—少女は嵐のなかを生きた』(一九九二)、当時は引率教師で集団自決を思いとどまった、ひめゆり平和祈念資料館の初代館長・仲宗根政善《なかそねせいぜん》さんの『ひめゆりの塔をめぐる人々の手記』(一九八〇)など。記念誌や月報などダンボール一箱。元知事の稲嶺恵一さんの『稲嶺恵一回顧録—我以外皆我が師』(二〇一一)や大田昌秀・新川明・稲嶺恵一・新崎盛暉著『沖縄の自立と日本—「復帰」40年の問いかけ』(二〇一三)、沖縄タイムス社編『沖縄を

く以外、外出せず。

語る（1）次代への伝言』（二〇一六）にも目を通す。それから、松林要樹《ようじゅ》さんのドキュメンタリー

「語られなかった強制退去事件」（NHK BS1、二〇二〇年一月二四日放送）を観なおした。

本ばかり読んでじっとしていても腹が減る。島豆腐を野菜と炒めて食べたり、ハーブティーを入れて飲む。気分転換に少し掃除やら断捨離をする。マンション内のゴミ集積場にそれらを捨てに行く以外、外出せず。

6月1日

写真家のジャン松元さんと合流するためにホテルロイヤルオリオンに向かうが閉鎖中。早めにいってホテル内のカフェでアイス珈琲でも飲もうと思っていたが当てがはずれた。しょうがないので反対側にある牧志駅前ほしぞら図書館へ行って、入り口の外に並べられた椅子に座って汗を拭った。距離をあけて並べられた椅子にすわって読書していると、ここは那覇市の行政機関の出張所も併設しているので、職員らしき人から「給付金の申し込みですか」とたずねられた。

今日は建築家の普久原朝充さんもいっしょなので、図書館で合流した。ひめゆり平和祈念資料館は建築家の玉那覇有紀《たまなはありのり》さんの建築で、いわば普久原さんら建築家の大先達にあたる。その建築を見学するために彼もついてきたというわけだ。三人でエアコンが故障中のジャンさんの車に乗って、ひめゆり平和祈念資料館へ。途中、コメダ珈琲沖縄糸満店でアイス珈琲。行く道すがら、県議候補の応援で手を振る玉城デニー知事とばったり。笑って手を振り合う。

ぼくとジャンさんは普天間朝佳館長やその他の学芸員、そして高齢の元学徒へのインタビューや撮影。普久原さんはひとりで資料館内をくまなく見てまわっている。資料館はコロナ禍の影響で昨日まで閉館を余儀なくされていたのだが、七月から展示をリューアルするプランも止まってしまっ

たことが報道された。だから、今日の来館者はまばらだった。

そういえば、ぼくは資料館に来るのは何回目だろう。何度来ても第四展示室の、犠牲になった学徒や教員の写真がずらりと並べられた――写真がない人もいる――風景を見ると胸が押しつぶされそうになり、ひとりひとりの顔を見ていられない。苦しい。涙が出てくる。初めてきた二〇代のときもそうだった。

夕方になり、普天間館長と荒崎《あらさき》海岸に行った。凶器のようにするどく尖った岩肌をつたうように歩いていくと、ひめゆり学徒一七名が教員と集団自決した場所に碑が立てられている。合掌。こんな場所を裸足で逃げまどった学徒の悲劇を思う。足の裏が岩で切り裂かれ、えぐられ、足を真っ赤にして米軍の砲弾をかいくぐろうとした。――当時は布を足の裏にまいて走ったそうだが、ほとんど効果がなかった。浅瀬の岩礁が真っ赤に染まったという表現があって、死体が海の色を変えたんです――そんな話を普天間館長がしてくれた。

一般道からここまでは未舗装の道を車でのろのろと走る必要があるのだが、途中でぼくの目は削られた丘の無残な状態に釘付けになった。土砂や琉球石灰岩が削り取られ、いくつも小山のようになっている。ひめゆり学徒に限っても、遺骨が発見されない人や、どこでどう最期を迎えたかわからない人も多い。

この土砂の中に骨や遺品、血や汗がしみこんでいるのはまちがいないはず。それを掘削し、大型トラックが辺野古へ運んでいくというのだ。死者を踏みにじる行為だ。「辺野古埋め立てに糸満《いとまん》からも土砂調達か　防衛局が沖縄本島南部を追加」（「琉球新報」二〇二〇年五月二六日付）という見出しの記事は、以下のようにそのことを指摘している。

米軍普天間飛行場の名護市辺野古移設に向けた埋め立て用土砂の調達場所について、沖縄防衛局が本島北部のほか、本島南部を追加したことが二五日分かった。市町村名は明記していないが、糸満市の採石場とみられる。同局が県に提出した設計変更承認を求める申請書に記載されていた。県は二五日、申請書について五六項目の修正を求める文書を同局に送った。

防衛局は変更承認の申請書で「北部地区」「南部地区」で土砂を採取すると記した。変更前は「本部地区」「国頭地区」だった。県は鉱山の場所を具体的に示すよう要求している。

申請書に掲載された地図には調達場所として糸満市とみられる地点を明示している。防衛局は土砂の調達可能量を確かめる二〇一四年度の調査で、本部町や名護市、国頭村に加え、糸満市の採取場所二カ所を追加していた。

安里《あさと》までいってジャンさんと別れ、普久原さんと「福岡アバンギャルド」でビールを飲む。そして「潤旬庵」に移動して刺身をつまみながら焼酎を飲む。ぼくら以外に客はいない。

6月2日

ひとりでレンタカーを運転して、また糸満まで走り、ひめゆり平和祈念資料館に行った。館長や他の学芸員のみなさんに昨日の続きのインタビュー。夕方に車を返して交差点で信号が変わるのを待っていると、うしろから仲村清司さんに声をかけられた。今日から沖縄に来られることは知っていたが、ばったり街中で会うとは。

いつも拙宅に泊まってもらっているので、まずは拙宅で荷をほどいてもらい、泊の「串豚」へ。「おとん」の池田哲也さん、普久原朝充さん、ジュンク堂書店の森本店長（と社員の若い男性もついてきた）が三々五々やってきて、久々に那覇に来た仲村さんを囲む。そのあと、開南の「こなもん屋」へ移動してタコ焼きをアテに飲む。

6月3日

仲村さんは昼を過ぎても寝ている。仲村さんが目覚めるのを待って、牧志の「金月《きんち》そば」へ沖縄そばを食べに出かける。「ひばり屋」でコーヒーでもと思い寄ってみたが、その日はしまっていた。ぼくは夕方にモノレールの終点「てだこ浦西《うらにし》」駅までいって、ドキュメンタリー監督の松林要樹さんにピックアップしてもらい、ちかくのスタバへ。彼のアジアやブラジルの放浪生活を経て沖縄に定住するに至る話を聞かせてもらう。彼の『花と兵隊』（二〇〇九）というドキュメンタリー映画や、『馬喰』（二〇一三）という本もぼくの大好きな作品だ。

安里に戻ってから、仲村さんと「ザ・ゴールデンスワロー」で台湾料理をつつく。仲村さんはかるい熱中症だったようで、ずっと拙宅で横になっていたらしい。帰宅してからは島豆腐と藻塩を合わせ、泡盛をうまそうに飲んでいたので、どうやら彼の体調は戻ったようだ。

6月4日

午前中に牧志の市場通りまで歩いていって、NPO法人「kukulu」におじゃまして、代表の金城隆一《きんじょうたかかず》さんと今木《いまき》ともこさんにご挨拶。ここは、いわば引きこもりや不登校などの問題を抱える子どもたちの「居場所」で、慢性的な貧困状態の家庭ケアや子ども食堂など、行政の網からこぼれ落ちてしまう子どもたちにとって、今の沖縄になくてはならないお仕事を担っている。

沖縄の子どもの相対的貧困率は三割で全国一。米軍基地の問題もそうだが、シングルマザーや、その子どもたちの背負い込まされている問題にも取り組む必要がある。これには構造的な格差や、それを取り巻く社会の意識の問題もあり、沖縄に長く横たわる。是正の責任は「本土」の側にある。

帰りに「ティーダキッチン」というキッチンカーでチキンオーバーザライスという弁当を買って、拙宅に持って帰って喰った。そしていつのまにか寝てしまい、起きたら夕方だったので、家にあった島豆腐を喰い、「中日新聞」の月イチ書評用のカーク・ウォレス・ジョンソン著・矢野真千子訳『大英自然史博物館―珍鳥標本盗難事件』（二〇一九）の付箋をつけたところをおさらいして何を書くかをノートに書きつけた。

6月5日

仲村さんは京都へ帰った。浦添市西洲《いりじま》のりゅうせき本社へ。稲嶺《いなみね》恵一元知事と会う。八〇歳代だが矍鑠《かくしゃく》としておられる。沖縄と「ヤマト」の、「保守」と「革新」の差異等を拝聴する。

家に戻ったあと、「すみれ茶屋」にひとりで行く。常連さんたちはパチンコの話に興じている。といってもぼくはパチンコをほとんどやったことがないので、玉城丈二さんが腕をふるってくれた本まぐろ料理にひたすら舌鼓を打つ。いいぐあいに酔ったので旧三越地下のラーメン横町をのぞきにいった。「琉球とろ肉そば」というネーミングに手を出した。沖縄そばにほとんどゼラチン化したてびちの肉など、とろとろの豚肉の部位がのっかる。それにフーチバものせてもらう。塩味のスープだがコラーゲンスープみたいでなかなか美味しい。

6月6日

ジャン松元さんと合流するためにホテルロイヤルオリオンへ。ホテルはまだ閉鎖したまま。腹がすいたので向かいの弁当屋で買ったゴーヤーチャンプルー弁当をホテルの軒先でかき込んでいたら、「そのまま動くなよ〜」と声をかけられたので、そちらのほうを見ると、汗だくの有田芳生さん（参議院議員・当時）がスマホのレンズをむけてにやにや笑っていた。

そのあとジャンさんと国道五八号を北上、浦添市屋富祖《やふそ》へ。ふと左手の米軍基地キャンプ・キンザーの前のバス亭を見ると、若い女性に米軍関係者らしき男がつかみかかっている。少なくともぼくとジャンさんにはそう見えた。その五〇メートルほど先で車を道路脇に付け、車の外に出てふたりで現場に向かおうとしたら、じゃれあっているだけのようだった。一安心。

写真家の故・平敷兼七さんの娘さんの七海さんが経営する平敷兼七ギャラリーへ。「琉球新報」のぼくの月イチ連載の人物モノ記事のために七海さんを撮影。ギャラリーの隣に七海さんが経営する美容室があるのだが、兼七さんが使っていた木製の机や照明などがそのまま使われていてレトロ感がかっこいい。

夕方は那覇の浮島通りにある古着屋「ＡＮＫＨ《アンク》」へ移動。ここで落語会などを主宰するイベンター（当時）の知花《ちばな》園子さんを撮影する。これも「琉球新報」のぼくの月イチ連載のため。オーナーの田阪佐登子《たさかさとこ》さんの趣味が完璧に反映された空間。置いてある服もかっこいいが、思わず息をのむ店内の空気。八〇年代まで使われていたアメリカ製のマネキン。オーナーが沖縄市からもらい受けてきたんだそう。保護猫たちが店内に置かれた箱の中で寝ている。

ぼくは東京で飼っていた愛猫がコロナ禍のあいだに一七歳で死んでしまったので——在宅していたので看取れたのはよかった——久々にもふもふを手のひらで堪能。この日のために知花さんは友人のメイクアップアーティストをつれてきて、メイクしてもらっていた。並々ならぬ気合を感じる。終わったあとは、栄町「おとん」でジャンさんと知花さんの三人で飲む。三人とも模合《もあい》（庶民金融の一種）というものをやったことがないので、「園子組」という模合をやろうということになり、園子さんはさっそく明日、模合帳を買いに行くと張り切っていた。

6月7日

飛行機まで時間があるので、「中日新聞」の書評原稿を書き上げて担当者に送る。搭乗する航空会社は減便していて一日一便だけ。今日は沖縄県議選（第一三回）の投票日なのだが、一三選挙区のうち四選挙区が無投票当選ということにがっかりする。名護市区やうるま市区などが政策論争なしに当選。六四人中一二人、だ。それでいいんだろうか。

それから、依田啓示さんという、たとえば辺野古新基地に反対する人たちを誹謗するデマを垂れ流していたネトウヨ県議候補者（那覇市・南部離島区）を民謡歌手の喜納昌吉《きなしょうきち》さんが応援していた。南城市市長の古謝景春《こざけいしゅん》さんのことも応援していた。これにもがっかり。からだの力が抜けた。ぼくが沖縄を好きになるきっかけのひとつが喜納さんの唄なのに（古謝氏は、のちに旧統一教会との関係も明らかになった）。

03 誤解で語られる沖縄

2020年6月21日

ちょっと前に読んだネットの記事で、ひさしぶりに誤解と思い込みに満ちた「沖縄」観に愕然としたので書いておく。
プレジデントオンラインの「平均年収三二〇万円でワースト一位の沖縄県民が『幸福度日本一』であり続ける理由」（二〇二〇年六月一〇日付）という記事だ。書いたのは慶應義塾大学大学院システムデザイン・マネジメント研究科教授の前野隆司さんという人で、「地域しあわせ風土調査」を『年収が増えるほど、幸せになれますか？　お金と幸せの話』（河出書房新社）で分析している。記事は、同書の一部を再編集したものだ。以下に引用する。

――物事を楽観的に考えられる人は幸福を感じやすい。『なんくるないさー』という方言があるように、沖縄の特有の気質が影響しているのではないか。――

〈『なんくるないさー』は沖縄の方言で、『なんとかなるさ』という意味。きわめて楽観的な県民性があるのです。多くの幸福学研究によって、楽観的な人、ものごとをポジティブにとらえることができる人ほど、幸福を感じやすいことが知られています〉

〈私の研究でも、『なんとかなる』と思う人は幸福度が高いという結果が出ています。逆に、悲観的でネガティブな人ほど、幸福を感じにくい傾向があります〉

〈沖縄の『なんくるないさー』精神は、南国の島に特有の気質です。ハワイ、フィジー、パラオなどの南国の島にも、同じような楽観的な風土があります。理由のひとつは、南国の島では命の危険が少ないからです。バナナやヤシといった食物がそこらじゅうに生えていますし、魚も豊富に捕れますから、飢えるリスクが小さいのです〉

〈また、一年中暖かいので、家がなくても凍死することはありません。着るものもシャツと短パンがあれば大丈夫です。一生懸命に働かなくても、衣食住に困ることはありません。年収が低

くても、失業率が高くても、さほど困らない。その余裕が、あっけらかんとした楽観的な風土を作っているといえるでしょう〉

これで大学の先生かと唖然としてしまうが、たぶんこの人は沖縄のことをほとんど知らず、表面的で、手垢のついた古典的なイメージだけで語っているのだろう。

沖縄でも暮らしていて、取材活動をおこなっている身からしても、前野さんの言う意味での「なんくるないさー」精神はまず感じたことがないし、バナナやヤシはそのへんに生えてないし、魚は鮮魚店やスーパーで買うのが一般的で、貧困状態（日本で貧困率がいちばん高い）にある家庭は必死で働き、喘いでいる。三度の食事に事欠く子どもは三割近い。これも日本でいちばん高い率だ。さらに日本で賃金がいちばん安いのに光熱費は高く、家賃も東京と比べてもさほど安くなく、シャツと短パンですごしているのは一部の移住者だけだ。ついでに言っておくが沖縄の冬は寒くて――とくに夜は体感温度が低い――エアコンやストーブ、炬燵《こたつ》を使っている人も少なくない。ぼくも冬場は暖房器具を使っている。

沖縄は「のんびりした島」ではない。しゃにむに働いている。それでも全国最下位の県民所得が続いている。仕事も少ないから「内地」へ「季節（労働）」と呼ばれる出稼ぎに行く。沖縄へ「癒されに行く」という感覚はそうとうズレていると思う。

それに――これはたくさんの人がまちがって使っていると思うのだが――「なんくるないさ」は「なんとかなるさ」ぐらいのカルいニュアンスではなく、「真《まくとぅ》そーけーなんくるないさ」「挫けずに正しい道で努力すれば報われる」ということで、重たい意味合いの言葉なのだ。そもそも、沖縄で「なんくるないさ」と人がしゃべっているところなどほとんど見たことがないし、沖縄出身の友人に何人か聞いてみたが、みんな使ったことがないという。そのあたりは世代にもよるだろうし、いい言葉だけど「観光語」になっているのが実態だと思う。

先の大学教授はこうも言っている。

〈沖縄の幸福度が高いのは、東京から離れていることも関係していると思います。遠いがゆえに、東京と自分たちを比較しないですんでいる。しかも、沖縄じたいに他と比べようのない個性があります。「ウチナーンチュ」としてのアイデンティティがあります〉

たしかに距離は離れている。しかし、大学進学であったり、さきにも述べたように「季節」と呼ばれている季節労働者として働きに東京や大阪へ出て行く人も多く、ものすごく「内地」を、とくに東京を意識することになる。ゆえに東京と沖縄の生活の比較もするに決まっている。

「内地」とはどこか突き放したニュアンスをかすかに含む言い方だが、とくに沖縄の若い人たちにとっていろいろな意味で、他県よりも「東京」は切っても切れないと思う。ウチナーンチュ独自のアイデンティティはけっこうなことだが、沖縄の実状を知らないヤマトの研究者が「ウチナーンチュのアイデンティティ」を簡単に「分析」してしまっていいのか。

ヤマト化していると言われている中で、沖縄のアイディンティティとは何か、個人々々が葛藤し、悩んでいる。もちろん考えない人だっていて当然だ。誇りを持つ人もいれば、ウザいととらえる人もいる。ぼくも沖縄のことを知らない。わかってない。だから、ぼくなりに知りたくて通い続けているかもしれないのだと思う。

空港に着いて、まずは安里の自宅に荷物を置きにいった。バルコニーの鳥の巣が気になってサッシを開けると、いきなり一羽がばたばたと飛び立った。よく見ると洗濯機の上にもう一羽、鎮座している。たぶん飛び立ったのが親鳥で、逃げなかったのが、うちのバルコニーに生まれ育った子のほうだろう。すっかり成鳥になっていた。うれしくなった。

とりあえず、すぐに桜坂劇場へいって坂上香監督のドキュメンタリー映画『プリズン・サークル』（二〇一九）を観る。上映までのあいだ、同劇場ではたらいている山田星河《せいが》さん（当時）とゆんたく。彼女は、ぼくが非常勤で教えている愛知県にある大学の教え子なのだ。

映画は、刑務所の中でおこなわれているTC（セラピューティック・コミニュティ）を、撮影許可を得るまでの六年間を経て撮影された力作。TCとは「回復共同体」と映画では訳されているが、受刑者同士の対話を繰り返すことによって、自身のトラウマから被害者への気持ちをあらわす言葉に置き換えるなど、支援員のサポートを受けてながら時間をかけて更生をおこなっていくプログラムだ。感情を人前に初めてさらし、互いに成長を認め合っていくプロセス（映画は二年間の密着）は感動的ですらある。制作者の粘り強さが、それまで開くことがなかった扉をこじあけた。敬服する。

舞台になっているのは島根あさひ社会復帰促進センターという半官半民の刑務所である。犯罪傾向が進んでいないとされる二〇〇〇人が収容されている。

ぼくはこの刑務所を二度、訪れたことがある。収容中の受刑者に会いにいったが、二度とも断られた。詳細は拙著『黙秘の壁―名古屋・漫画喫茶女性従業員はなぜ死んだのか』（二〇一八・大幅加筆した文庫版は『加害者よ、死者のために真実を語れ―名古屋・漫画喫茶女性従業員はなぜ死んだのか』に改題。二〇二一年に出版）に書いたが、二〇一二年に起きた傷害致死・死体遺棄事件の加害者――加害者夫婦の夫が同センターに収容されていた――に面会に出向いたのだった。

夫婦が経営する漫画喫茶でアルバイトしていた女性を死に至らしめ、それを隠滅しようと計画を立て、山中に死体を埋めたという事件である。しかし、加害者は途中から黙秘に転じ、検察は「死体遺棄」では起訴したものの、「傷害致死」では黙秘による供述調書の不在、一年に及ぶ遺体の遺棄などで確定的な物的証拠等が失われ、不起訴処分に。検察審査会は不起訴不当の結論を出したが、再捜査の結果は同じだった。そうした幾重もの壁と闘った被害者遺族を記録したのが同書である。

たった二年の刑期を満期で終えた加害者夫妻の居所をぼくはつきとめ、のちにアポなしで会いに行くことになる。ぼくは刑務所に何度か手紙を出していたから、会ったときにぼくの名刺を見て、手紙の主と同じだったことにすぐに気がつき、表情が歪んだ。そして悪態をつき始めた。もちろんその話もこまかく書いた。

TCに参加できるのはごく一部の受刑者だけで、ぼくが会った加害者は参加していない。出所後、再犯はしていないから制度上は「更生」といえるのだろう。だが、民事裁判では傷害致死が認められ——つまり民事では傷害致死も「有罪」——それによって賠償金も確定したが、支払いも謝罪も無視したままだ。もしも仮にあの加害者がこの更生プログラムに参加するようなことがあったなら、自己の傷を他者に開示し、己を咎《とが》めていたのだろうかと複雑な気持ちにさせられた。

桜坂劇場を出ると右翼の街宣車——ワンボックスカーぐらいのサイズだった——が二台、追尾している警察車両をからかうように走行しているところに出くわした。あとをついていくと、ヘルメットにサングラス、マスクという出で立ちの一〇〇名ほどのデモ隊に遭遇した。警察官がまわりをかためている。コロナ禍の影響もあり、国際通りはほとんど人がいない。掲げられた旗に組織名はいくつか書いてあったが、「革マル」と明記されたものもあった。大きな旗には「日米安保を粉砕せよ」などと書いてあり、右翼は「そんなに日本が嫌なら中国に行け、この暴力集団！」と罵声を浴びせかけていた。

開いてる店はないかと、合流した普久原朝充さんと栄町を探し回る。映像作家の平良竜次さんが割烹店のシャッターを閉めているところ——彼のお母さんが「いまきの芽」という店を営んでいる——に遭遇。来沖していた写真家の岡本尚文《なおぶみ》さん——去年刊行の『沖縄島建築』が大評判。普久原さんが建築監修した——と合流し、「トミヤランドリー」で軽く飲み、安里三叉路にある台湾料理の「アグーバオ」へ流れた。解散して、ぼくは閉店時間ぎりぎりだったスーパーの「サンエー」で食料を調達して帰宅。すぐにバルコニーに出てみたら、洗濯機の上でじっとしていた鳥の姿がなくなっていた。あれは、鳩の一種ではあるまいか。きっと、そうだ。

6月22日

レンタカーを借りて、首里へ「モモト」編集長のいのうえちずさんに会いにいき、彼女の沖縄に対する知慧を授けてもらいにいく。沖縄戦動員学徒・沖縄第二高等女学校の生徒や教職員が慰霊塔「白梅之塔《しらうめのとう》」に祀られているのだが、その記憶を継承するために「若梅会」がある。その会長をいのうえさんがつとめている。沖縄出身ではない、いのうえさんがつとめている理由などをうかがった。

そのあとは宜野湾《ぎのわん》の大山まで走って、国道五八号線沿いにあるアンティークショップ「RAGGED《ラジェッド》 GLORY《グローリー》」へ。最近ここは旧西ドイツで作られていた「FAT LAVA《ファットラヴァ》」という一九五〇〜七〇年代に旧西ドイツで作られていた陶磁器に力を入れていて、流れる溶岩のような陶器の肌や、奇抜な色あやデザインにぼくはハマってしまい、「Scheurich《シューリッヒ》」というブランドの花瓶をひとつ買った。世界中にコレクターがいるのだが、とてもリーズナブルな値段。スタッフの名嘉山《なかやま》秀平さんに「FAT LAVA」カタログを見せてもらって鼻息を荒くしてしまう。

途中、「天下一品」のラーメンが食べたくなり、浦添の同店のパーキングに車をすべりこませた。

ホームセンター「メイクマン」の植物売り場にも寄ってみた。そのあと真栄原の「BOOKSじのん」に立ち寄り、店長の天久斉さんとちかくの喫茶店にコーヒーを飲みに行ってゆんたく。朝日文庫の朝日新聞社編『沖縄報告 復帰前 1969年』(一九九六)、同編『沖縄報告 復帰後 1982－1996年』(同)、同編『沖縄報告 サミット前後』(二〇〇〇)を購入。

管理人さんに頼んで、車を拙宅マンションの敷地内に停めさせてもらったあと、泊《とまり》の「串豚」へ。深谷慎平さん、元県議会議員の平良長政《たいらちょうせい》さんと合流。長政さんはすでに酔っぱらっていて、聞けば牧志の屋台村で昼から飲んできたという。彼はほぼ毎日、そこで昼から飲んでいて、常連の店の宣伝広告にも登場していてびっくりした。案の定、屋台村に戻ろうとおっしゃるので、偶然「串豚」の前を通りかかった知念忠彦さんの車に乗っけてもらい、屋台村に戻って「村内」を二軒ほどまわる。どこの店をのぞいても声がかかり、名誉村長状態。「島酒《しまあ》と肴《あて》」には泡盛マイスターでもある門脇梨紗さんいた。泡盛にくわしく、ソーミンタシヤーもかなりレベルが高い逸品。後日、店のインスタに県外から来た若い女性ふたり組と長政さんがしっかり写っていて笑った。深谷さんと「一幸舎」でビールとラーメンでしめる。

そういえば、昨年六月の脳卒中(右小脳出血)で入院してから一年が経ったので検査をしたが、脳のMRIでは異常はなかった。でも、後遺症が残って、たとえば酔うと呂律がまわりにくくなることがあったり、なにより速記がうまくできなくなった。裁判所の傍聴席で被告や証人等の証言を聞き取り、ノートに書きつけていくことが、できないわけではないが、つらくなった。どうしても筆圧が上がってしまうのだ。右腕に麻痺が残った結果だ。先日もある弁護士に取材したときに、事情を話して録音させてもらった。身体の機能を、一部だが失ったことを実感させられる。

6月23日

慰霊の日。新聞を買い込む。朝からひめゆり平和祈念資料館に行って追悼の会に参加した。今年は大幅に縮小されて執りおこなわれたが、元学徒の島袋淑子《しまぶくろよしこ》さんらは参列され、ガマに向かってしつらえられた祭壇に焼香をされていた。終わってから車で一〇分ほどの距離にある「白梅之塔」の追悼式へ。いのうえちずさんもいらした。受付にいた女性に「Twitter でフォローしていますよ」と言われた。

帰りに糸満の「うまんちゅ市場」に寄り、またも植物売り場をうろつく。近くの沖縄そば屋「南部そば」にたまたま入ったが、行列ができている。人気店なんだな。そばの上にとろとろに煮込んだテビチがのっている。こりゃ、人気店になるはずだ。その足で那覇市若狭にある「ちはや書房」（当時）に寄り、取り置いてもらっていた安藤由美・鈴木規之・野入直美編『沖縄社会と日系人・外国人・アメラジアン―新たな出会いとつながりをめざして』（二〇〇七）を買う。「ちはや書房」は夏から泉崎《いずみざき》に移転が決まったそうで、よかった、よかった。夕刻に仲村清司さんが京都からやってきたので、普久原朝充さんを呼び出して「アグーバオ」で台湾屋台料理をつつく。「牡蠣と大腸麵線」が美味い。そのあと岡本尚文さんも合流して安里の「粋《いき》や」で飲み直す。拙宅に戻ってから仲村さんと島豆腐を喰いながら深夜まであれやこれや話し込む。

6月24日

昼前に目覚めたが、仲村さんはまだいびきをかいている。近所まで出かけて弁当を買ってきてひとり喰う。喰っている最中も仲村さんはまだ寝ていた。しばらくすると起きてきて、急いで沖縄大学へ講義をしにいった。そのまま京都に帰るという。

ぼくはそのまま仕事を続けて、気づくとジャン松元さんとの合流時間に遅れそうな時間になっていた。さきにひめゆり平和祈念資料館の普天間朝桂館長の自宅へ向かってもらい、ぼくはタクシーに乗った。渋滞していて十数分遅刻。一時間ほど撮影とインタビュー。帰って民放を観ていたら、ガレッジセールのゴリさんが平和教育の在り方や、戦争の記憶を語り継ぐことについて体験や持論を述べていた。普天間さん宅で土産にいただいた「上間《うえま》沖縄天ぷら店」の天ぷらと冷蔵庫にあったゆし豆腐で晩飯にした。

6月25日

仕事が手につかずごろごろしていると、街に出てみようと思い立ち、小雨の中を傘なしで散歩に出た。足は自然にジュンク堂書店へ向く。森本店長と一階のカフェでゆんたくしていたら、「おとん」の池田哲也さんがふらりとあらわれて三人でゆんたく。出たばかりの沖縄発の言論誌「越境広場」を買って、向かいの「我部祖河《がぶそか》食堂」で沖縄そばとジューシー、野菜炒めを喰いながら、アーティストの山城知佳子さんと琉球大学の新城《しんじょう》郁夫さんの対談を読む。自宅の本棚から沖縄発の映像批評誌「LP」七号の山城知佳子特集号（二〇〇九年）をひっぱりだして読み返していたら、寝てしまった。

6月26日

野菜と島豆腐を炒めて食べる。仕事をしていて、ふと冷たい珈琲を飲みたくなって近所を歩きまわり、ハンバーガーショップの「アメリカ食堂」が開いていたので読書。夕刻はジャン松元さんと、ある政治家宅におじゃましてて遅くまで懇談。

6月27日

深谷慎平さんに頼んで車を出してもらい、またまた宜野湾の大山のアンティークショップ「RAGGED GLORY」へ「FAT LAVA」を見に行く。迷った挙げ句「Föhr Keramik」という旧西ドイツの五〇～六〇年代初頭の花瓶を、人へのプレゼントとして購入。店長の村瀬輝光さんとは何度か会っているのだが、この日初めてきちんとご挨拶。同郷の同世代だということがわかり、とくに移住者でいろいろなおもしろいかたちで「起業」している人たちの情報を聞いた。移住者が沖縄でフリーで喰うことはたやすいことではない。

夜にドキュメンタリー監督の松林要樹さんと三人で浮島通りにある焼き肉屋の「萬たく」へ。そのあと「おとん」に顔を出したら知り合いに何人も会う。深谷さんと「ブンキチ」で醬油ラーメンをすすって帰る。

6月28日

ずっと読書して過ごして、遅い午後に「ひばり屋」へ歩いていって、冷たいカフェオレを飲む。辻佐知子さんの淹れる珈琲は美味い。屋外は蚊が飛来してくる時間帯だったので、各テーブルに蚊よけスプレーと消毒液が常備してある。

辻さんとしばらくゆんたくして、浮島通りにあるクラフトビールの店「浮島ブルーイング」で、フリーランスライターの島袋《しまぶくろ》寛之さんが、アーティストの山城知佳子さんと一席もうけてくれたので移動。山城さんは今や世界的な著名アーティストだが、東京芸術大学の教員としても働いていて、往復生活がたいへんそうだった。今はリモートで授業しているそう。今後の制作についていろいろな話を聞かせていただく。
　ビールをぐびぐび飲んでいたら、「おとん」の池田さんや「ひばり屋」の辻さんらがやってきてだだっぴろい店内は知り合いらだけになった。これも偶然である。店を出たあと、旧三越内の屋台村にひとりで入って、某店でラーメンをすする。料理界で知られた人がプロデュースした店らしいが、たいした特徴もなく、がっかりして帰る。タクシーに乗ったら、女性ドライバーが「理不尽なことが多いから、サボって、タクシーを停めて、ワンセグで〝必殺仕事人〟を観てたさ」と笑いながらしゃべり出したので、「やっぱ、藤田まこと、いいですね。死んじゃったけど」と答えたら、「いまはヒガシ（少年隊の東山紀之）よー」と笑っていた。

6月29日
　午前中に洗濯などして昼前に空港に着き、ゴーヤーと野菜と炒めもの、ポークランチョンミートと卵焼きが入った弁当を買って喰う。飛行機の中で斎藤環《たまき》さんと與那覇《よなは》潤《じゅん》さんの対談本『心を病んだらいけないの？──うつ病社会の処方箋』（二〇二〇）をKindleで読む。

04「明日で店を閉めます」

2020年7月12日
　飛行機の中で『復讐するは我にあり』（一九七九）をものすごく久しぶりに観る。若い時の佐木

GEAR

隆三さんが売春旅館の客として出演していた。

空港について安里に荷物を置いて、安里三叉路にある台湾屋台料理店「アグーバオ」で普久原朝充さんと深谷慎平さんと合流。センベロ（飲み物二杯＋生キャベツとつまみ一品）から始まり、三人とも腹が減っていたので、どんどん注文。豚の大腸と搾菜《ザーサイ》、生姜の千切りを塩味で炒めた「生姜モツ炒め」が絶品。芋焼酎のロックを注文するとジョッキになみなみと入れてくれるので、通常のロックの三杯分はある。深谷さんが「これはロックではなくパンクですねえ」とか言っているうちに、数杯おかわりしてしまい久々に泥酔。

勢いがついてしまい栄町場内まで歩いて「タンドールバル カルダモン」へ。腹がくちくなっているので、一人前だけミールスを注文した。このあたりから記憶がまだらになっていて、深谷さんがひとりでそれをかきこんでいる姿だけ覚えている。帰宅すると、そのままベッドに倒れ込んだ。久々に睡眠導入剤なしで寝ることができた。

7月13日

蟬のけたたましい鳴き声で目を覚ました。うちのバルコニーのどこからか鳴き声が聞こえる。至近距離の蟬の合唱というのは騒音に近い。目の前に広大な邸宅があり、敷地内には赤瓦の古家屋もあり、巨木も十数本ある。ここに居を構えた頃は、ちいさな森のような風景で、ぼくは気に入っていた。しばらくはエアコンなしで網戸だけを閉め、扇風機をまわして過ごしていたから、蟬のけたたましい鳴き声がそれはそれはすごかった。いまその森には建物が建ってしまっているので、当時に比べるとかなり蟬の音量はちいさくなった。

二日酔いで夕方までダウンしていたが、ふと冷蔵庫を開けると買った覚えがない鮪の刺身が入っていた。そうだ、よく思い出してみると、昨日はカレーを喰ったあとにスーパーに寄って、島豆腐などといっしょにマグロ買ったんだった。夕刻ぐらいまで、ごろごろと寝ころがっていたが、夜になってようやく腹がへったので鮪丼にして食べる。ひめゆり平和祈念資料館の館長・普天間朝佳さんの人物ルポの原稿を深夜まで書く。玄関から一歩も出ず。

思えば、ぼくが沖縄に引き寄せられていったのは、在沖の犯罪被害者遺族の取材や支援を長期にわたっておこなっていたことも理由のひとつである。パチンコ帰りに歩いていた塾経営者を自衛官の男がカネ目当てで傘を突き刺すなどして襲い、相手を死亡させたという二〇〇五年の事件。全国規模の犯罪被害者のネットワークに所属していた遺族と知り合った。その後、ぼくは被害者遺族の川満由美さんが主宰する自助グループの会に事務局長的な立場で関わり、毎年全国各地から遺族や専門家を招いて問題提起のための集会を開催した。

その過程で知り合ったのが、二〇一〇年にうるま市で起きた八名の中学生にリンチを受けて亡くなった中学生のシングルマザーである。まだ三〇歳そこそこの女性だった。事件は連日、新聞の一面で報道された。当初、加害者の少年たちは小屋の屋根から誤って落ちたと供述していたのだ。しかし、そのような幼稚な嘘は警察官たちがすぐに見抜いた。傷の様子から他殺だとわかったからだ。

報道は日に日に少なくなったが、ぼくは取材や支援を続けた。遺族といっしょに沖縄少年院に入ったことがある。加害者の少年たちの何人かが入っている。少年院側はその少年と遺族が顔を合わせないように、細心の注意を払った。グラウンドで楽しそうに野球をしている少年たちを見た遺族が、「加害者はこんなふうに生活をして、すぐに出てくるんですね」と涙ぐんでいたことが忘れられない。加害者の何名かの親が家に謝罪に来る場に川満さんと同席したこともある。母親たちは喪服で来て泣いていたが、父親は仕事着のまま来て押し黙ったままだった。

前者の事件のルポは、『アフター・ザ・クライム―犯罪被害者遺族が語る「事件後」のリアル』（二〇一二）という単行本に、後者の事件は『「少年A」被害者遺族の慟哭』（二〇一五）という小学館新書に収録した。いまは遺族の活動は休止している（二〇二二年に再開）が、ふたりの命が奪われたふたつの事件を長い期間にわたって取材し、その過程で加害者家族のふるまいを見せつけられて、沖縄社会の中のどろどろとした部分をいやというほど味わった。

7月14日

島豆腐や島野菜、島豚を炒めて喰いながら、原稿の続きをひたすら書く。仲宗根政善著『ひめゆりの塔をめぐる人々の手記』、元ひめゆり学徒の伊波園子さんの『ひめゆりの沖縄戦』などの単行本や、資料館の年鑑資料、インタビューなどを読み返す。ゴミを捨てにいく以外は部屋を出なかった。

7月15日

午後から栄町場内。ドキュメンタリー監督の松林要樹さんとジャン松元さんと待ち合わせ。松林さんを取材・撮影。あまりに暑いので最近よく行っている「アグーバオ」へ駆け込む。ビール二杯とつまみで一〇〇〇円。松林さんは子どもの迎えのためモノレールの安里駅へ、ジャンさんは会社へ。ぼくだけ店に残った。

誰もいない、なぜか照明はついていない。ひとりでぼんやりと台湾のポップスを聞きながら表の通りを眺めていた。野菜たっぷりの焼きそばを食べて帰ろうとしたら、「明日で店を閉めます。家族で台湾に帰るんです」と店のスタッフの若い男性が突然告げた。「えっ？」とぼくは声を出したが、そのあとは「じゃあ、元気でね」と短い言葉しかかけられなかった。コロナのせいなのか、他に事情があるのか。

7月16日

朝起きてから冷蔵庫にあるもので飯を作り、引き続き原稿を書き、取材した資料を読み込む。精神科医の蟻塚亮二さんの『沖縄戦と心の傷—トラウマ診療の現場から』（二〇一四）を付箋をつけながら再読。

夕方になり土砂降り。遅ればせながら、DVDで映画『ハクソー・リッジ』（二〇一六）を観る。実話に基づいたメル・ギブソンの映画。第二次世界大戦の沖縄戦で衛生兵として従軍したデズモンド・T・ドスの実体験を描いた。デズモンドは沖縄戦で多くの人命を救ったことから、「良心的兵役拒否者」として初めて名誉勲章が与えられたという。

「ハクソー・リッジ」とは、沖縄戦において、浦添の南東にある「前田高地」という日本軍陣地のことだ。日米双方に相当な死者が出た急崖の激戦地で、ぼくが『沖縄アンダーグラウンド』で取材した売買春町の真栄原新町は戦後、このすぐ近くに造成された。すさまじい肉弾戦は描かれているると思うが、あくまでデズモンドの英雄譚なので、沖縄戦の別の側面の残酷さ——民間人が日米の軍隊の犠牲になっていく過程——などはまるまる省かれていた。

7月17日

午後まで仕事をして、散歩がてらジュンク堂書店まで歩く。森本店長と本の編集や書評を手がける宮城一春さんと喫茶店でゆんたく。前に会った新入り店員の森弘一郎さん（当時）がぼくが読むであろう沖縄ローカルの月刊誌「琉球」の二〇二〇年七月・八月合併号をプレゼントしてくれた。

そのあと森さんと栄町「おとん」で合流。芋焼酎を舐めていたら、常連さんが次々とやってくる。参議院議員（当時）の有田芳生さんと、ジャーナリストの大先達・二木啓孝《ふたつきひろたか》さんがあらわれて盛り上がる。帰りにスーパー「リウボウ」で食材を買い物して帰宅。

7月18日

午前中に深谷慎平さんに車で迎えにきてもらい、宜野湾市の佐喜眞《さきま》美術館へ。「沖縄の縮図 伊江島の記録と記憶」展を見に行った。ここに来るのは、沖縄に通い始めた頃以来だ。一部返還された普天間飛行場の用地に、一九九四年に開館した。だから美術館の周りはほとんど飛行場基地の鉄鎖で囲まれている。丸木位里《いり》・俊《とし》夫妻による巨大な「沖縄戦の図」を見入った記憶がある。

伊江島といえば阿波根昌鴻《あはごんしょうこう》さんだが、ここに展示されている写真は当時、島に一台しかないと言われた二眼レフカメラで本人が撮りだめたものの一部である。上陸してきた米軍の殺戮と土地の強制接収に対して果敢に闘った闘士であっただけではなく、島で生きる人々を記録する写真家でもあったことを知った。

先日、沖縄を表現したふたつの展示を東京で見にいった。森山大道《だいどう》さんが復帰前の沖縄に数日間だけ滞在して撮った写真を、神保町にできたばかりのギャラリーの「スーパーラボ ストア トーキョー」で見た。ぼくが前に仕事場をかまえていた場所のすぐ近くだった。『沖縄 s 49』（二〇二〇）という森山さんのモノクロ作品だけの写真集も買った。多摩美術大学の美術館でアーティストのTOM MAXこと故・真喜志勉《まきしつとむ》さんの個展「Turbulence 1941-2015」にもいってきた。トークショーにはご家族も来ておられた。会場では、写真家の岡本尚文さんとフリージャーナリストの渡瀬夏彦さんに偶然お会いした。

真栄原の古書店「BOOKSじのん」に寄って取り置きしておいたもらった沖縄発の言論雑誌「越境広場」一号から六号を買った。そのほかにも安里彦紀《あさとひこのり》著『沖縄の近代教育』（一九七三）、持っていなかった佐野眞一著『てっぺん野郎─本人も知らなかった石原慎太郎』（二〇〇三）と、沢木耕太郎著『バーボン・ストリート』（一九八四）の初版本、東峰夫著『オキナワの少年』（一九七二）も初版本を格安で入手。大田昌秀著『沖縄鉄血勤皇隊』（二〇一七）と真尾悦子著『いくさ世を生きて─沖縄戦の女たち』（一九八一）、沖縄言語研究センター編『追悼・仲宗根政善』（一九九八）も買った。「じのん」は沖縄関係書籍の小宇宙である。

糸満市のひめゆり平和祈念資料館へ向かう。途中、たまたま見つけた糸満市座波《ざは》の「食事処 おかあさん」で沖縄そばとジューシー。美味しかった。ひめゆり資料館で普天間朝佳館長に短いインタビューをした。

いったん帰宅して、栄町で深谷慎平さんと飯を喰いに出ることに。二木さんも合流するので、席が空いている店をさがす。せっかく二木さんが来ているので、どんどん河岸《かし》を変えていこうということになった。二木さんとぼくは、TBSラジオの同じ番組（曜日違い）や大阪のテレビ番組でも同じ番組（こちらも曜日違い）でコメンテーターやレポートをしていたことがあり、長いお付き合いなのだ。で、深谷さんは、沖縄移住前はラジオで二木さんの担当アシスタントディレクターを長くつとめていた。

「Refuge《ルフージュ》」でかるく一杯やって、すぐに「おとん」と「BOUCHER《ブーシェ》」を渡り歩いた。酔っぱらった二木さんがタクシーに乗ったあと、深谷さんと「ももすけ」で一杯だけ飲んで帰る。二木さんは子どものころ鹿児島に住んでいたらしく、「おとん」で知り合った九州出身の女性と博多弁で話しているのが、なんだが微笑ましかった。

7月19日

起きて、オクラや納豆、なめこ、豆腐などでねばねば飯を自作。今日もずっと原稿書き。書評用に貴志《きし》謙介さんの『1964—東京ブラックホール』(二〇二〇)を読み始める。

7月20日

那覇空港に早めに着いて、いつもの売店で弁当を買う。今日はかつカレー弁当。飛行機の中で、『DISTANCE《ディスタンス》』(二〇〇一)という是枝裕和監督の映画を見る。着想はオウムの一連の事件なのだろうか。カルト教団「真理の箱舟」が無差別殺人を起こし、四人の加害者の遺族がその命日に教団のあった山奥に集まる。実際にはそのようなことはありえないと思うのだが、これはエンターテインメント。何が犯行の要因なのか、加害者当人たちも煙に包まれたような、思考停止状態の意識のまま日常にかえっていくさまに、妙にリアリティを感じてしまった。

05 やーぐまいの日々

2020年8月2日

数日間、かわりばえのしない「やーぐまい」(家にこもること)を続けている。飯を喰って、仕事をして、散歩する。夜は、半ば無人状態の知り合いの店に飯を喰いにいく。

この日は、栄町まで歩いて「アラコヤ」へ。コロナ対策をとって人数制限等をしているので、店内はいつもの喧騒がない。普久原朝充さん、深谷慎平さんと合流。検温して、手の消毒。なるべくマスクをしてしゃべる。「琉球新報」のぼくの月イチ連載「沖縄ひと物語」の相談。「沖縄」と「関係」がある人たちをぼくの目線で選び、こつこつと続けてきた人物ルポも次回のドキュメンタリー監督の松林要樹さんで一八回目になる（二〇二〇年八月二七日掲載）。普久原さんと深谷さんの人脈や情報収集力、知識を参考にしながらどんな人を取り上げるべきかあれこれ考える。

同連載のコンセプトをふたりはよく理解してくれているので、ぼくは率直な意見に耳を傾けることができる。ぼくはじっくりとさまざまな立場や仕事の人に何度も会いに出かけ、それぞれの「沖縄的」なるものを感じ取り、二〇〇〇字の原稿に書く。一〇〇人に会えば、一〇〇人の「沖縄」を知ることができる。写真家のジャン松元さんと組めるのも刺激になる。あと何回やれるかわからないが、大切な仕事のひとつになった。

最近、なにかと話題の樋口耕太郎さんの『沖縄から貧困がなくならない本当の理由』（二〇二〇）を読んでみて、かなりの違和感が残った。何年か前に氏にはインタビューしたことがあって、当時は、那覇軍港の移転について反対していた浦添市長のあっと言う間の「転向」について構造的な鋭い分析等をしていた。すごいなあと思って話を聞かせてもらった。物腰のやわらかい人だった。が、同書については経営者としての記述に刮目するところも多々あるのだが、同書に寄せられた批判に対して「まとめて」他誌で樋口さんが反論しているのを見て、がっかりしてしまった。反論というより、ぼくには言い訳のように読めてしまった。

「反論」の中で、「『この本は〇〇の本だ』、と語ることがむずかしければ、まずは、そうでないものを説明する」、「この本のジャンルを特定することはむずかしい。沖縄地域研究、経済、貧困問題、文化、心理学、幸福論、哲学、スピリチュアリティ、経営、マーケティング、未来学、教育、子育て、自己啓発、社会学、日本研究、エッセイ、ノンフィクション、物語……どれも該当しそうだが、どのカテゴリーでもないとも言える」（以上、「ニューズウィーク日本版」二〇二〇年八月三日）というくだりにはとくに脱力してしまった。

同書には、沖縄の貧困問題に対する既存の対策を対症療法だと断じた一方で、肝心の政策提言らしきものがなく、問題の本質を沖縄の個々人の心の有り様に求めてしまっているのに、だ。樋口さんに悪意はないのだろうし、同書は沖縄でもよく売れているのだから、賛否両論があることは一般的にいいことだと思う。ぼくもいろいろと嫌われているので、「嫌われる勇気」的な気持ちはいつも持っているつもりだ。けれど、「自己肯定感が低い」という物言いを個人以外に対して使うことは、ぼくには憚《はばか》られる。

書き方の「手法」にいろいろなスタイルがあることは否定しないけれど、沖縄を見るときの風景がどう見えるかは、人それぞれの感じ方次第なのだなあと思った。ともあれ、沖縄に新しい無意識の「分断」が生まれてしまった感は否めないと思った。自戒を込めて。樋口さん、また機会があれば。

栄町の深い時間帯は閑散としていた。店のあかりがついていない人気のない夜道を歩いてスーパーへ。街灯しかないどんよりとした灰色の通りには、それでもいつものように客をひく高齢の女性が何人も屋外に出した椅子に座っている。暗いので人のかたちしか見えない。ひとりが近寄ってきて、化粧をした顔がはっきりと見えた。スナックで飲んでいかないかと声をかけてきた。

8月3日

琉球新報社へ打ち合わせに自転車に乗って出向く。ぼくの月イチ連載を立ち上げてくれた新垣里沙《あらがきりさ》記者と担当の古堅一樹《ふるげんかずき》記者、小那覇安剛《おなはやすたけ》・写真映像部長（当時）、そして連載の相棒のジャン松元さんと、隔離されたようなコロナ対策用会議室で、距離を取って、マスクをして、えんえんと話す。新報の連載はあと一年ぐらいはやろうという話をして、人選についてあれこれ議論をする。

帰りに自転車でちんたら走っていたら、バス停でジャンさんと会った。ジュンク堂書店に寄り、森本店長と打ち合わせにきていた島村学さんと、三人で一階のカフェでゆんたく。帰宅して手を消毒して、うがいをして、冷蔵庫にあった島野菜や島豚と沖縄そばを炒めて喰う。

そういえば今日、東京（内地）では「ＡＥＲＡ」（二〇二〇年八月一〇日-一七日合併号）が発売されているが、同号でぼくとジャンさん――彼は「琉球新報」専属ではなく契約なので、新報の仕事に支障をきたさないように撮影してもらった――のコンビで、「現代の肖像」ページで「ひめゆり平和祈念資料館」館長の普天間朝佳さんを描いた。沖縄で発売されるのは数日後になる（普天間朝佳さんの人物ルポは『沖縄ひとモノガタリ』に所収）。

8月4日

昨夜と同じものを喰って、ついでにコンロまわりを掃除。書評を書くのが遅れに遅れている貴志謙介さんの『１９６４』を蟬《せみ》時雨《しぐれ》に包まれながら途中のページから読み出す。

8月5日

冷蔵庫に入れてあった島豆腐に出汁醬油を少しかけて喰う。一丁がデカいので腹いっぱい。ひたすら、たまっている仕事をする。夕方に新都心へ出かけて買い物。誰とも会わず、話さず。予定していた対面取材を相手と相談の上、いくつも延期にした。『１９６４』の書評を書き上げて編集者に送る。

8月6日

「中日新聞」の書評候補の本を読み出す。桜坂劇場まで散歩して、寺脇研さんと前川喜平さんが企画で関わった映画『子どもたちをよろしく』(二〇一九)を鑑賞。寺脇さんとはもう長いお付き合いになるなあ。

劇場前で髪を切ってきた帰り道の「GARB DOMINGO《ガーブドミンゴ》」オーナーの藤田俊次さんと、栄町でバーを経営するマリリンさんと邂逅。二メートルぐらい離れてゆんたく。那覇のこの一帯は「狭い」。近くの「アグーとんかつ コショョン」で串カツを食べる。那覇のここいらで、ぼくが知るセンベロがある店では、少なくとも現時点ではダントツの味。アグーや島野菜などの串カツはサイズもデカくてセンベロ+αでハラいっぱいになり、ほろ酔いになれる。リーズナブルで言うことなし。「コショョン」を出たあと、ひとけのない浮島通りから市場通りを抜けて国際通りに出た。まあまあの人通りはある。マスクが暑い。息苦しい。

8月7日

島豆腐と島野菜を炒めて食べた。かるく床拭き等して部屋の掃除。洗濯。資料を読む。青空が広がっているのに雷が落ちた音がした。ずっと宇多田ヒカルを聴いている。

「アラコヤ」に行って検温、手の消毒をして串焼きを喰っていたら、外からぼくを呼ぶ声がするので見たら、杉田貴紀さんがテイクアウト用の串焼きを買いにきていた。道路に出ていってちょっと話す。彼は弟の同級生。ぼくとも同窓。

8月8日

昼前ぐらいにちょっと高いが思い切って車を借りた。嘉数《かかず》の「3丁目の島そば屋」に行って沖縄そばとジューシーを喰い、嘉数高台公園からオスプレイが羽根を休めている普天間基地をしばらく見ていた。

佐喜眞美術館へ行き、「光州・済州・OKINAWA抵抗の表現展」を見る。李明福《イミョンポク》さんの「私に罪はありません」と題された縦二メートル以上ある墨一色の絵。インパクトがすごい。済州島民というだけで四・三事件に関わったとされ、二年間も収監された老婆が描かれている。美術館にぼくが居るあいだ、誰も来館者はなかった。

「HYGGE《ヒュッゲ》」に寄って絶品のドーナツをかじりながらコーヒーを飲む。オーナーの権聖美《ごんきよみ》さんとのゆんたく時間が楽しい。彼女がかつて編集してきた雑誌で、ぼくは沖縄の情報をどれだけ吸収してきただろう。

権さんおすすめのちいさなビーチへ。まばらだが地元の中学生たちや米兵とみられる人たちがいるのを岩場からしばらく眺める。まばらだが、数人で固まって浅瀬で騒いでいるのを見ると、だいじょうぶかという気持ちになる。屋外とはいえ人同士の距離が近すぎないか。

海はエメラルドグリーンで美しい。太陽がじりじり暑い。マスクでますます暑い。古書店「BOOKSじのん」に寄り、頼んでいた冊子を受け取る。アンティークショップの「RAGGED GLORY」にも顔を出してスタッフの名嘉山秀平さんと距離を取ってゆんたく。やっぱり車を運転していると気分がいい。前に「琉球新報」の取材でお世話になった古着屋「ANKH」にも寄り、保護猫たちを撫でまわす。

車を返して、検温して「じまんや」に入る。名物のパイナップルポークのトンテキの塩など四種類の「ローカルソルト」をつけて味わえるようにバージョンアップしていた――を喰った。泡盛「照島」と合う。

しばらくしたら、スタッフのひとりが、『肉の王国―沖縄で愉しむ肉グルメ』（二〇一七）という仲村清司さんと普久原朝充さんとで書いた――タイトルはカルいが、内容は「沖縄と肉との関係」という深いところに踏み込んだ一冊――にサインをしてほしいと持ってきた。彼は取材当時、キッチンで肉に火を入れていた若者だった。

しばらくしたら社長の横井聖司さんもあらわれて、コロナ禍で国際通りがどう変化しつつあるのかを「内側」から聞く。というのは、彼が国際通りの「屋台村」に「島酒《しまぁ》と肴《あて》」を出店していて、かつ「村長」なのである。FC琉球のスポンサードもおこない、からだを張って国際通りを盛り上げようとしている、彼のバイタリティ溢れる話に聞き入った。今日だけで手の消毒は十数回はしている。

8月9日

話し合って、対面取材でもよいと言ってもらえる人には、どこでもそうすることにしている。「取材」は、取材のオファーを出して、それを相手がどう受け取ってくれたのか、当日どのような服を着てきて、どんな場所にあらわれたのか、など、被取材者と取材者が出会う前から始まると思っている。そのプロセスをもきちんと観察する。リモートだとそのあたりがスルーされてしまうので、日時を延期してでもなるべく対面取材をしたいと思っている。

洗濯して、冷蔵庫に入っている野菜などを炒めて焼きそばを作って喰い、パソコンに向かう。インタビューの文字起こし。去年六月に脳卒中（右小脳出血）を経験してから右手に軽微な後遺症が残り、たとえば裁判法廷のメモ取りなどの速記がやりにくくなった。だからなるべく録音をさせてもらう（法廷は禁止）。だが、あとで聞き直してみると、そのときになんとも思わなかったやりとりが、違った印象を与えてくれることがある。録音したインタビューを聞き返していると、もし録音していなかったらスルーして聞き逃して、メモしなかったであろう箇所にも気づかされる。

「何を答えてもらったか」も重要だが、相手がその「答え」を発するときの言葉の間合いや、どんな話からその話題に入っていったかなど、反芻《はんすう》しながら文字におこしていくことができる。これは速記には少なかった経験である。七転び八起きは言いすぎだが、失った身体の機能を懸命にもとの状態に戻そうとする努力だけではなく、失った機能を冷静に認識することで、それまで気づかなかった「自分」を意識して、それを利点に転換していくことも考えたほうがいいなと思った。

台風の影響で風が吹きすさぶ街を歩いて、台湾料理「漢謝園《かんしゃえん》」へ餃子を食べに出かけた。だだっぴろい店内に客はいない。

8月10日

沖縄県産の丸オクラを茹でて、島豆腐といっしょに食べる。台風一過で空は晴れているが、カタブイ（局地的な豪雨）が降った。鳩が一羽、雨宿りにやってきた。至近距離で見ると、キジバトだとふと気づいた。たぶん、うちのバルコニーで生まれて巣立ったやつだ。いままでわがバルコニーで子育てしていたのはキジバトだったんだ。キジバトは帰巣本能ってあるのかな。インタビューの文字起こししながら、合間に部屋の掃除をする。

8月11日

起きてバルコニーのガジュマルを見ると、巣があったところに鳩がうずくまる姿を現認。またあそこに卵を産んで雛をかえすつもりなのかな。と思って見てきたら、もう一羽、鳩が飛来して巣にうずくまっている鳩に餌を口移ししている。去年と同じつがいなのかな。焼きそばを作って喰う。終日、やーぐまいして仕事。

8月12日

ジャン松元さんと合流して牧志の「ｋｕｋｕｌｕ」で金城隆一さんの撮影。ぼくの「琉球新報」の月イチ連載に掲載予定。夜は閑散とした松山の片隅にある「酒月《さかづき》」に久々を顔を出して、ＰＣＲ検査で陰性だと判明したばかりのオーナーシェフと話し込む。客は離れた場所に二〜三人。

8月13日

琉球大学教育学部へ行って山口剛史《たけし》さんに、沖縄の戦後教育について取材。帰りにジュンク堂書店でＮＰＯ法人沖縄ある記編『沖縄の戦後を歩く—そして、地域の未来を考える』（二〇二〇）を購入して、森本店長とゆんたく。高良レコード店の前——定休日だったので——高良雅弘さんに会って、借りていた資料を返してしばし立ち話。

8月14日

洗濯や雑務。午後から「ｋｕｋｕｌｕ」を主宰している金城隆一さんにインタビュー＆「ｋｕｋｕｌｕ」の本を作ることについて長々と相談を受ける。

8月15日
朝から仕事。夕刻になって岡本尚文さん、普久原朝充さんと飯を喰う。森本浩平さんも合流。「トミヤランドリー」などでかるく飲んだ。客はどこもまばら。

8月16日
蕎麦を茹でて喰い、朝から仕事。古書店の「ちはや書房」が若狭から泉崎に移転オープンの日なのでお祝いを言いにいった。スタッズ・ターケルの『人種問題』(一九九五)を購入。オープン記念で「首里十二支カステラ」をもらった。

8月17日
深谷慎平さんに新品のデロンギのエスプレッソマシンを譲った。ずいぶん前にクレジットカード会社のポイント交換で手に入れたものだが、一度も使わずに袋をかぶせたままになっていた。すぐに事務所で大活躍をはじめたそうで、よかった。
「kukulu」でも活動している料理家の石橋佳子さんが手作りした「はんちゅみ」をもらう。肉味噌のような、琉球伝統料理。なかなかお目にかかれない。バスで宜野湾市大山「RAGGED GLORY」に行き、帰りもバスで帰ってきた。
それにしても沖縄のバスには慣れないなあ。夕刻、「すみれ茶屋」に飯を喰いにいった。コロナ禍の影響で刺身がないと玉城丈二さんがぼやいていた。客はぼくひとり。

8月18日

今日も朝から仕事。腹が減ったので素麺を茹でる。洗濯。荷造り。予約していた（購入していた）便が減便の対象になり、振り替えた。空港カウンターで差額チケット代が返ってきた。羽田に着くと東京のほうが暑いと感じる。

06 ぼくは「関係人口」なのか？

2020年9月15日

毎年、この時期に神奈川県にある某大学で少人数対象の実習授業につきっきりの仕事をやっていて、東京を離れられないのだが――このコロナ禍で遠隔授業じゃない大学はかなり少数だと思われる――なんとか時間をひねり出して東京を飛び出して沖縄へ。

「おとん」店主の池田哲也さんが「泊の『串豚』で飲むから来ない？」と連絡してきたので、那覇に到着してから自宅に荷物を置いてすぐに駆けつけた。「おとん」もずっとコロナ禍で休みにしていたし、「串豚」も休んでいた。店主の喜屋武満《きゃんみつる》さんはいつもの落ち着きぶりだ。

いつものメニュー札の中に見慣れない肉の名前が。イベリコロースカブリ。普段は高級レストランに出回るはずの高級部位が買い手がつかず安く出回っているみたいで、まあ、限定のようなもの。ネットで調べてみると――最高級のイベリコポークの頭部と肩の間のかぶりロースと呼ばれる部位。たっぷりとのった脂はイベリア種独特の旨味と香りを含んでいる――と説明されている。

ステーキで食べるのが一般的みたいで、普通なら数千円する。が、この時期、ここでは一串三五〇円。真っ白に降り積もった雪のような脂肪部分をこんがりときつね色に焼いたそれは、もう豚肉の旨味とは別物。高級フルボディの赤ワインでも飲まなきゃいけない気持ちになる。でも、黒ホッピー。池田さんと一本ずつ、ありがたくいただいた。

安里に移動して深谷慎平さんと合流して、オープンしたての「鳳凰餃子」へ。麻婆豆腐ならぬ麻婆センマイが絶品だったのだが、ぼくにはやや辛すぎた。辛いものは「好き弱い」のである。深谷さんは「美味い、美味い」を連発して汁まで飲み干していたけれど。

9月16日

「複数拠点の仕事と暮らしで、新しい地元をつくる!」と表紙にうたれた「TURNS」という隔月刊誌を読む。ぼくは沖縄を第二の拠点にしているわけだが「新しい地元!」と意気込んできたわけではない。第一、ぼくが暮らしている那覇は大都市。

同誌では過疎化が進む地方の街を、東京との二拠点生活や移住などで活性化させようとしているケースがいろいろ紹介されている。同誌四一号の特集は「多拠点居住と新しい働き方」で、ローカルジャーナリスト・田中輝美《てるみ》さんが「関係人口」についてわかりやすく記事を書いている。田中さんとはある仕事でご一緒したことがあるが、地元の島根県に根を張って活動していて、『地域ではたらく「風の人」という新しい選択』(二〇一五)や『関係人口をつくる—定住でも交流でもないローカルイノベーション』(二〇一七)などの著書もある。今後は島根の大学で教えることになったことをちょっと前にSNSで知ったが、この領域を切り開いたというか、「論」にした第一人者で、ぼくはすごく興味を持っていた。

そもそも関係人口ってなんだろう。「TURNS」の田中さんの記事のリードによれば、「地域に多様に関わる人を指す「関係人口」が注目されています。その地域にずっと住み続ける『定住人口』でもなく、お客さんとして短期的に訪れる『交流人口』でもない『第三の人口』の考え方。都市に暮らしながら別の地域の人たちともつながり、地域のコミュニティの仲間の一員にもなれる、新しい生き方」とある。これはぼくが沖縄「でも」暮らしている感じと近い。

ぼくは十数年、旅行者や取材者として沖縄にほぼ毎月通い、那覇にかまえた自宅に一定期間滞在しながら活動をしてきた。自分なりに切り取った「沖縄」をメディアに乗せてきた。その過程で友人や知り合いも増えた。取材の延長線上で、沖縄の犯罪被害者遺族のグループや、不登校や引きこもりの子どもたちに向き合っている人たちと関わってきたし、いまも関わっている。ぼくも「関係人口」という生き方になんとなくあてはまりそうな気がする。

引用が長くなるが、もうちょっと説明すると、同記事によれば「関係人口4つのパターン」というのがあって、まずひとつ目の「バーチャルな移動」は、「わかりやすいのは、ふるさと納税です。そのほかにも、特定の地域の商品や特産品をインターネットで買って応援するというかたちもあります」とある。

ふたつ目の「来訪」は、「実際にはいちばんイメージしやすいパターンだと思います。普段の自分の住んでいる都市から、特定の地域を訪れて通う形です。ただ、繰り返し訪れていても、これまでの観光のように名所や施設を回っているだけでは、『関係人口』としてつながっているとは言えません。地域のプロジェクトに参加したり、イベントや草刈りなどを手伝ったりすることが大切」ということとなる。

三つ目は「風の人」。呼び方がおもしろい。「たとえば、地域おこし協力隊が任期中の三年は特定の地域に住み、任期を終えてまた別の地域に移っていくようなイメージ」だという。

四つ目は、今回の特集。「二拠点居住。自分が住んでいる都市以外の地域に拠点を設けるかたち」と田中さんが書いている。この中では四つ目がもっとも「関係人口」になりやすい大きなメリットがあって、その理由を「拠点を持つということは、単に通ってくる形と比べても、地域の人たちの信頼が得やすいのではないでしょうか」と田中さんは書いている。

ぼくは四つ目に当るのかな。拠点（那覇の自宅）をぼくは名刺に入れているし、沖縄で地元の人との会話の中で、那覇にも住んでいますと伝えると打ち解けやすいと実感している。那覇の自宅をぼくが使っていないときは人に貸したり、ぼくがいるときは集まって飲み食いすることもしているから、「人」と「場」が合わさると思わぬ化学反応が生まれることも多い。ホテルなどではない、所有している「場」は自分だけの空間だから自由度が格段に高い。音楽の音がデカすぎて隣人から注意されたことは何度かあるけど。

マンション内のゴミ集積場に行く以外は部屋を出ず、ずっと仕事とバルコニーの鉢植えの剪定や掃除を交互にやっていたら一日が過ぎた。

9月17日
ずっと仕事をして、夕刻に普久原朝充さんと深谷慎平さんと合流して栄町「Refuge」に顔を出したあと、またまた「鳳凰餃子」へ。

9月18日
午前中に放送作家のキャンヒロユキ（喜屋武浩行）さんにインタビュー。デビューは彼が琉球大学在学中。沖縄で初のプロのお笑いの構成作家である。たまに居酒屋などでお目にかかっていたが、ぼくの連載「沖縄ひと物語」にご登場願うことにした。コロナ禍で人がいない国際通りの「むつみ橋交差点」でお決まりの「キャンポーズ」をキメてもらい、ジャン松元さんが信号が青になるたびに脚立を立てて狙う。かっこいい一枚を撮ってもらった。

そのあとジャンさんが牧志の市場通りで撮影があるというのでついていった。『ドライブイン探訪』(二〇一九)や『市場界隈―那覇市第一牧志公設市場界隈の人々』(二〇一九)などで知られるライターの橋本倫史《ともふみ》さんの連載――彼も月イチで「琉球新報」に那覇の市場ルポを連載している――のために、ネパールから来ている人が働いている惣菜屋にいった。ちなみに橋本さんはいない。

惣菜屋の名前は「上原パーラー」。先方と約束している時間の前にキューバ料理の「Steak Filete《ステーキ フィレテ》」で昼飯をジャンさんと食べる。がっつり肉料理。「上原パーラー」のネパールカレーが美味そうだなあと見ていたら、買い出し中の「Refuge」の大城忍さんとばったり。「ここのジューシーおにぎりが美味いですよ」というのでワンパック(二個入り)を買う。カレー弁当ももちろん買う。

その足で真栄原の「BOOKSじのん」に行って、さがしている資料について店長の天久斉さんに相談をする。アタマにぼんやりと浮かんでいるキーワードを言うと、天久さんがすばやく自分のアタマの中の引き出しをいくつも開けてくれる。そのあと近くの喫茶店で天久さんとゆんたく。あれやこれや話していると、あっと言う間に時間が経っていく。帰りは安里まで送ってもらう。晩飯はさっき買ったジューシーおにぎり。

9月19日

朝、レンタカーショップで小型の車を借りて名護まで走る。栄町で「CHILL OUT」というタイ

わくがわ
つどい
UCC

料理屋をやっていた黄泰灝《ファンテホ》さんが今帰仁村《なきじんそん》に自宅を移し、名護市街で地元食材を使った和食屋を始めると（本人から）聞いたのはいつだったか。SNSで「島のおそうざい さんかく家」をオープンさせていたのは知っていたが、なかなか名護まで行けないままになっていた。だから、今回は絶対に行ってみようと思った。

古民家を改装した広々とした敷地。やってる、やってる。白シャツに蝶ネクタイをしめたファンさんが忙しく立ちまわっている。「藤井さん、ひさしぶり！」、「すごい店オープンしちゃったね。タトゥーと蝶ネクタイが合わないよー」、「そのアンバランスがいいんすよー」とふざけあって、さっそく十数品食べ放題（当時）の惣菜をいただく。季節の野菜料理が中心でどれもすばらしく美味い。メインは魚を焼いた一皿をいただいた。繊細な味付けで、素材の味が際立っている。ご飯やお茶、デザートも食べ放題。酒もいろいろ置いてあるので、聞いたら「飲み放題すよー」。こりゃ、今度は泊まりがけで来たいな。客席はぜんぶ埋まっていた。彼の凄腕というか、バイタリティに唸りながら、本部町《もとぶ》へ車を走らせた。

本部町公設市場の中にある「goronyaaa Ai & Dai designs」へ。デザイナーの親富祖《おやふそ》大輔さんと親富祖愛さんに会いに行く。バイレイシャル（両親の人種がそれぞれ異なる）の愛さんがコザのゲート通りでおこなったパレード（本人曰く、デモではない）についていろいろ話を聞きたいと思った。愛さんたちが沖縄から「ブラック・ライブズ・マター」の意見表明をおこなうことについて、ふたりの思いや意見を聞いた。本部町公設市場には初めてきた。市場内の店舗で「琉球新報」のぼくの月イチ連載を読んでくれていた年配の女性と会って、じんわりとうれしい気持ちになった。

夜は栄町「おとん」へ。東京からジャーナリストの二木啓孝さんが来ているので、深谷慎平さんと合流。何人かの知り合いと会うが、「密」になるのを避けるため、ぼくらは冷房の効いていない外のテーブルで飲む。そのあと「潤旬庵」に移動。普久原朝充さんも合流。二木さんをタクシーに乗せたあと、「アルコリスタ」に久々に顔を出したら、「ひばり屋」の辻佐知子さんらがいたので、いっしょに騒いだ。

9月20日

午前中の飛行機で東京に戻る。次に沖縄に来られるのは一カ月後になってしまう。田中輝美さんも書いていたけれど、ぼくも「関係人口」のひとりとして生きているのかなと思う。今後、どう沖縄に関わっていくのだろうか。「好き」だけでは、その土地で継続的に生活していくことはむずかしい。その土地に生きることで何かをもらっているのだから、何を返していけばいいのだろうということをいつも考えている。

II　沖縄の「多様性」を考える

07　「ブラック・ライブズ・マター」＝「命どう宝」

2020年10月24日

夜、那覇に着いた。飛行機は満席だった。Kindleで沢木耕太郎さんの『テロルの決算』（一九七八）を読み直す。あらためて感嘆することしきり。最近、沢木さんの作品群を再読している。卓越した構成力やら分析力に溜め息がでる。

安里の拙宅に荷物を置いて、栄町「煮込み屋㐂平《きへい》」で普久原朝充さんと深谷慎平さんと合流。煮込み専門店の同店に入るのは初めて。よく行く「潤旬庵」と同じグループなのだが、煮込み料理を推しにしているだけあって、煮込みはどれも美味い。客はしばらくぼくらだけだったが、数分で席がまばらに埋まった。大型モニターには「あいみょん」のライブがずっと流れている。スタッフにファンがいるのだろうか。近況報告やら、情報交換やら。

「リウボウ」に寄って食料の買い出し。野菜が高いなあ。

10月25日

午前中の取材が延期になったので、牧志の「ひばり屋」に歩いていって、同店の敷地内で開催されている石獅子展の最終日へ。かつて村落の入り口などに、琉球石灰岩を手彫りした石獅子を魔よけのために設置していた。それを現代にアートとしてよみがえらせ、アレンジしていろいろな作品を作っているのが、若山大地さんと若山恵里さん。前に首里汀良町《しゅりてらちょう》のアトリエにおじゃまして猫を彫ったものを買い求めたが、今回は王道の小ぶりの石獅子。

「ひばり屋」のアイスカフェオレはやっぱりすごく美味しい。「おとん」の池田哲也さんもあらわれてみなさんとゆんたく。やがて普久原朝充さんも合流してきたので、ぼくと普久原さんは宜野湾市喜友名《きゆうな》へ車を走らせた。昨夜、ある貴重な歴史的建築を見に行こうと約束していたのだった。沖縄どころか全国の建築に使われている「花ブロック」を考案し、一九六二年に亡くなった仲座《なかざ》久雄さんが設計した「末日聖徒イエス・キリスト教会」。いまは「シオン幼稚園」として使われている。花ブロックをつかった十字架の「板」が、建物の屋上に垂直に立っている。たたずまいがすばらしい。

喜友名は石獅子が多く残っている一帯で、若山さんの石獅子を見たばかりだったので、偶然にびっくり。近くの「外人住宅」を使った喫茶店に入って店主と街のことについてお聞きする。普久原さんはさすが建築家らしく、建物の内部も見てみたいなあとしきりに言っていた。

栄町「タンドールバル カルダモン」で深谷慎平さんとシンガーソングライターの木村華子さんがカレーを食べているというので、ぼくらも合流。インド料理のセンベロコース。次は旧三越内一階ののれん街に行き、うどん店「香川 一福」でうどんを喰わず、ごぼう天やよもぎ天などをアテに飲む。
　店を出て歩いていたら道路に人が溢れだしている。賑やかにパーティをしているんだなと思って目をやったら、松川英樹さんや前田訓生《くにお》さんと遭遇。いっしょに近くのクラブのパーティに行きましょうよと言われたが、辞退してぼくらは「鳳凰餃子」に入った。そこで餃子を喰わずに麻婆豆腐とニラタマをアテにかるく飲む。開店したばかりなので、中国人のママさんからメニュー表の表記の仕方などで深谷さんが相談を受けていた。

10月26日
　午後にドキュメンタリー監督の松林要樹さんと牧志の桜坂劇場のカフェ「さんご座キッチン」のテラスで話す。ときおり風が頬をなぜるように吹いて気持ちよい。向かい側にある公園の猫たちが、散歩している人たちになついている情景がいい。松林さんの最新作「オキナワ サントス」が「TOKYO FILMEX」で上映されることが決まっている。
　夕方、むしょうにとんこつラーメンにニンニクをたっぷり入れたものが食べたくなって「一幸舎」へ。生にんにくをクラッシャーでつぶして何度も投入。帰宅してからは、ぐったり寝ていた。このところの疲れが一気に出た感じ。日付が変わる頃に起き出して、パソコンに向かってこの日記を書いている。

10月27日
　彫刻家のフリオ・ゴヤさんのアトリエにおじゃまするために、浦添市経塚《きょうづか》のアトリエに。モノレールの経塚駅から電話をして軽トラで迎えにきてくれた。数年前は近くにアトリエを構えていたが、ここに引っ越してきたそうだ。周囲は住宅。コンクリートのレンガで造られたアトリエ然とした無機質で四角い真っ白な建物。アトリエとして建築して、作品群が置いてある。作業場もある。当たり前だがフリオさんの頭の中をのぞきこんでいるみたいだ。フリオさんの脳の中で、近く開かれるアルベルト城間《しろま》さんとのふたり展のことなどをうかがう。沖縄系二世の人生に耳を傾ける。

帰りにジュンク堂書店に寄って『ドキュメント沖縄闘争』（一九六九）を古本コーナーで見つけ、購入。故・新崎盛暉《あらさきもりてる》さん編集。

と、この原稿を書いていたら作家の大城立裕《おおしろたつひろ》さんが亡くなったというニュースが飛び込んできた。お目にかかることはなかったが、不動産コーディネーターの増田悟郎さんが拙著『沖縄アンダーグラウンド』を大城さんに手渡してくれていた。大城さんといえば沖縄県初の芥川賞を取った『カクテル・パーティ』（一九六七）が知られているが、数日前に『焼け跡の高校教師』（二〇二〇）を古本で手に入れていたばかりだった。

泊まで歩いて「串豚」へ。ぼくが名古屋の大学で非常勤講師をしているゼミの卒業生・山田星河さんと会う。広告代理店勤務の杉田貴紀さんもやって来て三人で飲む。杉田さんは長年勤めた大手の広告代理店を辞めて、妻のいる北京に渡る。妻のお母さんの介護のためだそうだ。二〜三年したら夫婦でいっしょに沖縄に帰ってくる予定だという。

那覇という街で人と出会い、別れ、また出会う。出会わないかもしれない。前にも書いたかもしれないが、ぼくが安里の朽ちたマンションに拠点を構えたとき、当時の管理人の山本直幸さんにはほんとうに世話になったが、いま彼はある難病に冒され、ホスピスに入っている。見舞いにいこうにもコロナでいけない。メールで連絡をするしかない。彼を思うと胸がつぶれそうになる。

明日二八日に掲載されるはずだったぼくの琉球新報の月イチ連載が、数日後に延期されることを知らせる電話が、担当の文化部の古堅一樹さんから入った。

10月28日

朝八時に起きて、豆腐と野菜と豚肉とソーメンを炒めて食べる。沖縄タイムスと琉球新報を買う。大城立裕さん追悼の紙面構成になっている。「文学不毛の地と言われた沖縄に〜」という表現が見られ、すごく違和感を覚える。

午前中から桜坂劇場へドキュメンタリー映画を観に行く。先日、松林さんから「観るべき」と推薦された『誰がハマーショルドを殺したか』（二〇一九）。第二代国連事務総長だったハマーショルドの乗った飛行機が、一九六一年、コンゴ動乱の調停に向かう途中で墜落した「事件」に、デンマーク出身のディレクター兼ジャーナリストのマッツ・ブリュガーが独自に挑んでいく。五〇年後の二〇一三年に調査委員会が設置されるのだが、公にならない事実などが発見され、国際的な秘密組織と陰謀の存在がうっすらと浮かび上がっていく。そして、ブリュガーは七年間かけて決定的な証言者を発見するに至る。監督であるブリュガーが疑問を語るシーンが織り込まれていく構成の仕方に刮目。

そのあとは劇場内の「さんご座キッチン」に入り、買っておいた地元紙の大城立裕さんの追悼記事、大西巨人《きょじん》さんの『神聖喜劇』漫画版（全六巻、二〇〇六〜二〇〇七）を読む。むかしは小説版の『神聖喜劇』を通読できなかったので――この先もできそうにないが――この歳になって漫画版なら読み通すことができるという気持ちになった。

牧志の市場通りを歩いているとふと見慣れないアンティーク店が目にとまり、品物を見ていると店主と目が合って同時に「あっ」と声を出した。旧三越裏でぼくがしょっちゅう行っていたアンティークショップの主だった。こちらに移転してきたばかりだという。

夕方から引きこもりの少年たちなどの「居場所」作りをおこなっているＮＰＯ法人「ｋｕｋｕｌｕ」の会議に出席させてもらう。「ｋｕｋｕｌｕ」の本、つまりこの「居場所」に関わって生きてきた子どもたちの実話を漫画にしてまとめようというプロジェクトが進行していて、ぼくもその一員に加えてもらったからだ。意見を聞くために同席してもらった出版社「ボーダーインク」の新城和博さんはじめスタッフのみなさんと打ち合わせ後、近所で「伝すけ商店」と「コションのセンベロコースで腹を満たし、ほろ酔いで歩いて帰る。

10月29日

ジュンク堂書店で買いそびれていた「モモト」のバックナンバーを買い込んで、首里のノボテルホテルへ。同誌編集長のいのうえちずさんに会いに行く。彼女は移住してきて、クオリティの高い「モモト」を年に四回、沖縄から発信してきた、ぼくがリスペクトするスーパーエディターだ。最近の特集は「コロナ世のエンターテインメント」（四三号）、「あの戦から75年」（四四号）で、とても沖縄で深く考えるべき問題をわかりやすく伝えている。「琉球新報」のぼくの月イチ連載にご登場願えることになった。

夕方は、取材で那覇に来ていたライターの尹雄大さんと「すみれ茶屋」へ。玉城丈二さんが「恵比寿」や「シチューマチ」などの地元魚の煮付けをたらふく喰わしてくれる。美味い。雄大さんは日本各地を移り住みながら生活している。いまは京都に住んでいるが、数カ月前は諏訪——彼はしばらく諏訪で暮らしていて、前に会ったときは京都に移住する直前だった——で会った。ゆるやかな風のように移動しながら生活している彼とは、かれこれ三〇年ぐらいの付き合いになる。万年文学青年の書生みたいな風貌は、むかしとほとんど変わらない。「鶴千《つるせん》」でふたりでちょっとだけ飲み直して歩いて帰る。

10月30日

冷蔵庫に残っていた野菜を炒めて、レトルトのソースと絡めてパスタにかけて喰う。今日はデスクワーク。合間に洗濯などをして、『神聖喜劇』漫画版をずっと読み進める。昼寝をして、のそのそと起き出してまた読み続ける。大西巨人さんの回想——長男の大西赤人《あかひと》さんが聞き取りをしている——と、作家らによる解説がおもしろい。みな、一度や二度は通読をあきらめたくちのようだ。

コロナ禍の影響——沖縄県は人口比で新規感染率がワーストになってしまった——で取材スケジュールが二転三転する。どこにも出かける気になれない日だった。

10月31日

一〇時に写真家のジャン松元さんと合流してコザへ。プラザハウスショッピングセンターで今日から開催されるフリオ・ゴヤさんとラテンバンド「ディアマンテス」のアルベルト城間さんの二人展。アルベルトさんはミュージシャンではなく、造形アーティストとして参加。フリオさんを会場でジャンさんが撮影した。フリオさんは沖縄出身の両親を持ち、アルゼンチンのブエノスアイレスで生まれ育った。二〇代後半に沖縄に移住してきたから、本人はポルテーニョ（ブエノスアイレスっ子の意味）の自覚が強い。アルベルトさんは祖父母がペルー移民三世にあたる。

ふたりがふざけあってスペイン語で会話しているのを撮影した。ディアマンテスのライブは二五年ぐらい前に沖縄で観た。かっこよかった。それにしても、フリオさんが一時間半以上遅刻してきたのだが、キメキメのジャケットスタイルで登場。アルベルトさんが「服選びのせいで遅れたんじゃないの?」とひやかしている。

ひとりで「おとん」に歩いていって、京都のおあげさんをアテに焼酎を飲む。帰りに「リウボウ」で半額になっていた寿司を買って帰った。

11月1日

昼ぐらいにジャン松元さんと合流して、本部町の公設市場を目指す。途中、金武《きん》で高速を降りてすぐの道路沿いにあるフリーマーケットみたいなところにジャンさんが寄ろうというので、いってみた。古着のTシャツが二枚で五〇〇円。小山のように積み上げられて売っている。古道具から農作物、家庭用品までなんでもござれ。ジャンさんはTシャツをあさっていたが、ぼくは使い古されたトンファーに目がいってしまった。琉球空手で使う手から肘までを守るための防具であり、攻撃にも使える。露天商のおじさんが、友人の空手家が実際に使っていたもので、彼はいま入院してしまったんだ、と言っていた。形状が見たことのないものだったから聞けばオーダー品だという。心ひかれたが買わず、先を急いだ。

本部町営市場に着いて、デザイナーの親富祖大輔・愛夫妻インタビュー。ふたりの出会いから、ふたりで展開している「ブラック・ライブズ・マター」のメッセージを発信する理由や背景について二時間以上インタビューさせてもらった。

車中往復三時間。ジャンさんといろんな話しをした。なぜ、日本人社会や、もちろん沖縄社会も、ミックスルーツに偏見や決めつけを持つのだろう。沖縄でもそれは敗戦から今までずっと続いている。親富祖夫婦の息子や娘が、公園などで他の親から肌の色の違いを差別されることがあるという。

沖縄から「ブラック・ライブズ・マター」を発信する意義は大きい。

夜、栄町「鳳凰餃子」で普久腹朝充さんと深谷慎平さんと合流。前にも書いたが、ここの名物「麻婆センマイ」はうまい。だが、ぼくにはちと辛すぎる。ふたりはちょうどよい辛さだと言ってわしわし口に運んでいるのだが、美味いのはわかっているのに――前に一度喰ったことがある――辛すぎ体験をして以来、敬遠しているのである。そのあと旧三越の一階のれん街をぶらぶらして、肉と安ワイン。店名忘却。入って右のほうにある店。コスパよし。歩いて帰る。ついに、人口比だとコロナ感染率が日本でいちばん多い県になってしまった。

11月2日

夕方まで読書をして、琉球朝日放送（QAB）の島袋《しまぶくろ》夏子さんと泊の「串豚」で話す。彼女とは出会って二五年ちかくになるが、互いの残された時間を使って何をやるかをしみじみ話す。知り合いがたまたま何人かやってきた。

11月3日

あまり知られていないかもしれないが、首里城の地下には長い壕が走っている。旧日本軍の「第三二軍指令部壕」だ。戦後、発掘・整備されることはほとんどなく、崩落したまま大勢の人が埋まっている。その保存運動を続けている垣花豊順《かきのはなほうじゅん》さんのお宅で昼食をいただく。同軍壕を整備しようというワンイシューで県議選に出て落選した方だ。元検事、元琉球大学教授、そして弁護士。八七歳（当時）。矍鑠《かくしゃく》としておられる。

夕方に、知花園子さんと、普久原朝充さんと深谷慎平さんと合流して豚カツの「コション」でセンベロ。隣の「萬たく」でセンマイの刺身を喰う。知花さんは落語会にいったので、我々は旧・三越のうどん屋「香川 一福」でごぼう天ぷらやカレーうどんをみんなでシェア。木村華子さんも合流。そしたら、いきなりアコギを抱えた「流し」があらわれた。一瞬、のっぽさんかと思ったが、一九九一年から沖縄で活動しているミュージシャンの奈須重樹さんだった。ときどき「やちむん〝刺激茄子〟」というユニットでも活動している。名前は知っていたが初めてお会いした。オリジナル曲「ヒッピーと結婚しよう」などを歌ってもらう。木村さんもミュージシャンなので、奈須さんとはすでに知り合いみたいだった。

にしても、最近は沖縄では、センベロ狙いで飲み歩くことが増えた。いまのところのベスト・オブ・センベロは「コション」である。ワーストは、あえて書かないでおく。

11月4日

アメリカ大統領選の速報を観ながら。取材データの整理と読書。「ブラック・ライブズ・マター」のことを、沖縄的に「命《ぬち》どぅ宝《たから》」と言い換えてもいいのではないかということをいくつかの雑誌などで読んだ。たしかにそうだろうと思う。同時に、アメリカにおける黒人の歴史と現状、日本や沖縄における現状など、つながりや歴史性の差異、個別性などを考えた。

沖縄においても黒人差別は残念ながら見聞きする。かつては特飲街でも「白人」と「黒人」で分かれていて、互いの「テリトリー」に入ろうものなら殺し合いに発展することもままあった。いまでも米軍基地の中でも黒人差別はあると聞く。

「ブラック・ライブズ・マター」はアメリカのマイノリティからのレジスタンスのメッセージだ。「命どぅ宝」は日本の中ではマジョリティのいわゆる「やまと」に対する、あるいは在沖米軍に対するレジスタンスとして使われてきた歴史的文脈がある。

11月5日

洗濯物を室内に干して那覇空港へ。ミッションの大半はこなすことができた。それはいいとして、沖縄には取材仕事を抱えて来ることが大半なので緊張が途切れず。ひどく疲れているのか、睡眠障害は東京にいるときよりひどいなあと思う。空港ロビーで「うちなー弁当」を喰う。機内で『神聖喜劇』漫画版を読了。

08 ホルモンと餃子と刺身と

2020年11月24日

飛行機の中で、タブレットで映画『シカゴ7裁判』(二〇二〇)を観た。

那覇に着くと、最近恒例になっている普久原朝充さんと深谷慎平さんと飯に喰いに出る。栄町「リウボウ」の交番通り側出入り口に近くの「ホルモンすたーと」(当時)に入る。なぜだかこの店はぼくが知る限り、よく看板が変わる。そのせいもあってなんとなく足を遠ざけていたのだが、今回はいい意味で「期待」を裏切る味だった。臓物類は一皿四八〇円。とりあえず内臓類を制覇しようと、盛り合わせ(豚ハラミ、ミノ、のどなんこつ、レバー)、のどなんこつ(追加)、エンガワ(豚のハラミ)、ハツ、豚タン、しろコロ、コブクロにうずら卵のにんにくしょうゆ漬け、にんにく揚げ、ハツ刺しをまたたくまにたいらげる。リーズナブルで美味しい。カットの仕方もいい。タレは、赤唐辛子やにんにくやタマネギをみじん切りにしたものに、果物のすりおろしたものや醤油などが合わさっている個性的なもの。肉にもまんべんなく、ていねいににんにくのすりおろしがまぶしてあって、じつに美味しい。ぼくはタレの中身をおかわりしてしまった。いちばん安い黒霧島の水割りを飲み続ける。

そのあとはいつもの「鳳凰餃子」で焼き餃子と、オリジナルの香辛料につけこんだスペアリブなどをつまむ。さすがに焼肉のあとでは食べきれないので、深谷さんが持ち帰った。今回の滞在で予定していた高齢者の方々とお会いする用件（取材）をいくつか延期する。いうまでもなく、コロナ対策。

11月25日

明日の「琉球新報」のぼくの月一回の連載「沖縄ひと物語」の親富祖大輔さん・愛さん夫妻の回のゲラが届く。朝から、「中日新聞」の書評に書くミシェル・クオ著『パトリックと本を読む―絶望から立ち上がるための読書会』（二〇二〇）を読む。

午後になり、琉球新報社へ。担当の文化部・古堅一樹さんと打ち合わせ。そのあとは、出版部長（当時）の松永勝利さんと、連載の相棒のジャン松元さんとも打ち合わせ。「琉球新報」の連載をぼくはジャン松元さんとの共著というかたちで琉球新報社から将来、出版してもらえることの合意を松永さんからもらった。僥倖なり。連載自体は来年末まで続けるつもりだが、書き下ろしと撮り下ろしを大幅に加える予定。

帰宅して焼きそばを喰って、下地ローレンス吉孝さんの大部の著書『「混血」と「日本人」―

ハーフ・ダブル・ミックスの社会史』（二〇一八）をぱらぱらと読み直す。

11月26日

コンビニに歩いていって「琉球新報」を買う。ぼくの月一度の連載「沖縄ひと物語」が掲載されている。前述の草木染めデザイナーの親富祖大介さん・愛さん夫妻のルポ。文化面をほぼ丸一面使った大きな記事だ。

愛さんについて「赤旗」（二〇一八年九月二八日付）に「デニー候補に期待 人権を尊重の沖縄に」と題した次のような記事が載っていたのを気づかなかった。

> 私もデニーさんと同様に沖縄に米兵として駐留していた父親と沖縄生まれ・育ちの母親がいます。沖縄県知事候補のデニーさんは私にとって、初めてアフリカ系米大統領になったオバマ前大統領や、沖縄にルーツを持つハワイのイゲ州知事をほうふつさせます。
>
> デニーさんを応援する理由は、私のような生まれのルーツを持って沖縄に住んでいる人たちが、「基地に反対すれば、親や米国、自分を全否定することになるのではないか」とモヤモヤと悩まずに基地に反対するなど、自分の思うことを貫ける、自己肯定感を持てる沖縄を作れる希望が持てるからです。
>
> 私は米兵個人を悪くは思っていません。沖縄に基地を押し付け続け、米軍機や人殺しの訓練を受けた兵士によって事件・事故が発生するといった構造やシステムに反対します。
>
> 現在も、「アメリカー！」と差別的に呼ばれることがあります。また、私の場合はコーカソイド、ネグロイド、ネイティブアメリカン、モンゴロイドのルーツを持つので「ハーフ」や「ダブ

ル」との言葉で分類されることに疑問を持っています。

デニーさんが知事になることで、生まれのルーツなど、お互いの違いを気にせずに生きられる社会、本当の人権の尊重を学び、勝ち取れる沖縄に向かってほしいです。

ぼくは、彼女の出自についてはあえて「説明」しなかった。文章を読めばバイレイシャルだとはわかるようになっているのだが、拙記事でも愛さん自身が説明しているように黒人の「ルーツ」は複雑であり、一言で「説明」するのがむずかしい。愛さんたちが展開している「ブラック・ライブズ・マター」の「ブラック」はすべての黒人、あるいは黒人系の人種のことをいうわけだし、アフリカ系のアメリカ人でもアフリカ大陸にいったことがないというのはむしろ当然のことだ。「ブラック」に仕事や立場、国やジェンダーは「関係」ない。

めったにテレビを観ないようになって久しいが、やたら「日本人なら誰でも好き」とか「日本人ならなじみがある」なんて文言が、平気で臆面もなくアナウンサーや出演者の口から出てくる。「単一民族」と、いつやらの首相が言っていたニュアンスに似て聞こえる。そんなものは幻想。バカげている。ついでにいえば、沖縄のメディアが好んで使う「県系」という言い方にも若干の違和感がある。

その定義はいったいなんだろう。判官贔屓は当然かもしれないが、その言葉を使うとき、生まれた土地なのか、「血」なのか、育ち方なのか、姻戚関係を指すのか、深い包摂性を感じると同時に、誰かを排除することはないのだろうか、とも思ってしまう。ぼくの「琉球新報」の記事では、いま彼女たちが沖縄で展開している「ブラック・ライブズ・マター」について深く掘り下げたつもりだが、そこから親富祖さんたちからの現状に抱く不快感に満ちたメッセージを受け取ってほしい。

昼すぎに、数カ月間、読谷村に家族で滞在している社会学者・下地ローレンス吉孝さんが近くのホテルまで来てくれた。インタビューさせてもらう。このホテルの一階のカフェ併設のラウンジは広々としていてぼくのお気に入りなのだが、この日は閉まっていた。が、ラウンジスペースは使ってもいいし、さらに水とお茶だけは無料で飲んでいい。粋なはからい。つまり無料でスペースを使えるわけで、ふたりで独占。

下地さんが帰ったあと、ぼくはその足で国際通り沿いの屋台村へ歩く。途中で国際通り沿いにある「NEW END」(当時)という地元の若者たちが立ち上げたブランドの服を扱うショップをのぞいて、Tシャツを一枚買った。サイズがないのであきらめようと思っていたら、お兄さんが「今からプリントしますから五分ほどお待ちください」って。なんと店内に巨大なプリンターが鎮座しており、これでTシャツの柄をプリントして、別の一七〇度の熱を発するアイロンのようなプレス機で定着させる。こんな地元の熱意が充満している、唯一無二の店だ。こういう店は増えてほしいと思う。残念ながら、国際通りには金太郎飴的なお土産屋や飲み屋が目立つ。品揃えはほぼ同じ。修学旅行生には楽しいかもしれないが、リピーターにはつまらない。

屋台村に着いた。そろそろあの人が来ているころだ。のぞいてみると、いたいた。客はあの人、ひとり。というか、オープン前の時間帯なのだが、「裏村長」のあの人は特別扱い。元県議会議員の平良長政さん。この時間帯になると来ておられる。ぼくも「裏村長」の特権に乗っかって泡盛を何杯かごちそうになる。しばらくしゃべっていたら、長政さんの友人の藤中寛之さんがあらわれたので、紹介していただく。福祉関係の仕事にたずさわり、沖縄と北九州を往復しながら仕事をされているそう。

帰りに「一幸舎」でラーメンをすすって歩いて帰宅。本を読んでいたら眠ってしまった。

11月27日

空腹をおぼえたら自分で飯を作って腹を満たし、取材のアポをとったり、本や資料を読んだり、原稿を書くなどして、マンション内のゴミ置き場に行く以外、外出せず。読まなければならない資料が山積みになっていて憂鬱気味。

今日は金曜日なので栄町「おとん」に行こうと思っていたけれど、主の池田哲也さんが家の中で転倒して肋骨を数本折る（折れた骨は五本のはずが、九本折れていたことが検査でわかった）という重傷を負ってしまい、開店できずの報。見舞いにも（病院のコロナ対策で）行けず。

11月28日

冷蔵庫を開けると、島豆腐があったので朝飯兼昼飯にする。洗濯。バルコニーの植物剪定。

短い原稿が仕上がったので、「ひばり屋」に珈琲を飲みに行こうと散歩へ。途中、先日も寄った「NEW END」（当時）でオリジナル刺繍のTシャツを買う。「ひばり屋」では知花園子さんと会ってゆんたく。夕方になって「すみれ茶屋」まで歩いていたら、体調を崩していたじゅんちゃん（以前は留守中の拙宅にたまに来て、風を通してくれていた同世代のシングルマザー）と久々に会う。このところ、玉城丈二さんが腕をふるう料理はこっちの胃袋が満たされるまで「おまかせ」になっているのだが、どれも裏切らない。近海ものの魚の刺身やマース煮（塩煮）などがどんどん出てくるが、この日はシメの卵焼きが絶品。スーパーで食材などを買って歩いて帰宅。

11月29日

ぐっすり寝たが若干二日酔い気味。二度寝した。三時ぐらいからたまりにたまったインタビューの文字起こしをやり始めるが、やる気が起きずだらだらしていた。韓国ドラマ『秘密の森』（二〇一七）を観だしたら止まらなくなり、気づいたら夜中の三時になっていた。権力の腐敗と、権力内闘争をエンタメ化して描いたら、韓国のドラマや映画に日本のそれはまったく太刀打ちできないなと思った。

11月30日

写真家のジャン松元さんと合流し、糸満市へ。「モモト」編集部が入っているビルへ。ぼくの「琉球新報」連載のために、編集長のいのうえちずさんの撮影。久米島の絣《かすり》の着物で撮影にのぞんでいただいた。素敵だ。

帰りに「陶 よかりよ」に寄って大好きな「キム・ホノ展」を見る。どの作品にも目が釘付け。迷いに迷ったが、この日は財布を出さなかった。そこに「GARB DOMINGO」の藤田俊次さんがあらわれた。作家ものだけの器を扱うプロから、器を扱うプロが買う。その光景がいいなあと思った。

そのまま市場をうろうろして「上原パーラー」に寄って「ネパールカレー弁当」とイカとマメ（インゲンマメ）とサカナ（白身の旨味の強いやつだった。名前聞くのを忘れた）の天ぷらを二個ずつ買って帰った。食べながらワインを飲んだら睡魔におそわれ、寝入ってしまった。二〜三時間寝ていただろうか。起きたら『秘密の森』の続きを観だし、気づいたら朝五時になっていた。

12月1日

昼過ぎに覚醒した。晴天が続いていたが雨が降り出しそうな曇天。空気が止まったよう。バルコニーの木々は葉っぱがかすかに震えている。夕方までインタビューの文字起こしやゲラのアカ入れなどの仕事。

近くの居酒屋「鶴千」でジュンク堂書店の森本店長と広告代理店を経営する具志堅《ぐしけん》純さんと合流。「アラコヤ」の松川英樹さんとばったり会う。そこをあとにして浮島通りをぶらぶらしていたら、今度は「琉球新報」の松元剛さんらとばったり。そのあと久米の「Live in BAILA《バイラ》」というジャズバーへ初めて寄る。オーナーの猪《い》野《の》屋《や》恵《え》留《る》さんはジャズボーカリスト。泡盛「残波」の宣伝媒体で彼女を見たことがある人が沖縄には多いはず。そのあと松山の和食居酒屋「酒月」にも顔を出して、オーナーシェフご夫妻の子どもが産まれたことを祝う。

12月2日

昼ぐらいに牧志の市場通りや、やちむん通りを散歩。やちむんを見てまわったあと、不登校や引きこもりの子どもを支援する「ｋｕｋｕｌｕ」で企画会議。深谷慎平さんも参加しているので、会議後、ふたりでいつもの浮島通りの「コション」でセンベロコース。そのあと栄町「潤旬庵」で普久原朝充さんも仕事帰りに合流。隣のラーメン店「ブンキチ」で絶品醤油ラーメンを食して帰る。

12月3日

朝七時に起きて洗濯をして室内に干して、那覇空港へ。タコライス弁当を食べる。機内では爆睡。目を覚ますと羽田空港に着陸寸前だった。

09　第三二軍司令壕を訪ねる

2020年12月16日

安里の「鳳凰餃子」で普久原朝充さんと深谷慎平さんと恒例の飯会。葱油鶏《ソンチーユ》、イカニラ炒めや羊肉のクミン炒めなどをがつがつ喰らう。吉林省出身の夫婦が供する料理はどれも美味い。シャッターを下ろす寸前の栄町の「トミヤランドリー」で、隣の店舗でイタリア料理店「アルコリスタ」を営む矢島裕光さんとばったり会う。「トミヤ～」から徒歩一分の「ムジルシ」オーナーの三浦雄二郎さんとも知り合った。矢島さんと三浦さんが横浜で近い間柄にあったこと――そのことは当人たちも那覇で出合ってからわかったらしい――を後日、知る。「アルコリスタ」の前にどこか新規開店した店に寄った気がする。店員さんを呼んでもなかなか出てこないので、ビール一杯だけ飲んで会計を済ませて出た記憶がある。

先日、東京・新宿のライブハウスで糸満出身の社会学者・上原健太郎さんと、同じく社会学者の下地ローレンス吉孝さんとリモートで鼎談をした。その中で取り上げさせてもらった、上原さんたちが作った『地元を生きる―沖縄的共同性の社会学』（二〇二〇）は批判もあるだろうが、野心的な取り組みですばらしい一冊だと思う。ひとことで言ってしまえば「沖縄の階層」研究。ぼくは『沖縄アンダーグラウンド』の取材を進める中でなかなかステレオタイプの沖縄イメージではない、表層に出てこない階層性を否が応でも感じてきた。それを『地元を生きる』や、下地さんの『「混血」と「日本人」』を読んで、「そういうことだったのか」と合点がいった立場だ。取材は、そういうことの繰り返し。取材者が現場を歩きまわって、人にあって感じたことや考えたことを専門家や研究者が意味付け、分析してくれる。そういったことの無数の積み重ねが現実をも動かしていく力になると信じている。

12月17日

「琉球新報」の連載原稿を書く。一二月は彫刻家のフリオ・ゴヤさんにご登場願う。夜までかかってほぼ完成したので、小雨の中を栄町へ歩いていく。政治ジャーナリスト・二木啓孝さんと合流。普久原朝充さんと深谷慎平さんも合流。「二階の中華」と「㐂平」をはしご。二木さんにごちそうしていただく。

12月18日

むつみ橋のスタバで原稿を書く。壷屋の「陶 よかりよ」に寄って取り置きしておいてもらっていた陶芸作家のキム・ホノさんのオブジェを引き取りにいく。恐竜の頭蓋骨がモチーフなのか何だかわからないが、そのツラ構えにノックアウトされた。愛知県瀬戸市のアトリエからオーナーの八谷明彦さんが器類をダンボールに入れる際に、できた隙間に新聞紙で包んで押し込まれた作品らしく、一九八〇年代に作られた作品みたいだ。

値段がついていなかったため、八谷さんがキム・ホノさんに電話して、その〝奇特な購入希望者〟（ぼくのことだ）に値段を決めてもらおうという話になった。けっきょくは一発で三者の折り合いはついたのだが、「バッカなやつがいるなぁ」とキム先生は大爆笑していたらしい。最上のほめ言葉をいただき、光栄なり。

ちなみにキム・ホノさんの作品に八谷さんが出会わなければ「陶 よかりよ」はできなかったと

いうほど、氏の作品世界には求心力がある。ぼくはその八谷さんの影響でキム・ホノさん作品をずいぶん集めてしまうことになったのである。

そこからタクシーで泉崎の琉球新報社へ。出版部門のトップの松永勝利さんと、編集を担当してもらう新星出版の坂本奈津子さんとジャン松元さんで、ぼくの月イチ連載の単行本化の打ち合わせ。書き下ろしと撮り下ろし＋ジャンさんの作品をかなり加える予定なので、だいたいのスケジュールを組む。二〇二一年の今ぐらいに出したい。そのためにはこれから忙しくなる。掲載する人選などで長時間の議論が続く。がんばるぞ。

栄町にひとりで出かけ、先日、初めて会った三浦さんが切り盛りする「ムジルシ」へ飛び込む。カウンターだけのちいさな店なのだが、ちょっと前にオープンしているのになぜ気づかなかったのだろう。三浦さんとあれこれ話しながら、「ブリのテンジャン油蒸し」と「ラムとパクチーの焼売」をビールを片手に食べる。両方ともタレというか、ソースが美味い。味付けも火の入れ方もいい。聞けば、フレンチ出身だそうで、ソースには自信があるとのこと。そう、ここは「蒸し」料理推しなのだ。メニューには焼売の種類が多い。「焼売」推しというコンセプトはこのあたりでは「隘路」的存在なので、ぜひ定着してほしいな。

雨足が強くなっている。市場場内の「おとん」へ。オーナーの池田哲也さんは肋骨骨折で静養中のため、相棒のクデミさんだけでまわしている。お客の大半が常連で知り合いだった。帰りに「リウボウ」をぶらぶらするがとくに買うものも思い当たらず、帰宅。

12月19日

朝から雨が降っている。原稿を書いたり、資料を読んだり、昼寝したりしているとあっという間に時間が経っていく。西原で八〇歳手前の男性と会う予定だったが、沖縄のコロナ状況を鑑みて、電話でのインタビューに切り替えた。

夜、ETV特集で「沖縄が燃えた夜～コザ騒動50年後の告白」（二〇二〇年一二月一九日放送）を観る。五〇年前の当日（明日だ）、現場で写真を撮っていた吉岡攻《こう》さん――テレビディレクターで、ノンフィクション作家の吉岡忍さんのお兄さん――が当時の証言をコザ（現・沖縄市）を聴いてまわるという構成だった。『沖縄アンダーグラウンド』で取材させていただいた方が何人も出てきた。映画『69－70沖縄ドキュメント モトシンカカランヌー』（一九七一）の共同監督だった今郁義さん（当時二四歳）もそのうちのひとりだった。公衆電話から沖縄に滞在していた吉岡さんに知らせたのが今さんだったことを、ぼくは知らなかった。八二台のイエローナンバーの車（米軍人の車）がひっくり返され、火を放たれた。数千人が参加したと言われている。

「騒動」（ぼくは蜂起といったほうがいいと思うが）に参加して、車を破壊したなどの罪で日本復帰後にたった四人だけ起訴されたうちのひとり、与座《よざ》順清《じゅんせい》さんを照屋《てるや》寛徳《かんとく》（元国会議員・当時の弁護団のひとり）さん経由でさがしてもらい、吉岡さんがインタビューするシーンが印象的だった。コザ騒動に参加して逮捕・起訴されたことを後悔しているか、正義かと思っているかというニュアンスの吉岡さんの質問に与座さんは「何もしなかったからね……」とひとことだけ答えた。その返答の「意味」を明らかにしないまま番組はフェードアウトした。与座さんの「沈黙」。口が何かを語ろうとしてかすかに動いているのだけど、何も言葉で出てこなかった。ぼくはその表情に釘付けになった。

たぶん、ぼくの想像だが、「何もしなかったから」というのは、米兵を襲って殺すまではしなかった、という意味なのではなかったか。当時の米兵が沖縄の人々を交通犯罪や殺人で命を奪っては基地の中に逃げ込むのが日常化していた。だから、そういう非道なことは沖縄人はしなかったということを言おうとしていたのではなかったか。コザ騒動は虐げられた沖縄の人々の抵抗の意思の表出であり、ある意味で抑制の聞いた行動は「誇り」なのだろうとぼくは思った。

たしかにイエローナンバーの車をひっくり返し放火はしたが、それは当時の米兵たちに比べれば比較にならないほどの非対称の「暴力」だった。後日、テレビニュースで見たコザで開かれたコザ騒動五〇周年のトークライブで、騒動に参加していた民謡歌手の佐渡山《さどやま》豊さん（当時二〇歳）が、「暗黙の了解で車をひっくり返すだけだというのがあった」という発言を聞いた。それが与座さんの「沈黙」とかぶった。

12月20日

昼ぐらいに目が覚めて仕事を始めた。飯は、冷蔵庫にあった野菜とソーセージを使って乾麺のスパゲッティーニを使ってナポリタンを作った。近所のスーパーにある「沖縄の農家コーナー」で買った野菜をたっぷり使った。我ながら美味い。

「週刊現代」から急遽、書評の依頼が入ったので、本を那覇に送ってもらう。『ヤクザと過激派が棲む街』（二〇二〇）である。山谷《さんや》のドヤ街のノンフィクション。気になっていた本なので引き受けた。著書の牧村康正さんは実話系雑誌に長らくいた人だから、街の裏表に精通した人である。

晩飯をジュンク堂書店の森本店長と牧志の市場通りの中にある「米仙」へ喰いに行く。このところ人気のセンベロ寿司。一〇〇〇円で飲み物二杯と寿司五貫。鮪の中トロなどが入り、納得の美味さ。石垣牛の握り（一貫一〇〇円！）や天ぷらなどもかなりイケる。飲み物などを追加しても三〇〇〇円ほど。市場内で「米仙」がある筋は、ひっきりなしに地元民らしき若い男女が二～三人単位で入っていく。この筋は立ち飲み屋が密集している。どうやらナンパスポットになっているらしく、とくに沖縄南部の二〇代のあいだでは知られた場所らしい。半オープンエアの狭いスペースで立ち飲みという環境が互いの距離を縮めるのに絶好みたいだ。にしても、「米仙」を気に入ってしまった。ぼくの脳内で、ベスト・オブ・センベロが上書きされていく。

そのあとに近所で開いているギャラリー＋バーのようなスペースでアーティストの大城英天《えいてん》さんの絵画を見に行く。一度どこかでお会いしたことがあったがご挨拶して——向こうはやはり忘れておられた（笑）——その場にいたFC琉球の小川淳史社長（当時）と食品などの宣伝プロデューサーの座安雄照さんにも、森本さんの紹介でご挨拶。で、森本さんがチケットを二枚持っていたので、若狭にある老舗のライブハウス「寓話」で猪野屋恵留さんのライブへ移動。

「寓話」は沖縄を代表するジャズピアニストの故人・屋良《やら》文雄さんが開いた店だ。初めていった。コロナ対策だろうか客数を絞り、かつ時短営業なので二二時にはとっとと店を出て、森本さんと夜道を国際通りまでぶらぶらと歩いた。国際通りはけっこう賑わっている。

旧三越内の屋台街（国際通りのれん街）には若者が溢れている。この空間も地元の若者たちのけっこうな人気スポットらしい。沖縄では一七～二八日は、二二時までの時短営業を求めている。

12月21日

昼過ぎに起きて、ありものでパスタを作って喰う。『ヤクザと過激派が棲む街』を読み続け、読了。晩飯に台湾料理の「臺瓏《タイロン》」の台北ルーローカレー弁当を取り寄せる。魯肉《ルーロー》が美味い。

12月22日

朝から『ヤクザと過激派が棲む街』の書評原稿に取りかかる。が、途中で切り上げて、正午に弁護士の垣花豊順さんの家に取材に出向いて昼御飯をごちそうになる。お宅を訪問するまで時間があったので、ほど近い盛光寺に寄って掌を合わせる。垣花さんは、すでに紹介したとおり日本軍の第三二軍の司令壕の保存を訴えて県議選に立候補された方だ。

垣花さんと首里の地下にある第三二軍の壕へ。こんな場所に壕があることを、どれほどの人が知っているだろうか。唯一、第五坑の入り口あとまでは徒歩でいくことができる。ずいぶん前に入り口付近を通りかかった記憶があるが、藪の中の獣道みたいな土の上を歩く。天気には恵まれたが、薄暗い。滑りやすい粘土質の土や岩が剝き出し。そこを八七歳の垣花さんは慎重に下る。三〇〇～四〇〇メートルある藪をかき分けながら歩くと、坑口があらわれた。

沖縄県立芸術大学の校舎のすぐ横なのだが、案内もなければ、場所を指し示すものが何もない。木々に覆われている上、当然首里城の案内板にも何も書かれていない。坑口の前で垣花さんをジャン松元さんが撮影。慎重にいま来た道を登る。くだりものぼりも垣花さんのすぐうしろをぼくが歩く。ぼくも当然気を配りつつ、獣道を踏みしめながら歩く。

八七歳の垣花さんは毎朝（といってもほとんど深夜らしいのだが）一万歩は歩くという。一年前には辺野古まで野宿しながら歩いて行ったという。海岸に降りる階段や大きな建物の陰に寝袋で寝たらしい。早朝に辺野古の反対派のテントのベンチで横になっていると、当たり前だが怪しまれた。反対派の人に「怪しいものではありません。がんばってください」と言い残して去った。健脚。頑健な身体。気力もすごい。元琉球検事からアメリカ留学、琉球大学教授を経て、弁護士となった彼は沖縄の「歴史」そのものである。

第五坑口跡には、沖縄じゅうを普段から飛び歩いているジャンさんも初めてきたという。この鬱《うっ》蒼《そう》とした場所で、垣花さんは先般の県議選の出馬表明をおこなった。それにしても、ひめゆり学徒隊の一部の教師と生徒が手榴弾で集団自決した糸満の荒崎海岸の自然壕までの貧弱すぎる案内版も含めて、沖縄戦の遺産としてもっと多くの人が訪れるべき場所の案内が乏しすぎる。

撮影後、少し高台の地点から、首里の三二軍壕を爆破して牛島満司令官が逃走した道を垣花さんに教えてもらう。夜中に馬ではなく徒歩で小禄《おろく》のほうへ逃げ、摩文仁《まぶに》の自然壕の中で、彼は自決をしたという。今年三月に発足したばかりの「第三二軍壕司令部壕保存・公開を求める会」の事務局をつとめる女性にも同行してもらった。感謝。

仕事場に帰還し、書評を仕上げ、ひとりでいつもの「すみれ茶屋」へ晩飯を喰いにいった。常連の方々——ぼくより一回りか二回りは上の人ばかり——とかるく飲む。近海魚の刺身などを喰う。スーパーに寄った帰り道、さっきまでいっしょだった「すみれ茶屋」の玉城丈二さんとばったり。「すみれ茶屋」の隣にオープンしたばかりの八重山そば屋の「やいま処 あさい屋」にいってみようよと誘われ、店内へ。石垣牛コロッケをつまみに泡盛をちびちび呑んでから沖縄そばを食べようと思っていたのだが、「時短営業」で終了。

12月23日

昼まで仕事をして、昨夜、丈二さんと寄った八重山そばの店でひとり、そばを喰う。昨夜は気づかなかったが、店のパンフレットに「八重山には『安佐伊《あさい》』という姓がございます。とても人数が少なく、今や残すところ十数名となりました」と書かれていた。母の味を再現することはむずかしいが、亡き母親を偲び、この店を開いて広めていきたい云々とも。

ジャン松元さんと合流して宜野湾の真栄原新町へ。消滅してしまったので、旧真栄原新町と書いたほうが正確だろう。その街で使われていた売買春の大型の建物を改装してギャラリー「ＰＩＮ－ＵＰ」を運営していた許田盛哉《きょだもりや》さんと会う。彼にはいろいろお世話になってきたが、今年（二〇二〇年）九月、原因不明の火災で全焼してしまった。その現場でジャンさんが許田さんを再度撮影することになった。

じつは火災後はぼくも初めて「現場」に行った。炭化した床に、放水でぐちゃぐちゃになった雑誌「Studio Voice」が落ちていた。「ＰＩＮ－ＵＰ」の内部は黒こげになり、備品が燃え落ちている。店内は屋根のトタンの隙間から差し込む自然光で、不気味な雰囲気を醸しだしていた。煤のにおいがたちこめている。現場検証では発見されなかった、バールのようなものでサッシをこじあけた可能性のある痕を保険会社の調査員が見つけたらしい。いまだに原因不明と当局が言っているが、いろいろな情報を重ね合わせると、事故と事件の両面でいまだに捜査が続いているのだなとぼくは判断した。

夜は東京からやってきた相方と栄町に出て、「アラコヤ」で串焼きやらシャルキトリー（豚肉加工食品）を喰いながら芋焼酎をちびちび飲む。安定の美味さ。

12月24日

自宅にこもり仕事。ひたすら原稿を書いたり、取材先にアポを入れたりしていたら時間が過ぎていった。もう二年近く、懲役二三年の服役囚と文通している。いつも言葉を慎重に選んだことがわかる、長文の手紙がくる。それに返事を出すのにぼくはすごく時間がかかる。筆が進まない。うまく生きられず、人の命を奪うことに加担してしまった男性。彼の言葉がぼくに突き刺さる。夜は相方と松山の「酒月」で飯を喰う。

12月25日

相方と宜野湾市大山にあるドーナツの店「HYGGE」にバスで行って、オーナーの権聖美さんとゆんたく。「ジミー」付近のクリスマス渋滞を横目に、権さんのパートナーが作るドーナツを頬張る。権さんの案内で、近くにある「大山マヤーガマ洞穴遺跡」（沖縄ではマヤーとは猫のこと）を案内してもらう。むかしこの洞窟に住む魔物が猫に化けて大山村の子どもたちを行方知れずにした。それを聞いた力持ちが化け猫をこらしめ、逃げ込んだ洞窟の中で甕《カメ》をシュロの皮で作った左巻きの縄でくくりつけ、それ以来、マヤーガマの化け猫は出なくなった由来というがある。いまいちよくわからない説明文——遺跡に書いてある——なのだが、とりあえず納得することにした。

「大山貝塚」にも連れていってもらった。貝塚一帯は美底山《ミスクヤマ》と呼ばれ、集落の拝所《はいじょ》となっている。いまでも使われている痕跡があるし、特別な空間であることが空気でわかる。このあたりの住宅地からの眺めは最高。住宅地の中の古民家アンティークショップ「Vintage Yard《ヴィンテージヤード》」で、くちの欠けた古いヨーロッパ製の小さなガラス瓶を買う。

国道五八号沿いを歩いてアンティークショップをぶらぶらのぞいていると、たまたまカフェのテラス席に座っている画家の宮城恵輔さんを見かけたので声をかけた。宮城さんは飲酒運転でバイクを運転していて事故にあい、重い障害を負ってしまったことを、メディアで顔をさらして訴えかけている人だ。ぼくは自己紹介して、連絡先を教えていただいた。帰りもバスに乗り新都心で降りて生活用品を買い出し。晩飯は安里の「鳳凰餃子」で水餃子などを食べた。

それにしてもその日の新聞（琉球新報）の記事——「LGBTの方お断り」県内不動産会社 同

意書で入居拒否――には愕然とした。被害者は「タスク」さんといい、顔を出して差別を告発しているが、加害者側の名前は明らかにされていない。同日の新聞には、伊平屋島全体が新型コロナの集団クラスターとなったことも報じられている。

12月26日

朝昼兼用の飯は昨夜、「鳳凰餃子」でのこした餃子をお土産にしてもらっていたので、それをあたため直し、冷蔵庫にあった菜っ葉類を炒めて喰った。ひたすらパソコンに向かう。気分転換に洗濯とバルコニーに繁茂する植物の剪定や落ち葉の掃除。夕方になり相方と散歩に出た。

「米仙」で寿司センベロ。おまかせ五貫に飲み物二杯(指定されたものだけ)で一〇〇〇円。日本酒は田酒がたまたまその日、センベロ用に選択できたので、いろいろ寿司を追加してべろべろになってしまう。古着屋の「ANKH」に寄り、店内にいる保護猫たちを撫でまわす。相方は気に入った古着がたくさんあったようで、数万円分を大人買いしていた。

12月27日

昼頃に覚醒し、新都心の「ひがし食堂Jr.」へ歩いて行って、ソーキそば定食をテラス席で喰う。「ひがし食堂」は名護では有名店みたいだ(行ったことはない)。ソーキそばとジューシーおにぎりと鳥のから揚げ、コロッケ定食。かき氷やぜんざいが有名で、サッカーの練習帰りの小学生たちが賑やかに食べていた。師走にかき氷とはさすが沖縄。

NPO「kukulu」の金城隆一さんと深谷慎平さんと、同団体の本を作るプロジェクトの打ち合わせに出向いた。帰りに桜坂劇場の「さんご座キッチン」で深谷さんとだべっていたら、映画

を観た帰りの諸見里杉子《もろみざとすぎこ》さんと偶然遭遇。その企画は、諸見里さんにも手伝ってもらおうと考えていたので、これ幸いとばかりに話し込んだ。そのあと、ドキュメンタリー監督の松林要樹さんと相方の三人で栄町で合流、「ちぇ鳥」で主人の崔泰龍《チェテリョン》さんの焼く絶品の焼き鳥を喰いながら麦焼酎「情け嶋《なさしま》」をちびちび飲む。

12月28日

昼過ぎにバスに乗って読谷村《よみたんそん》まで足を伸ばす。今日は読谷村で焼肉というか豚ホルモンを喰うつもりなので、那覇の自宅近くの「good day for you okinawa naha」というカフェでコーヒーとサラダだけ。広々としていて気持ちの良いスペース。すぐ近場にこんな店があるなんて知らなかった。

早めに読谷村に着いたので「やちむんの里」をぶらぶらして稲嶺盛吉さんのショップで半額になっていたシンプルなガラスコップを数個購入。夕刻、調査のため同村に滞在していた社会学者の下地ローレンス吉孝さんらと相方と「豚尾《とんび》」で合流。「豚尾」は二年以上ぶりか。仲村清司さん、普久原朝充さんと作った『肉の王国』の取材でお世話になって以来である。オーナーの池原肇《はじめ》さんは相変わらず豪快。席との間にはビニールの仕切り。新メニューも増えている。ふえがらみ、てっぽう、カシラ、トントロなどが塊のまま出てきた。それを鉄板の上で切り分けるのがここの流儀。ぼくが担当して、各人の皿に取り分ける。レバーの塩漬け――沖縄のソウルフードで、ぼくの知る限り、焼き肉店ではここにしかない――を池原さんがサービスしてくれた。感謝。すべて豚。豚まみれ。うまい。べらぼうに安い。那覇で人気のあるモツ焼き店の若手もみんなここに喰いにきて、味や切り方などを学んでいる名店なのである。

帰りも店の前からバスに乗って那覇に帰る。片道、一時間半ぐらい。沖縄のバス（乗り換えとか、遅延の具合とか）にもだいぶ慣れた。

12月29日

若干、二日酔い。昼ぐらいに仕事開始。誰もが感じているのかもしれないが、師走感やら年末感をまったく感じない。節目をつけられずに、新型コロナに最大限の注意や警戒を払いながら惰性で二〇二一年に移行していく感じ。

浮島通りの「GARB DOMINGO」に寄ってオーナーの藤田夫妻とゆんたくし、気に入ったやちむんがあったので購入。雨が強くなってきたので濡れないようにアーケードの下で飯を喰おうと思ったが、けっきょく旧三越の国際通りのれん街に入って、「みずとみ精肉店」でステーキと、むかえにある「IZUMIYA OKINAWA」でレモン酎ハイを飲む。フードコートみたいな造りになっている。あちこちの店で注文して、できあがったらブザーで知らせてくれるので取りにいく。喰い終わった皿などは返却台に戻す。味はなかなかに美味い。そして、安い。国際通りはパフォーマンスつき（肉を焼いてカットするときの）のステーキハウスが名物で軒を連ねていたが、だんだん減ってきた上に、ここのコスパには対抗できないだろうなあ。

12月30日

九時の飛行機に乗るために早起きして、いつも通り、空港の売店で弁当を買ってロビーで喰う。カウンターにいくとその便は欠航になっていて、正午に変更になっていた。仕方がないので空港ロビーで本を読んでいたら、しばし寝てしまった。

中部国際空港セントレアに着き、名古屋駅からホテルまでタクシー。年配のドライバー（個人タクシー）がひたすら競馬の話をアツくするので、馬にまったく興味がないぼくは相づちを打つのがツラかった。

夜、スリランカ料理を母と弟と喰う約束になっている。ぼくはホテルに二泊して、できるだけ母との接触をしないようにする。実家に泊まらないのは、コロナを移さないためでもあるが、この数年間はそうしている。わざわざぼくの寝床を作るために部屋の家具などを動かして、レイアウトを変えてもらうのが申し訳ない気持ちになるからだ。ぼくが寝起きするためだけの「居場所」は、ほしいとは思わない。それにホテルで一人いる時間が好きなのだ。

10 文章は〝書かせてもらうもの〟

2021年1月15日

沖縄へ。着陸の直前に覚醒。荷物をまとめていたら「藤井さ～ん」と呼ぶ声がする。顔を上げると、なんと写真家の石川竜一さんではないか。機内でもハッセルブラッドを斜めがけにして「完全武装」。降りる客を先にいかせて機内でいろいろと話した。飛行機を降りてからもあれこれ近況を話す。宜野湾の大謝名《おおじゃな》にスタジオ兼バーの「絶景社」という場を作ったそうなので、今度遊びにいくことを約束して別れた。ぼくはモノレール、彼は空港に愛車のビッグスクーターを置いてあるのでそれに乗って去っていった。彼の人物ルポを書いて以来（二〇一九年刊の拙作人物ルポ集『路上の熱量』に所収）の付き合いで、『沖縄アンダーグラウンド』の表紙や章扉もすべて彼の写真を使わせてもらった。『路上の熱量』の表紙も彼の作品。

ふと思い立ち、モノレールを「県庁前」で降りて喫茶店「くりすたる」でナポリタンスパゲティを食べようと思った。ナポ好きとしては前から気になっていた店だからだ。記念として領収書をもらうと、「栗巣多留《くりすたる》」と、店名が暴走族の当て字みたいな笑える綴りになっていた。

そこから安里の仕事場までタクシーで行って、しばらく昼寝。今朝も早朝覚醒してしまっていたので、飛行機で爆睡しても、まだ眠くて仕方がなかった。目が覚めて、栄町へ「おとん」の池田哲也さんの（肋骨の骨折）見舞いがてら飯を喰いにいこうと歩きだした。栄町場内の中をくねくね歩いていたら、臨時休業。池田さんから「ごめん」とメールが入る。知り合いの店を何軒かのぞいてみたがけっこう人がいるので、なんとなく一杯飲もうという気が萎えてしまい、「リウボウ」で食料品を買って帰る。晩飯は「リウボウ」で買った鮪丼とオクラのごまあえと、自宅に貯蔵してあった鯖の水煮の缶詰。

1月16日

午前中、鳩がつがいでやってきた。いつものバルコニーの巨大化したガジュマルの枝にとまっている。一昨年、去年と連続してここで営巣したあいつらだろうか。近づいてもいっこうに逃げる気配はない。また巣を作るつもりなのかな。

夕方から自宅近くのホテルのロビーで深谷慎平さんにインタビュー。ぼくが時間をまちがえていて四〇分ほど待たせてしまった。普段から飲み歩いている仲なのであらたまってインタビューするとなると照れくさいのだが、彼がやっている沖縄の「古写真」収集の活動について詳細を教えてもらう。「古写真」は貴重で、戦塵と化してしまった村々に奇跡的に残る写真を地域の御老人方らから集め、アーカイブしている。

そのあとは深谷さんと「おとん」へ行き、普久原朝充さんと合流。おとんの主、池田さんは肋骨骨折後の痛みに悩まれされつつも、なんとか元気そう。昨日は腹痛だったそう。今年もよろしくお願いします。「おとん」のあとは三人で「ムジルシ」(漢字だと蒸印と書くことに気づいた)に移動して、創作焼売をいろいろ食べる。特製ブタ焼売やプリプリ海老焼売、鶏と野菜の焼売、牛とゴルゴンゾーラの焼売など、どれも美味しい。深谷さんと帰り道に、「炭焼き にはち」のオーナーで、元沖縄水産高校野球部の大嶺雄司さんがスナックをリノベーションして作った隠れ家的プライベートバーでビールを飲む。「リウボウ」で家飯のための食材を買って帰る。

1月17日

終日、資料を読みながら、原稿を書く。ゴミ置き場にゴミを置きにいく以外は外出せず。酒も飲まない。冷蔵庫にある野菜などを炒めるなどして喰う。メールのやりとりだけで、誰とも話さなかった。

1月18日

早朝覚醒してしまったので、しばらく起きてソファでぐったりして、布団でも二度寝。正午ぐらいに起き出して飯を喰う。「琉球新報」連載の記事を仕上げて担当者に送る。今月の回は「モモト」編集長の、いのうえちずさんにご登場願った。いくつかの媒体の急ぎのインタビューの文字起こしや、アポ取り、リモート取材などで時間が過ぎていく。たまっている本を読むゆとりがない。

ウェブ「論座」で安田菜津紀さんが中村一成さんの出自や激しい葛藤についてインタビューした

記事（二〇二一年一月一五日付）を読んだ。そのラストに、「複雑に絡み合う歴史や思惑の中にあるのは、決して〝きれいごと〟だけで語れるものばかりではない。その中でも一成さんは、〝出来事〟以上に〝人〟を軸に描くことにこだわってきた。『文章は〝書く〟ものではなく〝書かせてもらう〟もの。人と会うと突き上げてくるものがある。書かせてくれるのは出会いだと思う』」という一節があり、深く首肯する。

同業者のこういう言葉に救われることがたまにある。ぼくには自分の内側から自然にわき出てくる言葉の泉みたいなものはない。いつも「他者」の存在や言葉に背中を押される。他者と出会ってこその、書き手としての自分がある。他者を通して世界を知る。他者を取材して——書くという行為は一種の「暴力性」も帯びるから——慎重に注意深く。中村さんのこの言葉は心に沁みる。そういえば去年は人物ルポばかり数十本書いた。

午後の遅い時刻に、むつみ橋のスタバでしばらく仕事をして、ＮＰＯ「ｋｕｋｕｌｕ」の事務所で代表の金城隆一さんらと出版についての打ち合わせ。終わったあと泊に移動して「串豚」へ。常連さんたちとたわいないことを話しながら、おでんや串焼きを食べていると、スマホのニュースで、沖縄民謡歌手・大城美佐子さんが八四歳で亡くなったことをニュースで知った。自宅で倒れていたという。年末に民謡番組でライブで唄っておられるのを見たが、あまり元気そうではないのが気になっていた。

思えば、沖縄に通いだしたころ、美佐子さんの店「島思い《しまうむ》」にはほんとうによく通った。大阪の西九条の沖縄民謡クラブで知り合った大城琢《たく》さんが美佐子さんの弟子で、琢さんの出番の日を中心に出入りするようになった。この店でぐでんぐでんになって、よく美佐子先生に「しょうがないわねえ」とあきれられた。店以外のところでお会いして、お話をうかがったことがあるし、辺野古のお姉さんの家に琢さんとおじゃましたこともあった。

美佐子先生は大阪市大正区で生まれて、辺野古で育った。絹のような歌声といわれたが、唯一無二のもので誰も真似できないだろう。形容しがたい、その場の空気が虹色に変わってしまいそうな、不思議な声色だった。初めて生で聴いたとき鳥肌が立った。すぐに琢さんにメールした。合掌。

1月19日

あまり寝れなかったので、ダルいし、眠い。自宅近くのホテルのラウンジでコーヒーを飲みながら、ゲラ刷りのアカ入れ。昼にジャン松元さんと合流して一路、名護へ。栄町でタイ料理屋を経営していた黄泰灝《ファンテホ》さんが一転、名護の古民家をリノベーションして始めた「島のおそうざい さんかく屋」へ取材にいく。帰りにジュンク堂書店で降ろしてもらい、物色。そのまま歩いて帰って早めに寝る。

1月20日

沖縄で県独自の緊急事態宣言が出た。午後に、鳶職で五一歳の屋我真也さんと会う。初対面。なぜ彼と会うことになったかというと、まず「琉球新報」の「五〇年前の沖縄の怒りを再現『コザ暴動企画』で車両転覆パフォーマンス」(二〇二〇年一二月一二日)という記事から紹介したい。

コザ騒動から二〇日で五〇年を迎えるのを前に、一二日、琉球新報社一階広場あじま～るで、「コザ暴動再現企画」として、軍警察のパトカーを模した廃自動車をひっくり返すアートパフォーマンスを実施した。当時コザ騒動に参加した根保清次さん(七一)は「日頃から米軍許さんと思っていた気持ちがあの時、みんな爆発した」と当時を振り返った。当時の様子を撮影した写真展「コザ暴動」那覇展（主催・コザ暴動プロジェクト、沖縄アジア国際平和芸術祭実行委員会、すでぃる）も那覇市泉崎の琉球新報社二階ギャラリーで開催している。貴重な瞬間を記録した写真約六〇点が展示されている。写真展は一三日まで。

屋我さんはこれを見に来ていた。するとそこに玉城デニー知事も目の前の県庁からこっそり見に来ていたのだ。屋我さんは知事に話しかけ、いろんな話をした。話しかけるほうもすごいが、嫌な顔ひとつしないで対応した知事もすごい。そのやりとりを見ていた新報の記者が男性から連絡先を聞いておいてくれて、ぼくに渡してくれたのだ。「おもしろそうな人だから、会ってみたら？」と。その男性、屋我さんがきっと持っているであろう「物語」を聞きたくて会うことになった。

ホテルのカフェでマスクをしたまま話し込み、「串豚」へ移動して話し続けた。およそ六時間。帰って彼のSNSをのぞいたら、「人と会ってその人の話を聞く、自分の想いを話しする。シンプルだけれども、とても大事な事だと再確認出来た日でした。『アイデンティティ』や『イデロギー』ではお互いの気持ちが埋まることがなくて……人と人との生々しい、だけれども尊敬できるやり取り。（後略）」とあった。ぼくもその通りだと思う。SNSでやり合うのもいいが、ぼくは苦手なので、直接会うことができるのなら、とことん本音で互いの人生や考えをぶつけ合ったほうが性に合う。いい日だった。屋我さんに心から感謝したい。

1月21日

毎日、鳩のつがいがせっせと小枝なんかをくわえてきて、うちのバルコニーのガジュマルの枝に巣を作っている。やっぱりあそこが気に入ったみたいだ。バルコニーで洗濯ものを干していてもいっこうに逃げない。

仕事を一区切りつけて、夕刻にジュンク堂書店一階のカフェへ。森本店長とゆんたく。約束の時間に、医療従事者の玉城史奈子さんが来てくれた。彼女とは長い付き合いだが、恩納村から車で来てくれた。医療従事者から見た沖縄の「底辺」（必要な医療を満足に受けられていない）の現状の背景などを聞いた。帰りにひとりで「一幸舎」でとんこつラーメンをすすって歩いて帰る。ソファで寝ころんでポン・ジュノ監督の『パラサイト―半地下の家族』（二〇一九）をNetflixで観る。

1月22日

鳩の雄のほうが洗濯物（棒）を干す鉄製のフックのところにとまっていて、近づいても逃げない。洗濯物を干そうとしてフックにハンガーをかけようとするとやっと逃げてくれる。警戒心ないのか。が、外は雨。しばらくすると舞い戻ってくる。濡れそぼった羽を見ていると、無下に追い払う気にもなれず、いやはや困ったなあ。

ずっと原稿書き。リモート取材。資料読み。一段落ついたので国際通りにある「OPTICO《オプティコ》 GUSHIKEN《グシケン》」で老眼鏡を新調する。ついでに視力検査。右目の乱視が進んでいることが判明。「NATIVE SONS」というブランドのフレームにレンズを入れてもらう。ぼく好みのフレームが置いてあり、昨年末あたりから気になっていた。この場所に間口の狭い眼鏡専門店があることにずっと気づかなかったので「最近オープンしたんですか？」と聞いてみると、「もうオープンして一五年ほどになります。目立たないのでよく言われます」と洗練されたファッションに身を包んだロベルト具志堅さんが笑った。できあがるのは来週。

その足でいつもの「すみれ茶屋」へ。いつもの常連さんたちがいない。新型コロナ対策による時短営業のため二〇時で閉店しなければいけないので、客はぼくだけ。食材もほとんどない。主の玉城丈二さんは「だるま（メダイ）」の刺身と、カシラをカブといっしょに煮付けてくれた。泡盛を少しだけ。

1月23日

一〇時すぎに目覚めて、鳩のつがいの営巣活動をしばらく観察して、昨夜「サンエー」で買っておいた肉ジャガをあたためて食べてから、原稿を書き始める。大瀧詠一をずっと聴いている。夕刻に桜坂劇場の「さんご座キッチン」のテラスでアイスコーヒーを飲む。一階で化石や鉱物のフェアをやっていたので鮫の歯の化石を買ってしまった。知り合いのスタッフに聞いたら、代表の映画監督・中江裕司さんの趣味らしい。そのまま「コションでひとりでセンベロ晩飯。雨が降ってきたが、濡れたまま歩いて帰る。

ぼくは中学の頃、「地学部」という、一風変わった部に入っていた。化石や鉱物を偏愛している先生の授業がたまらなく好きだった。休みの日になるとタガネとハンマーをリュックに入れて、鉱山の跡地や化石がよく出るという、たいがい山奥の一帯まで仲間と電車やバスを乗り継いで、帰りはリュックの肩紐がちぎれそうになるぐらい「成果」を詰め込んで持ち帰っていたものだった。何十キロあったのだろう。そのころは将来は考古学を学びたいと真剣に考えていたぐらいだ。

1月24日

民謡歌手の大城美佐子さんの弟子、畏友・大城琢さんの家にタクシーを走らせた。美佐子先生を心から敬愛していた彼を慰める言葉をぼくは持たないし、思い当たらない。あるとき酔ったぼくが着ていたTシャツに美佐子先生と琢さんからサインを書いてもらったことがあり、大事に保管していた。これはぼくが手元に置いているより、琢さんが持っているほうがいいのではないかとふと夜中に思いついたのだ。

真志《まあじ》の家に着くと、琢さんは子どもを少年野球に送り出すところだった。ぼくがTシャツを手渡すと、「ああ、一五年ぐらい前に書いたやつですねえ」とうれしそうに受け取ってくれた。聞けば、美佐子さんと連絡が取れないことを不審に思い、鍵を預かっていた弟子のひとりが見に行くと、美佐子先生はソファで寝ていたという。なんだ寝ていたのかと思ったそうだが、よく観察してみると息絶えていることがわかり、警察を呼んだそうだ。急性心筋梗塞と報道では伝えられていた。琢さんは弟子代表として訃報記事にコメントしたり、葬儀の準備などに追われたという。

彼は思っていたより元気そうで、フォークギターで高田渡の曲をいくつか気持ち良さそうに歌ってくれた。「先生の前でやったら、おまえは民謡忘れたのか」と言ってあきれられましたよ、と笑っていた。ぼくが前に「琉球新報」の連載に彼のことを書いた記事が額装して壁にかけてあった。小一時間ゆんたくして帰宅の途に着く。

1月25日

午前中にNPO「kukulu」の事務所でプロジェクトの打ち合わせ。その後、歩いて数分の桜坂劇場で支配人の下地久美子さんに取材。桜坂劇場は映画監督の中江裕司さんが守り抜いている文化発信の場だ。映画、やちむん、古本、カフェ。ぼくの好きなものたちが揃っている。外のテラス席は開放してあって飲み物を購入していなくても誰でも座っていることができる。この日も老人がひとり座っていて、足元には近所を住処にしている猫がうずくまっている。老人に慣れているのだろう。桜坂のど真ん中を貫通する道路や外資の高級ホテルなどで街の顔が大きく変わっていくのをくい止めているのがこの劇場だとぼくは思っている。

かつて中江さんを取材させてもらって「AERA」の「現代の肖像」に書いた（二〇一三年刊の『「壁」を越えていく力』に所収）。そのときは下地さんはすでにスタッフになっていたと思うが、いまや支配人という肩書き。一階のカフェ「さんご座キッチン」でインタビュー、ジャン松元さんが劇場前で撮影。スーパーに寄って帰宅。

1月26日

ずっと原稿を書く。立ち飲み屋の「トミヤランドリー」が期間限定（当時）で「寿司とみや」に変身しているというので、夕方に栄町に出て、早めの晩飯を喰いに出かけた。握り八貫で一五〇〇円。「アラコヤ」グループの親分・松川英樹さんがカウンターに入っている。知り合いの姿もちらほら。帰りに「ちぇ島」でかるく飲んで帰る。明日の午前中の飛行機で東京へ移動するから、荷造りして早めに布団に入る。

11 遺骨を含む南部の土砂で辺野古を埋め立てる計画の暴挙

2021年2月15日

空港についた足でモノレールに乗り、垣花豊順さんのお宅に直行。まずは昼飯をごちそうになる。二月二四日発行の「琉球新報」に掲載されるぼくの連載原稿——垣花豊順さんにご登場願う——のチェックを、あれやこれやで二時間近くふたりでやっただろうか。

安里の拙宅に戻ってひとやすみしたあと、知り合いの居酒屋が一時間だけ開けているのでおじゃまする。生ビールも補充してない。ソーキと島野菜を煮付けたものと、ハタのカシラと糸満の座波豆腐を煮付けてもらう。鮪赤身の刺身、おあげさんなど、冷蔵庫にあるものだけを出してもらって、泡盛をちびちびやる。なぜ一時間だけ営業しているかというと、独り身の同級生（常連）の夕飯のためだけに開けているのだ。その日もふたりいた。そこにぼくもまぜてもらったわけだ。帰りにスーパーで買い出し。半額になった惣菜を買って喰う。

先日、東京・お茶の水で井土紀州《いづちきしょう》監督のドキュメンタリー映画『LEFT ALONE《レフトアローン》』（二〇〇五）を臨時上映会で観たばかりなので、主人公格で出てくる（インタビュアー役の）絓秀実《すがひでみ》さんの『1968年』（二〇〇六）と故・西部邁さんの『大衆への反逆』（一九八三）が本棚にあったので少し目を通し始めたがそのまま眠りに落ちてしまった。

2月16日

そういえばと思い、バルコニーのガジュマルで子育てしている鳩の様子を見る。一羽だけが巣にうずくまっている。バルコニーの掃除や部屋の片づけものをして、首里の某町へ。

川満由美さんに会いに行く。数年ぶりだろうか。その間、メールや電話などで連絡は取り合っていたが、お元気そうだ。彼女は、二〇〇五年に起きた殺人事件の被害者遺族で、夫を通り魔のような強盗に襲われた。

当時の新聞を引用しておきたい。「沖縄タイムス」（二〇〇五年五月三日付）の見出しは、「陸自幹部　強盗致死で逮捕／塾経営者傘で刺す」である。事件は以下の記事文中にあるように記事の日付の三カ月前のことである。

那覇市牧志の路上で今年二月、同市首里山川町の学習塾経営、川満正則さん＝当時（四八）＝が血を流して見つかり、死亡した事件で、県警捜査一課と那覇署の合同捜査班は二日、強盗致死の疑いで、陸上自衛隊第一混成団第一混成群所属の三尉、原卓也容疑者（二五）＝那覇市高良＝を逮捕した。原容疑者は「心当たりがない」と容疑を否認している。県警は同日、特別捜査本部を設置。原容疑者には多額の借金があったことから、金目的の犯行だったとみて調べている。

調べでは、原容疑者は二月二十六日午後七時四十五分ごろ、那覇市牧志三丁目の路上で、川満さんの顔を持っていた傘で突き刺し、現金十数万円入りの財布を強奪、死亡させた疑い。捜査本部は同容疑者が現金十数万円を所持していたことをあらかじめ知っていたとみている。

顔面を血まみれにして倒れている川満さんを近くの駐車場に車をとりに来た男性（四八）が見つけ、消防や警察に通報。川満さんは病院に運ばれたが約一時間後に死亡した。

原容疑者は事件当日、非番だったという。川満さんと原容疑者に面識があったかなど、関係は分かっていない。

特別捜査本部は単独犯とみて、詳しい動機などを捜査している。

県警の比嘉正輝刑事部長は「目撃者の話や現場の状況などから総合的に判断して、逮捕した」と強調した。

現場は、ゆいレールの安里駅と牧志駅に近い住宅街。双方向通行ができる幅約五メートルの道路で、国際通り方向から国道330号（ひめゆり通り）への抜け道になっている。

一方、陸上自衛隊第一混成団の國場進渉外広報室長は二日夜、「逮捕の報告を受けた。本人が取り調べを受けており、細部は分からない状況だが、事実とすれば大変遺憾。警察からの要請には積極的に協力していきたい」とのコメントを出した。記者会見の予定はないとしている。


ぼくは犯罪被害者や被害者遺族についての本を多く出していたから、沖縄で孤立無援状態になっていた川満さんと、たしかメーリングリストか何かでつながった。ぼくはできる限りサポートして、彼女が立ち上げた自助グループ「ひだまりの会」にも中心的に関わっていくようになる。川満さんは県外の自助グループへも積極的に参加していた。

二〇〇九年にうるま市で起きた中学生リンチ殺人の被害者遺族のシングルマザーAさんが会を訪ねてきて、その後、川満さんとぼくは全力で彼女を支援することになる。この事件は、沖縄・うるま市で男子中学生が死亡しているのが見つかったことに端を発していて、警察は、集団で殴るなどして中学生を死亡させたとして、同級生の一四歳の少年五人を傷害致死の疑いで逮捕した。当初、プレハブ小屋の屋根から転落したとみられていたが、その後の警察の調べで、体に殴られたような跡が見つかり、警察は当時一緒にいた同級生から事情を聴き、少年たちの口裏合わせを暴いた。結果的に、同級生の少年ら八人が少年に暴行し死亡させたことがわかった。八人には一四歳未満の少年三人が含まれていた。

川満さんとぼくは、うるま市事件の加害者の親が被害者少年のAさん宅に謝罪に来る場面に同席するなど、ほんとうにいろいろな支援を経験した。川満さんの事件の詳細は拙著『アフター・ザ・クライム──犯罪被害者遺族が語る「事件後」のリアル』(二〇一一)、うるま市の事件については『「少年A」被害者遺族の慟哭』(二〇一五)に記した。「ひだまりの会」は諸事情で活動を休止していたが、このたび川満さんの生活が変わることをきっかけに再始動することになった。ぼくもできるかぎり、またお手伝いできたらと思っている。

夕方に知花園子さんと会い、いろいろな話をする。栄町の客のいない「ムジルシ」で創作焼売を食べたあと、「ちぇ鳥」で時短営業の二〇時まで芋焼酎と焼き鳥を少し食べる。

2月17日

冷蔵庫にあるものを炒めたりして食べた。コーヒーを淹れたとたん、かすかな亀裂音がしてガラスのコップにヒビが入った。

夕方まで仕事をして、県立図書館に出向いた。地元の版元「ボーダーインク」編集長の新城和博さんと、普久原朝充さんの連続講演を聴きにいくためだ。新城さんは「沖縄のエッセー」、普久原さんは「沖縄の建築本」を紹介する。『沖縄島建築』の岡本尚文さんとも合流。

講演会後、四人で談笑していたら、ぼくにひとりの女性が声をかけてきた。東京・高円寺にある映画なども上映する劇場「座・高円寺」で先日公開されたドキュメンタリー映画『69–70沖縄ドキュメント モトシンカカランヌー』の上映&トークライブにわざわざ沖縄から足を運んでくれたという沖縄芸大の大学生だった。サインをぼくからもらうために拙著を持って来てくれたのだった。

ありがたいやら、申し訳ない気持ち。彼女は沖縄市の「シアタードーナツ」でも「桜坂劇場」でも同作品を観たという。

同作品は一九七一年の作品だが、長い時間を経て、いま幅広い年齢——とくに若い層が目立つ——の人の注目を集めている。どうしてだろう。「座・高円寺」は補助席も出るほど満席だったらしいが、トーク相手の共同監督の井上修さんもこの現象に驚いていた。中心的監督の布川徹郎さんもあの世でびっくりしておられるのではないか。拙著『沖縄アンダーグラウンド』でこの映画を一章割いて取り上げたこともこの現象に一役勝っているとは思うが、一九七一年当時はまったく受け入れらなかったこの映画が見なおされていることからは、社会の価値観の大きな変化を感じる。

帰りに弁当を勝って、岡本さんに車で送ってもらった。

2月18日

バルコニーの巨大化したガジュマルに巣を作った鳩を眺めていると、あきらかに母鳥が雛に餌をくちうつしで与えているところが見えた。ああ、またここで生まれたのだ。本棚が届いたので、本や資料の整理に没頭する。

先日、東京で辺野古の県民投票を牽引した元山仁士郎《じんしろう》さんと会ったが、彼の祖父は一六歳で第二護郷隊に召集され、生き残ったうちのひとりだ。三上智恵さんの労作『沖縄 スパイ戦史』(二〇一八)に登場している。

ひたすらインタビューしたものの文字起こしを続ける。十数本たまっている。なかなかやる気が起きないので『沖縄の戦後を歩く』をめくる。拙宅周辺や、これまで取材などで訪れたことのある土地についてあらためて知ること多し。それぞれの土地の「案内人」として、そこで生まれ育った方を立てているので、リアルでおもしろい。中には取材当時はご健在だったが刊行時には亡くなっている方もおられて、時間の流れをいやおうなく感じさせる。

2月19日

川満由美さんのお宅にジャン松元さんとともにおじゃまして撮影させていただく。帰りに沖映通りにある「我部祖河《がぶそが》食堂」でカレーを喰う。そこから移動して、ジュンク堂書店の森本店長と——この日は彼の勤務が休みの日だった——「ひばり屋」でゆんたくし、泊の「串豚」でちょっと飲もうと行ってみたら休業だったので、となりの「Coffee Ever Green」で冷えたからだをあたためる熱い珈琲をすする。

むかえのコンビニに寄ろうとしたら名前を呼ばれたので、振り向いても相手が誰かわからない。「栄町でブティックをやっていたトウヤマです。二〜三回、寄ってくれましたよね」。ああ、思い出した。栄町のど真ん中で洋服のセレクトショップをやっていたお兄さんだ。當山《とうやま》一郎さん。店の名前は「堤洋装《つつみようそう》」。栄町場外を歩くたびに「閉店しちゃったんだなあ」と思っていたら、諸事情で栄町から泊へ移転して再開していたのだった。覚えていてくれてうれしい。聞けば、この日記も読んでくれているとか。ありがたい。店内でしばしゆんたく。「ppppins」という台湾のデザイナーが作ったピンバッジを購入した。センスいい服や靴が揃っているので、ぜひ行ってみてほしい。

2月20日

レンタカーでコザへ。元沖縄市市長の新川秀清さんに取材交渉するため。直に会いに行く。約束の時間まで少しあったので、「上間沖縄天ぷら店」で弁当を買い、車の中でかっこむ。新川さんと一時間ぐらい話して、取材交渉成立。良かった。

帰りに宜野湾市大山の「HYGGE《ヒュッゲ》」に寄り、オーナーの権聖美さんとゆんたく。そこに伊丹英子さんが娘さんといっしょにあらわれた。以前に、ソウル・フラワー・ユニオンのライブで彼女の演奏を一ファンとして何度も見ていた。お目にかかれて、うれしいなあ。三人でいろいろゆんたく。

そのあと、近くの「パイプラインコーヒー」のテラス席で、これから「琉球新報」の月イチ連載で取材させていただくことになっている宮城恵輔さんにご挨拶。だんだんインタビューのようになってきて、録音させてもらう。車を返してから、栄町の「ちぇ鳥」で焼き鳥をひとりで喰う。

2月21日

朝起きたが、二度寝。方方著『武漢日記―封鎖下60日の魂の記録』（二〇二〇）の書評原稿の締め切りを忘れていて、終日、パソコンに向かう。気分転換で洗濯。冷蔵庫にある野菜などを炒めて腹を満たす。マンション内のゴミ置き場以外、表に出ず。

2月22日

ジャン松元さんと合流して浦添市の屋富祖《やふそ》へ。「琉球新報」の月イチ連載を単行本にまとめる際に書き下ろし・撮り下ろしを加えるために、そのひとりである屋我真也さんにインタビュー&撮影。かつて屋我さんが呑んだくれていた屋富祖のスナック街。天気もよく、いい写真を撮れたとジャンさんが喜んでいる。歩いていたら、急にジャンさんが地面に寝ころんでシャッターを切り始めたので何かと思ったら、花にとまる蝶を撮影していた。

ジャンさんは那覇へ戻り、ぼくと屋我さんだけ浦添パルコに行って、海に面したカフェのテラス席で二時間以上話をした。久々に海を見ながらのインタビュー。屋我さんに那覇まで送ってもらう。夕方、知花園子さんと栄町の「ムジルシ」に行って、知花さんから、ある沖縄戦被害者の女性からぼくに渡してほしいと預かってもらっていた資料を受け取る。「ムジルシ」で創作焼売、さすが。

2月23日

早起きして、よもぎそばをスーパーで買った食材とあわせて食べる。島豆腐をたっぷりのっけた。この数日、鳩の巣に姿が見えないので、もしやと思い、巣をのぞき込んでみると、雛鳥が死んでいた。親鳥から餌をもらっていたのをたしかに数日前に見たのに、原因は寒さだろうか……。巣と死骸を片づけて、しばしソファでぼんやりしていた。

昼から首里で仲地宗幸さんにインタビュー前のご挨拶。彼は理学療法士なのだが、その枠を越えた活動に興味があり、「琉球新報」の月イチ連載で取り上げさせていただくことにした。そういえば、待ち合わせ場所に向かって歩いていると、原付に乗ったドキュメンタリー映像監督の松林要樹さんと会ったのでちょっとのあいだ、ゆんたく。

夜は安里の「鳳凰餃子」でメシを喰う。このところは、できるだけ(その時点で)客の入っていない店でひとりで食べている。

「辺野古埋め立て土砂を南部で採取は『政府の暴挙』 遺骨収集ボランティアなどが批判　知事視察も求める」という見出しのついた、二〇二一年二月一六日付の「琉球新報」のネット配信された記事を以下に紹介する。

沖縄戦遺骨収集ボランティア「ガマフヤー」代表の具志堅隆松さんと「平和を求める沖縄宗教

者の会」は一五日、県庁記者クラブで会見した。名護市辺野古の新基地建設に使う埋め立て土砂を、本島南部から採取する計画について「政府の暴挙だ」と批判し中止を求めた。玉城デニー知事の現場視察の必要性も指摘した。

沖縄防衛局が県に提出した工事の設計変更申請によると、糸満市と八重瀬町からは県内土砂調達可能量の七割に当たる約三二〇〇万立方メートルを調達する。南部地域は沖縄戦跡国定公園に指定され、自然公園法で開発が規制されている。糸満市米須では、土砂採掘業者が同法に基づく開発の届け出を出さないまま開発に着手。県から指導を受け、今年一月に届け出を提出した。

宗教者らは会見の前に県の担当課職員と面談した。南部地域で遺骨収集に着手し現在の土砂採取を中止することと、土砂採取による乱開発や環境破壊の中止を求めた。糸満市米須の開発について、自然公園法で風景保護のため知事が開発行為を禁止できる条項の適用を求めた。宜野湾告白伝道所牧師で、普天間爆音訴訟原告団長の島田善次さんは「土砂を軍事基地に使うなんて耐えられない」と批判した。

具志堅さんは一四日、宗教者らと糸満市伊敷の自然壕を訪れた。壕の前で子どもの指の骨や歯を示し「遺骨収集に終わりはない」と説明した。具志堅さんは南部地域の土砂採取に反対の意思を示すため、近くハンガーストライキをおこなうという。一五日の会見で「戦没者の血を吸い込んだ土砂を埋め立てに使うのは人道上、まちがっている。遺骨を助けてほしいと呼び掛けるつもりだ」と話した。

同席した沖縄平和市民連絡会の北上田毅さんは「南部地域はあちこちの鉱山で二〇、三〇メートルの穴が埋め戻しされずにひどい状態で放置されている。米須でも風景が根本から破壊されることは明らかだ」と指摘した。

ぼくも南部の採石現場を何度も見に行ったことがある。「ひめゆり平和祈念資料館」の普天間館長と何度も訪れたのだ。あの一帯は米軍に追い詰められた学徒隊の若者や民間人らが大勢、砲撃や自決などで命を落とし、いまだに骨も見つかっていない人たちの魂が眠る土地だ。まちがいなく、土砂の中には犠牲者がいる。その土地を辺野古の埋め立てに使うという発想は狂っているとしか言いようがない。

2月24日

「琉球新報」に垣花豊順さんの記事が掲載された。これまで最長の文字数になったが組んでもらった整理部のスタッフの方に感謝。やむなく削った原稿の一部（垣花さんの語り）をここに記しておきたい。

中国の唐手は、沖縄県民の武器を持たない文化で空手に深化し、平和思考の武術として世界に広がっている。沖縄空手の神髄は「空手に先手なし」である。私は空手道場（剛柔流）で三年間、突き、蹴り、呼吸法などについて教えを受けた。空手の「先手なし」の根本理念は、憲法九条に定める「戦争の放棄」と相通じる教えで、大変勉強になった。第一坑口から第五坑口入り口の広場に至る遊歩道を「首里空手通り」と命名し、広場に「命《ぬち》どぅ宝」「空手に先手なし」の彫刻像を建てると、不戦の誓いを世界に広めることになる。

夕方から小禄《おろく》へ。映像クリエーターの當間早志《とうまはやし》さんに会う。小禄駅から歩いて五分ぐらいの「田《た》原屋《ばるや》」のテラス席で風に吹かれながら、戦後の沖縄の映画館などについて話を聞かせてもらう。

モノレールに乗って帰途、ふと思いついて降りるはずの駅ではなく別の駅で降り、ある居酒屋へ。たまにしか行かないが、店の主は拙著『沖縄アンダーグラウンド』を読んでくれている。客もまばらだったが、やがて客はぼくひとりになった。会話のきっかけは何だったか忘れたが、主人の一〇代から二〇代にかけて突っ走った、いわゆる「任侠道」について向こうから話してくれた。沖縄や奄美と、ヤマトのヤクザとの関係性がよくわかった。懐かしむように話す彼の極道時代。思わず身を乗り出して聞いてしまう。

2月25日

昨夜は下痢で何度も起きたが、一四時すぎになってやっと腹がすいた。外出はしないことに決めて、ゲラのアカ入れや資料読みなどを続けて、やーぐまい。

2月26日

午前中に普天間へ。元山仁士郎さんに会いに行く。その後の琉球新報社での打ち合わせまで時間があったので、桜坂劇場の「さんご座キッチン」で昼飯を喰いながら読書。

新報社で打ち合わせで、「琉球新報」連載＋書き下ろし・撮り下ろしの単行本について、タイムテーブルを担当者や流通を担当してくれるスタッフと話し合う。写真家のジャン松元さんとぼくの共作。「沖縄ひとモノガタリ」がいちばんのタイトル候補。

根をつめて話したのでなんとなく歩きたくなり、久茂地川沿いを歩いていると、最近オープンして話題になっている立ち食いそば（日本蕎麦）屋の「永當《えいとう》蕎麦」の前に出たので寄ってみた。もり蕎麦がなんと一九〇円。なかなかの味。東京ではどこの街や駅中にもある、いわゆる「立ち食い蕎麦屋」は那覇では初めてなんじゃないだろうか（ぼくの知る限りなので正確ではないです）。

2月27日

午前中、引きこもりの若者等を支援するNPO「kukulu」で打ち合わせ。終わったあと、市場通りあたりをぶらぶら歩いて、「大衆食堂 下町小《しゃまちぐゎ》」の前を通りかかると、高齢のおばあさんがそばをすすっていた。ぼくもふらっと入ってカツカレーを注文。大盛りは沖縄の「常識」だが、ご飯を半分残してしまった。開南の方へ歩いて「パーラー上原」でネパールカレー弁当と天ぷらを数種買い、遅い晩飯にしようと思う。

拙宅に帰ってバルコニーの鉢植えを剪定しながら、洗濯機をまわす。二〇一八年に講談社から出した『沖縄アンダーグラウンド』が集英社文庫に入れてもらえることになったので、その「補章」として二万字程度のものを書くことになっていて、その原稿を書く。帯の推薦文は五木寛之さん、解説は真藤順丈さんに書いていただけるらしいと編集者から聞いている。光栄なり。

2月28日

朝起きて洗濯。空港に早めについて、ゴーヤー弁当を買ってロビーで喰う。売店で「沖縄タイムス」を買って、怒りで震えた。同紙のウェブ版（二〇二一年二月二八日付）から引用する。編集委員の阿部岳《たかし》記者の署名記事である。

米ハーバード大学のJ・マーク・ラムザイヤー教授が、辺野古新基地建設について「一般県民は賛成したのに地元エリートと本土の活動家が私欲のために反対している」と分析した論文を発表していたことが分かった。普天間飛行場の土地を日本軍が買収したなど事実関係の誤りも多い。名門大学の名前で沖縄に対する差別とデマが拡散されることを懸念する声がある。(中略)ラムザイヤー氏は論文で公務員や軍用地主を沖縄内部のエリートと位置付け、自らの給与や地代をつり上げる「ゆすり戦略」のため反対運動に従事すると主張しているが、直接の根拠は示していない。一部エリートと本土の活動家の利益のために一般県民が犠牲になっている、との構図を描く。

「ハーバード大学ロースクールの『ミツビシ・プロフェッサー』」との肩書を持つラムザイヤー氏が『慰安婦は自発的売春婦』だと主張する『論文』を出し、大問題となった。ざっと目を通したが、いわゆるネトウヨ本の英語バージョンといった体裁だった」という親川志奈子《おやかわしなこ》さん(沖縄大学非常勤講師)のコメントが正鵠をついていた。

タイムスと一緒に、ボーダー新書の『琉球怪談作家、マジムン・パラダイスを行く』(二〇一六)を買ってページをめくり始めたら、おもしろくて止まらない。著者の小原猛さんとは面識があるが、多くの沖縄マジムン本を出しておられる、言ってみればマジムン話収集家というかマジムン博士なのだ。本書はそれらのエッセンスが詰まっていて、小原ワールドがよくわかる。

ところで、同書によれば「マジムン」とは「沖縄では妖怪のたぐいをマジムンと呼ぶ。でもこの呼び方は、妖怪とは少し違う。幽霊と妖怪の中間というか、あいまいである。このあいまいさ、ファジーな感じが、マジムンの特徴である」とのこと。

小原さんも県外の出身なのだが、「沖縄病という言葉がある。沖縄に取りつかれて、もはやどうしようもなくなった、ナイチャーのことをそう呼ぶ。沖縄病にもいろいろある。気候や風土、海や自然に惹かれたもの、人に惹かれたもの、遅い時間の歩みに惹かれたものなど、さまざまであるが、もしかしたらこれもムンなのかもしれない」という一節がある。

「ムン」とは、編集者の新城和博さんの言葉を引いて、「何か名付けられる前の、気配のようなもの。目には見えないが確かにそこにいる、あると感じる存在。ソコにあるモノ。名前がないものほど怖いものはないし、逆に豊穣なものはない。神でも魔でもない。分ける事の出来ない混沌。琉球を含めた広く太平洋圏では、そうした存在は、地底の世界にあると考えられていたみたい」と本書の最後のほうに記されている。きっと、ぼくもムンにとりつかれているのだろうなあ。

東京に着いて、仕事場でたまっていた郵便物を整理していると、知人の山本直幸さんが昨年一一月に永眠されていたことを知らせる、妻の山本絹子さんからの手紙が届いていた。亡くなる二週間前に撮った写真も添えられていた。

前にも書いたが、ぼくが仕事場を構えたマンションの管理人を当初は彼が務めていた。しょっちゅう飲みに連れて行っていただき、ほんとうに世話になりっぱなしだった。彼の家で何度も晩飯をごちそうになった。郷里の五島列島から送られてくる魚介類がほんとうに美味かった。ぼくにとって二拠点生活の、最初の地域の水先案内人になってくれた人だった。

難病に罹り七年間の闘病生活を送るようになり、入退院を繰り返していた。たまにメールをやり取りして、ホスピスに移ると書いてあったので、覚悟はしていたが……。働いていた大阪から沖縄へ移住して二六年間を生きた彼は、豪気で心根がやさしく、めんどうみのよい人だった。カラオケがめっちゃ上手だったなあ。墓も位牌も作らないというのが故人の遺志だったそうで、南のほうへ手をあわせてくださると山本も喜ぶと思います、という絹子さんの言葉と、山本さんの写真をただただ見つめていた。

12 「ヤマト」への厳しいまなざし

2021年3月15日

空港から直にジュンク堂書店に寄って、森本店長とゆんたく。夜は社会学者の打越正行さんと栄町でかるく「ちぇ島」で焼き鳥を喰いながらいろいろ話す。彼が沖縄に来るのは約一年ぶり。打越さんといえば『ヤンキーと地元―解体屋、風俗経営者、ヤミ業者になった沖縄の若者たち』（二〇一九）というデビュー作が有名。やっぱ沖縄の空気はええわあ、と連呼していた。

先日、「琉球新報」の月イチ記事――先々の分――を書いていて、何か要素が足りないと思った。何かが隠れているような気がした。たしか沢木耕太郎さんは、そう直感したら可能であれば、相手にすぐに会いにいくべきだ、とどこかのコラムで書いておられた記憶がある。顔を見て言葉をかわせばきっと何か突破口のようなものが開けるだろうという、書き手としての流儀のようなものか。

ぼくはすぐに相手の都合のいい時間帯を聞いて、電話した。それから約一時間、相手と話し込むことになった。彼は「沖縄に移住してきて、この話は初めて人にしましたよ」と笑っていた。彼の人生を描く中で、ぼくにとって「空白」だった時間を埋めることができた。

3月16日

バルコニーに出て落ち葉を掃除していると、いつものガジュマルの木陰の場所にキジバトのつがいがいる。先月、雛鳥の死骸を片づけたことを思い出した。また営巣してここで卵を産んで育てるつもりなのか。

早朝に起き出して、ゲラのアカ入れを二本こなした。この日記が出ているころには「ＡＥＲＡ」の「現代の肖像」に臨床心理士の東畑開人《とうはたかいと》さんの人物ルポが出ているはず。そのあと一〇時すぎにジャン松元さんと合流して、南城市の津波古《つはこ》へいって深谷慎平さんを撮影。そのあとコザまで走り、中央パークアベニューにある「インド屋」の主、ヴィクター（ヴィシュヌ・シトラニ）さんを撮影。事前に予約していなかったが、急なお願いを快諾してもらった。さらに首里に移動。単行本『沖縄ひとモノガタリ』のために、石獅子作家の若山大地さん・恵理さんにインタビューと撮影。

「ひばり屋」で珈琲を飲み、一休み。一七時、「串豚」のシャッターが開くのを表で待ちながら、いちばん乗り。銭湯のいちばん風呂みたいでなんか気持ちいいなあ。やがて、「おとん」の池田哲也さんがあらわれて、ゆんたく。少し飲んだら、疲れがどって出て、一九時ぐらいに帰宅して寝てしまった。深夜に目が覚めて、はげしく空腹を覚え、沖縄そばをすこし食べてから、また寝た。

3月17日

トータルで一〇時間以上は寝た。起きて、残っていた沖縄そばを食べて、仕事。息抜きでバルコニーの植物の剪定。夕刻に牧志のアーケード商店街にあるＮＰＯ「ｋｕｋｕｌｕ」へ歩いて出かけ、本について打ち合わせ。国際通りはだいぶ人出が戻っている。「一幸舎」でラーメンと餃子、ビールを一杯。

3月18日

朝、起きて「ＡＥＲＡ」の「現代の肖像」に掲載する東畑開人さんの回の告知をＳＮＳで開始。二二日に発売。沖縄では三日ほどあとになる。超気鋭の臨床心理士の東畑さんは大学院を出たあと、四年半ほど沖縄の精神科デイケアで仕事をしていた。

桜坂劇場へ歩いて行って小森はるか＋瀬尾夏美・監督『二重のまち／交代地のうたを編む』（二〇一九）を観る。「3・11のあの日」に遠く離れた場所にいた四人の若者が「新しい町」を訪れ、対話を重ねて物語『二重のまち』を朗読するワークショップの記録である。桜坂劇場で映画を観る機会がだんだん増えてきているので、この際、会員になったほうが得だと判断して申し込んだ。

「陶 よかりよ」に行って、オーナーの八谷明彦さんとやちむんゆんたく。いろいろ迷って茨城県笠間市で作陶する阿部誠さんの作品を買う。帰りに「すみれ茶屋」に寄って、晩飯を喰う。客はぼくひとり。テビチの煮付けや蛸の卵（生）が出てきた。蛸の卵が美味すぎて、泡盛をつい飲みすぎてしまう。

「中日新聞」の月イチ連載書評用で次回に取り上げる候補本を担当者に知らせたら、すでに時間差で別の筆者が取り上げていた。急遽、変更することになり慌てる。

3月19日

朝早く起きて、原稿を書く。夕刻から新都心のスタバに行って石垣綾音《あやね》さんと会う。後日、取材をさせてもらうのだが、その前のご挨拶。タリーズコーヒーのテラスで話をうかがっていたら、那覇市会議員の中村圭介さん、写真家（当時）の普久原朝日さんがあとで合流してきた。おふたりとも久しぶり。しばし、ゆんたく。新都心でもテラス席は気持ちいい。タリーズコーヒーの隣にある球陽堂書房の新里哲彦店長に挨拶をした。

そのあとで道路をはさんですぐ向こう側にある、県立博物館・美術館に寄って、写真家の石川真《ま》生《お》さんの個展を見る。一九七〇年代の黒人の海兵隊員やその家族を撮った写真群が、被写体の圧倒的な存在感を感じさせる。図録も買う。貴重だ。その足で泊の「串豚」へ。屋我真也さんと会う。取材を受けているうちにいろいろなことがアタマに浮かび、それを会って話したいという。

取材者は相手の思考や言葉をすべて、いったんは受け止めなければならないとぼくは思っている。インタビューして、はい、おしまい、ではないのだ。相手の記憶は、外側からはたらきかけることによって——取材を受けるのなんて初めてという人が多いので——蘇っていくことが多い。エンドレスといってもいいかもしれない。いろいろなノンフィクションを読んでいると、それまでいっさい封印してきた話を、初めて会った取材者に語るシーンがよく出てくる。書いていないだけで、取材活動の裏にはたいへんな努力があるはず——運良く初見でインタビューができたというケースもある——だと思いたいのだが、ぼくは取材相手と取材者が「出会っていく」過程をも読みたいと思ってしまうたちだ。

「串豚」のあとは、近くの「たのし〜さ〜」という居酒屋でもう一杯。店主の百瀬政行さんはぼくと同じ愛知県の出だということがわかった。

3月20日

テレビが壊れた。いろいろ調べて復旧を試みたが、一〇年以上は使っているし寿命か。地上波しか映らないし——BSは入れてなかった——どうせほとんど観なくなっているし、キー局が作る情報バラエティ系番組は不愉快なやつばかりなので（ぼくの感想です）、この際、しばらくはテレビなし生活に挑戦してみようと決めた。

昼に、ジュンク堂書店で集英社文庫の田島悠さんと合流。すでに述べたが、単行本の『沖縄アンダーグラウンド』は、二万字の「補章」を加筆して集英社文庫に入ることになった。タイトルは変えないが、解説は真藤順丈さん、帯の推薦文は五木寛之さん、表紙の写真は故・平敷兼七さんと中川大祐さんの作品をダブルで使用する。それに「補章」を書き下ろして親本を一新させる。田島さんとジュンク堂書店の森本店長を一階のイタリアントマトで待っていたら構成作家のキャンヒロユキさんとばったり。田島さんと森本さんで最近オープンしたばかりだというパラダイス通りにある「沖縄そば×おいなり×唐揚げ 花はな商店」で「ソーキそば おいなり 唐揚げ」のセットを食べる。美味しい。

田島さんと沖映通りのレンタカー屋で運よく安い軽自動車を借りることができて、ぼくが運転して(田島さんは不案内なので)、宜野湾市の真栄原新町に行って、車を停めてぶらぶら歩く。人が住んでいる気配はあるけど、元売買春店は取り壊され、けっこう更地になっていた。こうやって街の姿も記憶も消えていくのだろう。

そのあと、コザの中央パークアベニューの「チャーリー多幸寿《タコス》」横にスタジオを構える写真家の中川大祐さんをたずね、過去の作品をいろいろ見せてもらう。中年の売春女性を撮ったものや、米軍兵士たちの日常など、どれもすばらしい。さらに浦添に移動して平敷七海さんに挨拶。さきにも書いたように、文庫版の表紙は中川大祐さんと、故・平敷兼七さんが、真栄原新町のまったく同じ場所から街の一角を切り取った作品をコラボしたものを使わせていただく。作品の時間差は何十年だろう。その見本が出来上がってきたので、田島さんがおふたりに見せにきたのだ。とても満足してもらえたようで一安心。

平敷さんのギャラリーに「ご自由にお持ちください」と書いてある、壊れたフィルムカメラが十台ほど置いてあった。聞けば、父親のドキュメンタリーを作ったテレビディレクターのコレクションの一部だとか。なつかしいオリンパスのものを一台、いただく。小ぶりだけど、ずっしりとした重みがいい。兼七さんの写真を複製して七海さんが販売している「作品」も数点購入。また額装しよう。

車を返して、ジュンク堂書店に寄って森本店長に声をかけようと思って店に入ると、隣に見覚えのある男性が。「藤井さん、ブックマン社です」。あ、二〇〇七年にブックマン社から『学校は死に場所じゃない―マンガ「ライフ」で読み解くいじめのリアル』という本を出したときに、東京や名古屋の書店を営業でいっしょにまわった営業部の方だ。聞けば、担当してもらった編集長の小宮亜《あ》里《り》さんも別件で那覇市内に来ているみたい。

夜はひとりで栄町「おとん」へ顔を出す。常連さんたちと飲んでいたら、参議院議員（当時）の有田芳生さんがあらわれた。ひとしきり話をしたあと、ぼくは安里三叉路の「鳳凰餃子」へ移動。写真家の岡本尚文さん夫妻と普久原朝充さんと合流。岡本さんは来月から長期間（四月二九日〜八月二九日。パート1とパート2にわかれている）、前島の「ホテル アンテルーム那覇」で個展を開く。ぜひ足を運んでほしい（ぼくの日記本第一弾『沖縄の街で暮らして教わったたくさんのことがら―「内地」との二拠点生活日記』（二〇二二）のカバー写真はこのときに展示されていたもの）。

3月21日

昨日から、ある元政治家の方に何回か電話しているのだが、なかなかつながらない。つながったと思ったら――前にお目にかかっているのだが――年度末の諸事情で会う日が決められない。連絡を待つことにする。

昨夜、スーパーで買っておいたゆし豆腐を食べ、『沖縄アンダーグラウンド』文庫版のあとがきを書く。夕刻に桜坂劇場の「さんご座キッチン」で書評用に本を読む。そのあと田島悠さんと「浮島ブルーイング」で「仲村渠《なかんだかり》ウィートX」という、沖縄での稲作の発祥地である仲村渠で今も作られている古代米（籾殻）をつかったエールビールを飲む。シトラという柑橘類の香りが強いのがウリだが、フルーティで苦みもしっかりしており、美味しすぎて三杯もおかわりしてしまった。

ジュンク堂書店の森本店長も合流してきて栄町の「Refuge」で晩飯を食いながら、『沖縄アンダーグラウンド』文庫版の売り方について相談。料理は安くて、美味い。何よりもオリジナル性が強く感じられる。大城忍店長がいたので、ご挨拶。同じ栄町の「ももすけ」で豚玉お好み焼きやカス焼きそばをアテに久々に深い時間まで痛飲。

今回の滞在では、たしか九〇年代後半に話題になった映画『バッファロー'66』（一九九八）のヴィンセント・ギャロ——いまやネトウヨみたいになっちゃったけど——の『Ｗｈｅｎ』というアルバムを数日間ずっとかけている。

3月22日

冷蔵庫にあった野菜類とソーセージで焼きそばを作って食べる。文庫版に新たにいれる「補章」をもう少し待ってもらう。五月後半には発売予定だから急がないと。

遅めの午後から牧志にあるＮＰＯ「ｋｕｋｕｌｕ」へ歩いて行って金城隆一さん、今木ともこさん、深谷慎平さんたちと作業を続ける。二時間以上集中したらぐったりして、四人で牧志市場街の「米仙」でセンベロ寿司。もう一軒行こうと気になっていたパラダイス通りの半オープンエアの「餃子の店 華」へ。

そしたら、なんとなつかしい顔が。向こうもびっくりしている。前に安里にあって、よく通っていた「漢謝園」でフロアやレジを担当していた女性だった。姿を見ないなとこのところ思っていたが、なんといまはこの店の店長になっていた。餃子が名物なのだが、漢謝園と同じで美味い。もとをたどればバンダ餃子という沖縄の名物と交錯するのだが、餃子を通して沖縄の台湾人人脈の一端をうかがえた。ぼくは彼女をずっと沖縄で生まれた台湾の方だと思いこんでいたのだが、ウチナーンチュだということがわかった。また来よう。

帰り道に昨日取材であった石垣綾音さんと、ライターの島袋寛之さんと写真家の普久原朝日さんらとばったり遭遇。

3月23日

近くのホテルロビーで、出版社ボーダーインク編集者の喜納えりかさんを取材。「琉球新報」の月イチ連載のため。舌鋒鋭い彼女の言葉に耳を傾ける。きびしいその言葉は、「ヤマト」からやってくるライターや研究者へ、そして沖縄の革新・保守問わず、政治や社会運動を担う、主に「男性」たちに向けられたものだ。それらの中にぼくも含まれているのだと思いながら、あえてそれをきちんと聞きに行く。

そのあとぶらぶらと「陶 よかりよ」に寄って、やちむんゆんたく。先日から迷っていたキム・ホノ作品をひとつ購入。その足で栄町「ちぇ島」へ移動。映像ディレクターの當間《とうま》早志《はやし》さんと普久原朝充さんを待つことにした。ぼくが店に着くと、沖縄テレビの松田牧人さんらがいてびっくり。ふたりが現れるのとほぼ同時に、森本店長と出版社「トゥーヴァージンズ」の編集者・小宮萌さんもあらわれ、ほぼ関係者で店が埋めつくされて笑ってしまった。そのあとで、いまやすっかり立ち食い寿司屋に衣替えした「トミヤランドリー」に移動してかるく寿司をつまむ。ここは何をやっても美味いなあ。

3月24日

ずっとデスクワーク。まだ電話でしか話したことがない——何度かコメントを使ってもらった——「週刊新潮」の高岩万紗さんから沖縄に住んでいる姉妹のところに来ているのでお茶でもどうですかとのメールが来て、遅い午後に近くのホテルのカフェでゆんたく。

夜は某大手広告代理店の人たちと久茂地で会食。まちがえて一時間近く早めに着いてしまったのだが、「百々《もも》」という、芸能人やプロスポーツ選手の写真やサインで店内は埋めつくされ、久々にクセを強く感じる（笑）店に来たな。料理はおまかせのみで、美味しい。そのあと桜坂の「BARサクラザカ」に移動して昭和ポップスに浸る。みなさんは違う店に流れたが、ぼくだけ日付をまたぐ前に帰宅。

3月25日

「琉球新報」の月イチ連載「藤井誠二の沖縄ひと物語」の掲載日。二度寝して昼過ぎにコンビニに買いに行く。今回は、犯罪被害者遺族の川満由美さん。ついでにTSUTAYAに併設されているカフェでガパオライスとアイスコーヒー。帰って、シャワーを浴びて、デボラ・フェルドマン著『アンオーソドックス』（二〇二一）の書評原稿を「中日新聞」の担当者へ送る。今日はこのままこもって仕事をしよう。

タブレットでNetflixの『トランスジェンダーとハリウッド—過去、現在、そして』（二〇二〇）を観る。表現に関わるすべての人間はこの作品を観たほうがいい——とくにテレビや映画などの映像関係——と強く思った。トランスジェンダーなどの描き方に対する意識など、日本は遅れに遅れている。映画の世界はとくにジェンダーの扱い方に対して関心が低い。ついでに言えば、パワハラやセクハラも「あって当たり前」的な意識を旧世代から感じることが多い。

映画監督の深田晃司さんや、以前に「AERA」の「現代の肖像」で取材した白石和彌《かずや》監督が孤軍奮闘状態で映画界の体質を変えるために闘っているが、彼らが言うように変えていかないと業界の未来はないような気がする。

3月26日

昼過ぎに宜野湾市にある「パイプラインコーヒー」で宮城恵輔さんを取材。飲酒運転でバイク事故を起こし、大きな身体障がいを持ってしまった彼は、「俺みたいになるな」というメッセージをテレビや講演などで発し続けている。

はやめに宜野湾に着いて「HYGGE」のドーナツで昼飯、オーナーの権聖美さんとゆんたく。ついでに同店の向かい側にある「JIMMY'S」で食パンを買う。パイプラインコーヒーは「HYGGE」の二軒となり。宮城さんは、雨や用事がない日以外はこの店のテラス席にいる。彼は両手が動かないので、口にタッチペンをくわえてタブレットに絵を書いている。タバコをくちにくわえさせ、ライターで火をつける。トイレの介助を頼まれてトイレに行くときに、ジャン松元さんに宮城さんが「これも撮りますか」と笑っている。ぼくがズボンとパンツを下ろすので、ぼくごしに撮れば大事なところは写らない。撮ってみたが、これは使えねえなあと三人でげらげら笑った。

那覇の「ひばり屋」に寄って、拙宅にいったん戻り、栄町「おとん」へ飯をひとりで喰いに行く。常連たちとゆんたく。

3月27日

桜坂劇場に歩いていって『緑の牢獄―GREEN JAIL』（二〇二一）を観る。単行本の『緑の牢獄―沖縄西表炭抗に眠る台湾の記憶』（二〇二一）を事前にぱらぱらと読んでいたし、黄《こう》インイク監督から直にメッセージをもらっていたこともあり、監督とカメラマンの中谷駿吾さんの舞台挨拶も聞いた。西表島《いりおもてじま》に台湾から移住してきた女性――二〇一八年に亡くなった――の人生。ときに彼女の言葉が詩のように聞こえることがあった。

エンドロールに井上修さんの名前があった。井上さんは一九七一年公開のドキュメンタリー映画『69－70沖縄ドキュメント モトシンカカランヌー』の共同監督で、その後、台湾の先住民族で組織された旧日本陸軍部隊「高砂義勇隊」の戦死者が靖国神社に合祀された問題を記録した「出草之歌―台湾原住民の吶喊 背山一戦」を作っていて、そのときのスチール写真なども同作品で使っているからだ。黄監督や中谷さんとちょっと話して、ふたりとも那覇在住なので、今度ゆっくり会いましょうねと約束。

黄監督が「台湾で会いましょうか」と笑っていたが、入国したらホテルに二週間隔離される（当時）。自宅に帰って、たまっている仕事を寝るまで続けよう。今日は毎食すべて、昨日、仕込んだカレーを食べている。

3月28日

原稿を一本仕上げて外へ出るとそれまで小雨だったのに突然の豪雨。びしょ濡れになる。壺屋の「陶 よかりよ」に寄ってキム・ホノさんの器を眺めたあと、気に入ったキムさんの作品の内金を払って取り置きしてもらった。そのあと、桜坂劇場に行って写真家の岡本尚文さんと建築家の普久原朝充さんのトークを聞く。彼らの著書『沖縄島建築』をめぐる話なのだが、普久原さんの沖縄建築オタクぶりが炸裂、とくに「花ブロック」ができる経緯の話は楽しかった。

終わってから三人で牧志のセンベロ寿司「米仙」へ。屋台で寿司をつまむのは風情がある。ふと、「藤井さ〜ん」と名前を呼ばれたのでそちらを見ると、ジャージ姿で丸坊主、草履ばき、カップ麺らしきものが入ったビニール袋を下げたマスクの男性が立っている。しばらく誰かわからず、かつマスク越しの声が聞き取りづらかったので、名前をもう一度たずねると、なんだ、ライターの橋本倫史さんじゃないか。丸坊主でマスクをしているせいもあり、一瞬、混乱してしまった。橋本さんの『ドライブイン探訪』は大好きな本だ。彼はいま、那覇の牧志の市場界隈のルポを毎月「琉球新報」で連載（当時）していて、担当者もぼくと同じ。

橋本さんをテーブルに誘い、センベロコースをごちそうする。考えてみれば、岡本さんも「琉球新報」の副読紙「かふう」で連載（当時）しているし、普久原さんは「沖縄タイムス」の副読紙「タイムス住宅新聞」で連載（当時）している。みんな沖縄地元紙月イチ連載仲間なのだが、月イチとはいえ、かなり骨の折れる仕事なのだということをあれやこれや話し込む。

帰宅して、自衛隊と沖縄の「境界」はなくなったのかを問う「沖縄タイムス」の連載記事「『防人』の肖像」を読む。全て読んでいるわけではないのだが、記事にはいろいろと賛否両論があるだろう。「日本の教育は長年、憲法九条との兼ね合いで、実践的に自衛隊を取り上げることをタブー視してきた。『進路を選ぶべき生徒と教員が一緒に、自分事として自衛隊を議論する。結論は個々で違って構わない』。入隊後に命を奪い、奪われる可能性を見つめ、問い直す必要性を身に沁みて感じている」という——ぼくも面識があるが——琉球大学教育学部准教授（当時）の山口剛史さんのコメントが重い。

ぼくが初めて沖縄に来た三〇年以上前、渡嘉敷島《とかしきじま》の阿波連《あはれん》ビーチで知り合った若い男性は自衛隊員だった。「沖縄では自分は自衛隊員だって言わないようにしています」と語っていた。沖縄では、友軍としてきたはずの日本軍第三二軍に裏切られたという意識が強く、それは自衛隊への嫌悪感情にもつながっている。

ぼくは一時期、毎年のように日教組の教育研究全国集会に行っていた。年に一度、持ちまわりで各都道府県で開催される。一週間ほどの開催期間、ゆうに一〇〇を超える分科会から興味や取材対象になるものを選び出しては傍聴する。事務所に全分科会で発表されるレポートすべてが、ダンボール一〇箱近く届いていて、いつも置き場所に悩んでいた。どこの会場にも「日教組フンサーイ!」と連呼する右翼の街宣カーが結集していた。日教組が社会党系と共産党系に分裂した――正確には日教組から共産党系が抜けた――ときも、そのことをわかっていない右翼が共産党系の教研集会にやってきて、「日教組フンサーイ!」と怒鳴っている風景も目撃した。分裂したあとは、社会党(当時)のほうが日教組と名乗り、共産党系のほうは別の名称を使っていた。

前振りが長くなってしまったが、各地にある自衛隊駐屯地などがある町の学校で「自衛隊反対」の教員(組合員)が、それを子どもにどう語るかが話題を集めていた。反自衛隊の話を授業でいると、自衛隊員の子どもがいじめられるというレポートも上がってきており、イデオロギーと平和教育の関係性が顕在化していた。というより、その教員の神経を疑ったものだ。

二七日に沖縄県が発表した新型コロナ感染者は九八人。

III　差別され、排除される人々を記録する

13　ベランダにキジバト

2021年4月17日

午後にジュンク堂書店で、ジャーナリストの西岡研介さんと沖縄タイムス記者の阿部岳さんとのトークライブ。しかし、ぎりぎり間に合わなかった。それでもジュンク堂書店にいってみると、西岡さんは次の用事があるとのことで別の場所に移動されていたが、阿部さんがまだ会場にいらした。森本店長を含めて三人で、並びのホテルストレータの最上階（一五階）のテラスサロンでコーヒーを飲む。那覇の街を一望できる。那覇港の海が見える。風が強い。ここだけリゾートというか別世界。西岡さんから「会いたかったけど、またの機会に」とメッセージが森本さん経由で入る。

森本さんと晩飯でも喰おうと牧志のアーケード街を歩き回ったが、軒並み閉店。「まん延防止等重点措置」で酒類提供が一九時までだからだ。閉店まぎわの「小やじ」でひとり飲む島村学さんを発見。「みんな、閉めとるで」と彼が言う。あちこちで何人か知り合いに遭遇したが、みな飲める

店を探して路地を回遊していた。ぼくらは解散。拙宅に戻り、焼きそばを作って喰う。そういえば、うちのキジバトが二羽に増えている。雛が生まれて無事に育っているのだ。すでに親鳥と同じぐらいの大きさまで成長している。

4月18日

朝目覚めてバルコニーを見ると、キジバトが三羽いて、みなで何か食べ物らしきものを奪い合うようにしてつついていた。運んできたのはたぶん雄（父親）だろう。キジバトの子どもは羽をばたばたさせて飛び立つ練習でもしているのだろうか。

先週は作家の仲村清司さんがうちに泊まっておられたので、バスタオルなどを洗濯。バルコニーの枯れてしまった植物を処分。バルコニーのどの位置にどんな種類の植物を置いたら順調に育つのかが十数年経ってやっとわかってきた。遅すぎるな。

五木寛之さんの連載「生きるヒント」（三四二回、「週刊新潮」二〇二一年四月二二日号）に「テレビの世界の後遺症」と題した文章が載っていた。抜粋する。

昨年のことだが、あるテレビ局からインタビュー取材の依頼を受けた。当日、やってきたのはその年に入社したという新人アナだった。

スタッフがえらく気をつかっているところから見ると、期待の大型新人という感じである。

撮影がはじまると、その新人アナは待ちかまえていたような口調でこうたずねた。「あなたにとって、テレビとはなんですか?」

「そういう質問は、やめたほうがいいです」

と、私は言った。

あなたにとって野球とはなんですか、とか、あなたにとって音楽とは？などというのはこの世界でいちばんイージーな質問なんだよ。なにか意味ありげにみえて、実はカラッポ、という質問です。これから先、プロとしてやっていくつもりなら、絶対に使わないことだね」

年をとるというのは、こういうことである。思ったことをそのまますげずけ言ってしまう。これからは少しつつしもう。

五木さん、ぜんぜん慎む必要なんかないです。ぼくもどこかで書いた記憶があるけれど、五木さんの指摘は正鵠を射ている。このテの質問がテレビを中心にいかに多いことか。したり顔で質問しているインタビュアーを見ると、がっくりする。とくに人物密着型の番組のラストはこのテの質問で締めくくられることが多くて、聞かれる側もいかにもエンディングに合うような、ちょっとジーンとすることを口にしたりする。これも「演出」の一種なのかもしれないが、思考停止したような質問をよしとしている日本のテレビ業界の「質問力」は、ほんとうにレベルが低い。

ついでに言えば、プロ野球や大相撲などのインタビューでも、「今日はいいところでヒットを打ちました」「はい、打ちにいこうと思ってました」「ありがとうございました！」というやりとりがよくある。これって質問じゃないじゃないか。時間（尺）がないのはわかるが、お粗末すぎる。

夕刻まで仕事をして、「OPTICO GUSHIKEN」で老眼鏡のかけ具合を調整。「Jacques Durand」のフレームがかっこよすぎて、ついでにまた老眼鏡も作った。坂本龍一さんがかけていて話題になってるやつだ。

そのあとひとりで「米仙」へ。このところはよく通っているので大将にも顔を覚えてもらった。

深谷慎平さんと普久原朝充さんも合流して飲み食いする。そのあと、深谷さんが肉をがっつきたいと言い出して、栄町の「ホルモンすたーと」（当時）へ。ぼくと普久原さんはすでに腹イッパイなのに深谷さんはがつがつホルモンを焼いて、喰っている。テンションも高い。何かあったのかな。東京時代に、焼肉店でアルバイト経験のある彼はやはり焼くのが上手い。

4月19日

今朝はキジバトが四羽もきていて騒がしい。朝から仕事をして、午後に桜坂劇場へ支配人の下地久美子さん会いに行く。行く途中に沖縄の若者たちがやっている「NEW END」（当時）でシャツを買う。古着をリメイクしたまさに一点もの。ジャクソン・ポロック風に色落ちしない墨を長袖シャツの片側にぶちまけてある。土産物屋だけじゃなくて、こういうオリジナリティあふれる店が増えればいいのにな。

コンビニでゲラをプリントアウトして、昨日に続いて「米仙」でセンベロ寿司をつまみながらアカ入れ。深谷慎平さんが合流してきた。沖縄の夜はいまは短い。歩いて「小やじ」にいくと、いたいた、島村学さんが。三人で軽く飲んで一九時になったのでお開き。ちなみに島村さんは関西出身。沖縄の会社員（当時）である。

4月20日

キジバトは今日も二羽、巣に鎮座している。

北中城村《きたなかぐすくそん》へバスで向かう。沖縄戦のPTSD（心的外傷後ストレス障害）について調査を続けてきた當山《とうやま》冨士子さんを取材するためだ。お会いするのは二度目。先にぼくがインタビューさせていただき、ジャン松元さんがあとで合流して撮影。インタビューしたカフェは最寄りのバス停まで歩いて一時間ちょっとかかる。バス停からだらだら登り坂を一時間ほど歩いた時点で行き過ぎていることに気付き、引き返したりしていた。そこは當山さんのお仲間のひとりが経営していて、たまり場になっているみたいだ。いまは臨時休業しているが、特別にあけてもらった。どの席からもゴルフ場越しに海が見える。カフェのオーナーが「夏の始まりの海の色ね」と言っていた。

　帰りはジャンさんが運転する新報社の車で那覇へ。ジュンク堂書店の一階のカフェで仕事をする。そのあとでまたまた牧志の「米仙」へ。明日は作家の仲村清司さんが沖縄大学——特任教授なのだ——で授業なので、うちに泊まりにくる日だ。最終的に、仲村さん、「おとん」の池田哲也さん、森本浩平さんが合流して、きわめてリーズナブルで美味なるセンベロ寿司を「米仙」で喰らう。途中で声をかけてきた青年がいた。あまりにこざっぱりしていたが、前によく岡留安則さんの店で遭遇していた渥美《あつみ》航治《こうじ》さんであった。あの頃は髪をのばしてヒッピー風のイケメンだったが、今は髪を切り若返った印象。「若返ったね」とぼくが言うと、「よくそう言われるんですよ。今日は母親を連れてきているんです」。いっしょにいたのはお母さまだった。いまではうるま市で会社を経営しているそうだ。

4月21日

仲村さんはまだ熟睡している。大学の授業に間に合うのかな。そのまま京都にとんぼ帰りして、また一週間後やってくる。そのときは、ぼくはまだ沖縄に滞在している。

　昼すぎから桜坂劇場「さんご座キッチン」で、ある人にインタビュー。よく会っている人なのだが、あらためて聞かせていただくと、初耳のことばかり。ミックスルーツの彼の個人史は、きちんと座をもうけて、傾聴するべきだとあらためて思った。

一五時から琉球新報社で、ジャン松元さんとの共著で出す「沖縄ひとモノガタリ」（仮称）の打ち合わせ。出版部長の松永勝利さんと新星出版の坂本菜津子さんと写真の点数やページ数などについて詰めた議論をする。そういえば、ジャンさんとは、二度目となる「AERA」の「現代の肖像」（下地ローレンス吉孝さん）と、「ヤフーニュース特集」（私宅監置問題）でも組むことになった。

帰りに「モモト」の最新号「沖縄のマンガ」特集を買う。帰宅後、何日か前に買って冷蔵庫に入れておいた餃子を食べて、仕事を片づけて早めに寝てしまう。

4月22日

午前中はずっと仕事をして、午後から、沖縄の「私宅監置」問題のドキュメンタリー『夜明け前のうた―消された沖縄の障害者』（二〇二一）の監督の原義和さんと波の上で会う。たっぷりと二時間以上、インタビュー。帰りに牧志の知り合いのやちむんの店に顔を出したがシャッターがしまっていたので、またまた「米仙」でひとりで寿司をつまむ。カンパチのカマ焼きが限定ひとつ。まだあったので注文。このサイズで激安。ここでアーケード街を行き交う人を眺めながら激安寿司をつまむのが、このところ落ち着くようになってきた。気づけば「米仙」に毎日のように来ていて、すっかり夜のぼくの生活導線を変えてしまった。

4月23日

午前中ずっと仕事。バルコニーで育ったキジバトの雛がバルコニーの床を歩き回っている。父鳥と身体を寄せ合って鉢の中でじっとしていることもある。糞の掃除がめんどうだが、情がわいてきている自分に気づく。巣ではまた母鳥が卵をあたためている様子。

「OPTICO GUSHIKEN」で「Jacques Durand」のフレームで作った老眼鏡を受け取り、「EFFECTOR《エフェクター》」の色付き眼鏡（ダテ眼鏡）を衝動買いして、その足で新都心へ。午後から石垣綾音さんを撮影するためにジャン松元さんと合流する予定だったが、台風接近の影響で風が強く、曇天。小雨もときおり降っているので延期に。インタビューだけさせてもらうことになった。と、ジャンさんがいきなりあらわれて、びっくり。よくよくジャンさんからのメールを見直してみたら「挨拶だけいきます」と付記してあった。うっかり見逃していた。

　取材を終えて、はたまた三時からあいている（当時）「米仙」へひとりで向かう。今日で五日連続である。マスターによると、そんな客は初めてらしい。いま那覇の夜は短いし、ひとりでカウンターで飲んでいたら次々に友人や知り合いが通りかかり、混じってきた。近くの「伝すけ商店」でかるく飲み直してスーパーで野菜などの食材を買って帰宅。

4月24日

昼間まで寝ていた。キジバトがいなかったので、心を鬼にして巣を撤去。卵が二個あったがなぜか割れていた。糞を掃除。が、ここで生まれたであろう一羽はずっとバルコニーにいる。追い払うと飛んでいった。うちのバルコニーにハトが出入りしているという苦情があった、と管理人さんから言われていた。もう飛べるようになったのだな。ずっと原稿書き。

　近所の安里三叉路の路地にある「Bourbon《バーボン》 Club《クラブ》」が閉店する。一九七二年創業。天井まで壁一面に並べられたボトルがまるで絵画のようで、迫りくる圧のようなものすら感じるほどだった。使い込まれたカウンターもすばらしかった。何度か行ったことがあるが、このコロナ禍の時期にひっそりと沖縄の名店の灯火が消えていこうとしている。

14　下地ローレンス吉孝さんのこと

2021年4月25日

昼過ぎまで仕事をして、ジュンク堂書店一階のカフェへ歩いて向かう。途中でスタバに寄って冷たいコーヒーを飲みながら、大容量のファイルをいくつか送る。拙宅はＷｉ‐Ｆｉ環境がよくないから。レターパックでゲラを編集者に送るためポストに投函。ジュンク堂書店では、タイトルにひかれて平井芽阿里《めあり》著『ユタの境界を生きる人々―現代沖縄のシャーマニズムを再考する』（二〇二〇）を購入。まちがいなく臨床心理士の東畑開人さんが大好物そうな本なので、すぐにラインで知らせた。すぐに「買いました！」と返事がきた。Amazonでポチったみたいだ。

ジュンク堂書店一階のカフェで玉城史奈子さんにインタビュー。夕刻、今日もまた「米仙」へ。ひとりで寿司をつまむ。皆勤賞はのがしたが、今回の滞在で六回目。ここでばかり飯を喰っているな。何度も書くが、完全に生活導線が変わってしまった。帰りに乗ったタクシーでドライバーさんが折り紙をくれた。タツノオトシゴ、だと言う。信号待ちのあいだ、折っているという。「三〇種類は折れるよ」。ものすごい速さで信号が青に変わるまで折り続けていた。

4月26日

お笑い芸能事務所FECオフィスに歩いていく。社長の山城智二さんと久しぶりに会う。そのあと引きこもりの若者等を支援するNPO「kukulu」へ。活動を記録した本の打ち合わせ。終わったら、またも目と鼻の先にある「米仙」へ。四月二九日からホテル・アンテルームで個展を開催する岡本尚文さんら関係者がずらりとカウンターにいた。

一九時になったのでコンビニで買い物しようと歩いていたら、キャンヒロユキさんに会って、「タコライスラバーズ」の山川宗徳さんを紹介してもらう。キジバトはもうやってこなくなった。今回はファンクバンド「Vulfpeck《ヴルフペック》」のアルバムを三枚持ってきたので、ずっとそればかり聴いている。

4月27日

予定が延期になったので、拙宅で原稿を書く。休憩兼ねて洗濯。今日もまた仲村清司さんが泊まりにやってきた。「おとん」の池田哲也さんも合流して栄町「ちぇ鳥」でかるく飲み食いする。どの鳥串を喰っても美味しい。客はぼくらだけだった。帰宅して仲村さんとだらだらしゃべっているうちに寝てしまった。

4月28日

深谷慎平さんの車に乗せてもらい、首里の「ななほし食堂」でゆし豆腐定食を食べてから、リニューアルオープンした「ひめゆり平和祈念資料館」へ。去年、「AERA」の「現代の肖像」で普天間朝敬館長を取材させてもらって以来。リニューアルオープン特別企画展「モノが運ぶ物語《ストーリー》」「平良孝七が撮ったひめゆり学徒たち」も見た。館長は残念ながら休みだったが、当時の取材時にお世話になったスタッフの方々にリニューアルの感想を聞かれ、すこし言葉を交わす。

帰りに第一外科壕と第二外科壕跡をまわって合掌する。途中、雑草を刈り取ったあとと思われる更地にコンクリートブロックだけで作った小さな建物がポツンとあった。その中には六人分の香炉があった。まちがいなく地上戦で一家が全滅した家のあとだろう。「イクサウティチネードーリソーン」とお年寄りは表現すると聞いた。ぼくが通りかかった糸満市の「米須」という地域では全二五七戸のうち六二戸が一家全滅。半数以上の家族が殺されたのは九三戸だったという記録もある。大城弘明さんの『鎮魂の地図―沖縄戦・一家全滅の屋敷跡を訪ねて』(二〇一五)は、それらを写真で記録したものだ。静かな悲壮さ、むごさが記録された本だ。

4月29日

朝から仕事をして、昼から首里へ。「琉球新報」の月イチ連載に取り上げる仲地宗幸さんにインタビュー。先日、仲地さんには東京でも会った。臨床心理学者の東畑開人さんと仲地さんがオンライン対談をするスタジオにまぎれこませてもらったのだ。仲地さんのインタビューを終えると、フェリーの発着場「とまりん」の裏手にある「ホテル・アンテルーム」で、始まったばかりの写真家の岡本尚文さんの個展へ。在廊していた岡本さんと海を見ながら珈琲を飲む。

そのあとは、またも「米仙」で岡本さん夫妻と普久原朝充さんとで飯を喰う。飯を食いに来た知念忠彦さん夫妻や、通りかかった「箆柄暦《ぴらつかごよみ》」発行人の、は荻野一政さん夫妻と遭遇。同誌は沖縄のイベントなどを紹介する情報紙だ。

実は、東畑開人さんには沖縄の精神科クリニックで勤務をしていた時期が数年ある。彼の著作である『野の医者は笑う―心の治療とは何か?』(二〇一五)の取材は、沖縄時代におこなっている。

沖縄の民間治療を自ら体験してまとめたノンフィクションである。

4月30日

午前中は仕事をして、昼からレンタカーで読谷村へ向かい、社会学者の下地ローレンス吉孝さんを取材。調査で読谷村に数カ月間、短期移住しているのだ。下地さんは無口な印象を与える人だが、質問を投げかけるとおだやかな口調で途切れなく答えてくれる。

セナハビーチがのぞめる「グリーン リーフ」というオーガニック素材で調理した料理や食材などが楽しめる店。はやくに到着したのでよもぎのペーストを購入。そこのテラス席で三時間たっぷりと話を聞く。やはり根掘り葉掘りインタビューする「非日常」的行為のおもしろさをいまさらながらに実感。それまでとは、その人の印象ががらりと変わる。そういう取材ができたあとがいちばん充実感がある。

那覇に戻ってひとりでまたも「米仙」へ歩いていった。すでに友人が飲んでいた。ブリカマ焼きがなんと七八〇円。大きすぎた(二皿に分けられているほどの大きさ)ので、半分を友人におすそ分け。のちに「AERA」(二〇二一年七月一九日号)に掲載された下地ローレンス吉孝さんについての人物ルポは、次のとおりだ。少し加筆して掲載したい。年齢や肩書は掲載当時のもの。

アメリカ出身の祖父・クラレンス・H・ローレンスと沖縄出身の祖母・金城光子が恋に落ちたのは、現在の那覇市の小禄だった。今は自衛隊基地として使用されている場所は、一九八七年に返還されるまでは広大な「NAHA AIR BASE」と呼ばれる米軍基地だった。

第二ゲートの近くに住んでいた祖母はハウスキーパーとして基地に出入りし、そこで厨房スタッフとして働いていた祖父と出会った。二人のあいだに一九五〇年に生まれたのが、下地ローレンス吉孝（三四）の母である。母が生まれる前に祖父はアメリカに帰国してしまい、母は自分の父の顔を知らないで育った。

「祖父が沖縄に来たのは朝鮮戦争が始まりそうな空気が濃厚になっていた時期だから、四八〜四九年ごろだと思います。じつは祖父はエアフォースの軍人だと思い込んでいたんですが、最近になってそうではなかったこと、ケンタッキー生まれだったこと、祖父の父はイタリア系の移民で、肉屋をしていたことなどを知りました。今でも映画やドラマでよく描かれていますが、当時イタリア系移民はアメリカで差別されていました。祖父の母はスコットランド系移民だそうです」

下地がスマホで曾祖父の写真を見せてくれた。苦み走った表情で葉巻をくゆらす姿は、マフィア映画にでもでてきそうなほどすごみがある。祖父のルーツを調べることは、「自分をさがす物語」でもある。

祖母は沖縄戦のときに、本島のあちこちを死にものぐるいで逃げまどい生き延びた。一緒に逃げていた祖母の叔父は米兵の車から機関銃掃射を受けて殺されたという。

「なんでおじいちゃんは日本に来たの？ってよく聞かれます。ビジネスで来たとかなら答えやすいのだけれど、戦争で来たと言うと、『重い話を聞いてしまってごめんね』という雰囲気になるんです。母も戦争がなかったら生まれてなかったわけで、戦争はよくないに決まっているけれど、敵同士の子どもも生まれるわけです。〝日本人〟のアイデンティティはじつは複雑なんです」

下地はミックスルーツを研究する社会学者だ。立命館大学衣笠総合研究機構の研究員の肩書を持ちながら、日本学術振興会の特別研究員の資格を得て、筆者が取材したときは、沖縄に住むミックスルーツの人たちの聞き取り調査のために、読谷村で妻子と暮らしていた。「ミックスルーツ」についての先行研究はほとんどなく、下地らが開拓した研究分野で、いま注目を集めつつある。二〇一八年には『「混血」と「日本人」』という単著も出版しており、これまでに一〇〇人以上にインタビューしてきた。

同じくミックスルーツをテーマに研究し、『ふれる社会学』(上原健太郎との共編著)を出版した、大阪市立大学都市文化研究センター研究員(当時)のケイン樹里安(三二)はこう説明する。

「〃ハーフ〃や、外国にルーツを持つ人びとが直面する諸問題は、多くの当事者にとっては毎日の生活に直結する問題なのですが、なかなか世に知られていません。また、当事者や家族・友人・パートナーであったとしても、個々人の状況や経験が異なる部分も多くあるんです」

下地はケインと、二〇一六年に結婚した妻のセシリア久子とともに「ハーフ」や海外ルーツの人びとの情報発信サイトの運営団体を二〇一八年に発足している。

厚生労働省のデータをもとにした論文によると、二〇一五年の時点で日本にいるミックスは八四万七〇〇〇人以上、以降は毎年二万人ずつ増えているという。ただ、このデータには一九八七年以前に生まれた人は含まれておらず、したがって下地の母親も含まれていない。当時の調査では、日本国籍と外国籍という組み合わせのパターンしかカウントしておらず、たとえば日本国籍以外の両親を持つ子どもは数に入っていないため、「現実に〃ハーフ〃と名乗ったり、自認したり、あるいは名指しされる人ははるかに多いはず」と下地は言う。

かつて新聞や雑誌では「混血児」という呼称を用いて、偏見と蔑視を含蓄した文脈で取り上げることが「普通」だった。あるいは〃容姿端麗なハーフ〃の芸能人が羨望のまなざしを向けられ、テレビやメディアなどは彼らを「消費」してきたし、今もそれは続いている。海外にルーツを持つ日本人は、常に「日本人」と「外国人」のはざまに置かれ、ときに好奇や偏見の目にさらされ、ときにあからさまな差別を受けてきた。

「最近になってこの問題が可視化され出したのは、二〇一〇年代に入ってから入管法（出入国管理及び難民認定法）が改正され、外国人の人口が増えたことがあるでしょう。そして何よりも、プロテニスプレーヤーの大坂なおみ選手や、アメリカのプロバスケットの八村塁《はちむらるい》選手、プロ野球選手のオコエ瑠偉《るい》選手などの日本人選手たちの存在や、彼ら自身が受けた差別をカミングアウトしていることが影響していると思います」

黒人にルーツがあるから運動神経がいいのは当たり前とか、ダンスが上手いのは当然だと書き立てる一部メディアの偏見。できるだけ日本語でしゃべるべきだと錯誤的な言い分がネットにあふれる。それらを不快な思いで見てきたミックスルーツの人びとは多い。

「いったい日本人ってなんだろうって、社会が反応を始めたと思うんです。〝日本人〟というアイデンティティの揺らぎといってもいいかもしれない。多人種の国でも周囲から『何人？』とか『その国の言葉でしゃべって』と言われることはありますが、日本はとくに〝ハーフ〟っていうと、白人と日本人との間で生まれた人、みたいな画一的なイメージが強い」

「単一民族的」な意識や偏見が差別を生む。日本社会は海外ルーツの隣人に対して排外的な空気を孕んでいる。日本社会が抜け出すことができない偏狭な「鎖国性」はさまざまなかたちで表れ、ヘイトやマイクロアグレッション＝悪意のない差別となる。

外見や顔を見て、見知らぬ人から「何人？」とか「どこから来たの？」「日本語上手ですね」「日本に来て何年？」と聞かれることは日常茶飯事。多くのミックスルーツの人がいきなり英語で話しかけられ不快な思いをしたり、いじめられたりする体験をしている現状がある中で、下地は外見に関してはほとんど嫌な経験をすることなく成長したという。

一九八七年、東京で生まれた。母は沖縄に復帰する一年前、集団就職で神奈川県川崎の造船所関係の工場に就職した。父親は秋田県の出身で、ふたりは東京で出会う。当時の下地は「坂口吉孝」と父親の姓を名乗っていた。五歳から一〇歳まで秋田県の父方の祖母の家で暮らし、その頃は「秋田弁でしゃっべっていました」。

「ぼくは外見では何かハラスメントめいたことは言われた記憶がないのですが、秋田から東京へ帰ってきたときに、小学校のクラス新聞にぼくの似顔絵が描かれたんです。鼻がデカくて、目が落ちくぼんでいて、モアイというあだ名をつけられてました。それが嫌だったくらいですね」

「田口」家の経済状況は芳しくなく、住んでいた東京都豊島区の水準で計ると低所得世帯に該当した。下地は中学時代からアルバイトをして、その稼ぎで家の米を買うなどしていた。習い事は一回一〇〇〇円の英会話教室に一度行ったことがあるだけ。使い古した参考書をもらって勉強し、一万円分だけ最新の参考書を買った。

「何か国際関係の仕事でもやりたいなあ」ぐらいの思いで一校だけ受験した国立の東京外国語大学に合格したが、その入学金も奨学金と親からの借金で工面した。アルバイトを掛け持ちして授業料を払い続けたが、それでも足りなくなると休学してアルバイトに精を出し、学費をためた。

大学での多文化関連の授業などから下地は自分のルーツと向き合うことになる。きっかけはその授業の中で「アメラジアン」という言葉に出会ったことだった。「アメラジアン」とは主にアメリカ軍人・軍属とアジア人の間に生まれた子どもや、その子孫を指す。下地は初めて、自分がアメラジアンであることを意識する。

「それまでは〝ハーフ〟って自分の母親しか知らなかったし、自分が日本人かどうかなんて考えたこともなかった。自分がマイノリティーだということに初めて気がついたんです」

それまで、「マジョリティー側の意識で生きてきたのに、突然、マイノリティーのカテゴリーに入れられた気持ちになった」。そのことをネガティブに感じてしまい、アイデンティティクライシスに陥った下地はうつ状態で半年以上を過ごす。しかし、一方で、アメラジアンという言葉を極力考えないようにすると同時に、「当事者なのに、なぜ、その言葉を知らずに生きてこられたのだろう」という思いも頭をもたげてきた。

自分のルーツを考え直してみたいという思いで関連書などを読みあさり、「自分のことを他者に説明できるようになりたい」と考えるようになった。

ミックスルーツの人びとのコミュニティーにも顔を出すようになり、交流するようになったが、ここでも下地は衝撃を受ける。そこで耳にする話は、肌の色で差別されたり、校則などを理由に髪の毛の色を変えさせられたりするような、ミックスルーツに対する日本社会のあからさまな偏見や差別、マイクロアグレッションのオンパレードだった。

もっと研究を続けたいと大学院に進むことを考えるが、そこでも経済的な壁が立ちはだかる。当時、財布に数十円しかなくて、菓子をひとつ買って空腹をしのいだことすらあるような生活では、学費はおろか、大学院の受験料すらおぼつかない。

アルバイトをしていた新聞配達の月一回の飲み会でたまたま隣り合わせた同僚の年配の男性に、大学院の受験料が足りないことを冗談まじりに愚痴ったら、「これでやってみろ、田口君」とその場で受験料をつかませてくれた。そのお金で一橋大学大学院への合格をもぎ取った。

「その方からおカネをもらわなければ、ぼくは大学院に行けなかったと思います。大学の友だちが、『僕もおカネないんだよね、いまは一〇〇万しか貯金がないんだ』と言ったときには、いやが応でも階級というものを痛感させられました。そのせいか、アカデミアでは心ゆるせる友だちはあまりできませんでしたね」

大学院時代もアルバイトを続けたが、日本学術振興会の特別研究員に選ばれ、博士号を取るまでの学費を援助してもらうことができた。

下地のアイデンティティクライシスは、大学院に入ってから「社会学」として昇華していく。

「『日本人』と『外国人』との境界にいるレイシャルマイノリティの先行研究が皆無に等しかったんです。とくに米兵との間に生まれた子どもの存在はタブー視されていて、ここは自分が広げていけると思った」

本格的にミックスルーツの人へのインタビューをおこなうために、東京・福生の米軍基地周辺などを回ったが、なかなかうまくいかない。よく知らない他人に、調査目的のインタビューで自分の経験を話してくれる人はいなかった。そこで、ソーシャルメディアなどで交流会を見つけて参加し、まずは仲良くなることから始めた。信頼関係を築きながらインタビューを重ねると、酸いも甘いもかみ分けた当事者ひとりひとりが経験したリアリティや、日本社会には〝日本人〟と〝外語人〟を峻別する力学があることが見えてきた。

日本におけるアメラジアンの存在も、少しずつ浸透してきた。「アメラジアンスクール」を支援しながら、アメラジアンの研究を長年続けてきた琉球大学准教授（社会学）の野入直美（五五）が感慨深げに話す。

「アメラジアンという言葉を日本で初めて使って学校を立ち上げた母親たちは、アメラジアンとかわざわざ言うから差別されるんだと外部から批判されたこともあったんです。下地さんのご著書のあとがきにアメラジアンという言葉を見た時は、ここまで浸透したのかと震えがきました」

下地は二〇一三年から、「ローレンス」を名乗るようになったが、そのきっかけとなったのは、黒島トーマス友基（三四）だった。下地が大学時代に、すでに社会人だった黒島とある集まりを通じて出会ったが、黒島もまた米兵の祖父を持つアメラジアン。同じようなルーツということで、初対面で一緒に風呂に入るなど意気投合した。黒島は言う。

「私からすると、今まで会えなかった兄弟に会ったような、懐かしく、うれしく、温かい印象をうけました」

黒島には、中学の美術の時間に、祖父の写真を見ながら絵を描いていたとき、クラスメートに、「英語喋られへんやんけ」などの言葉を投げつけられ、写真を取り上げられ、隠されてしまうという経験がある。黒島にとってそれは、「祖父とのつながりを感じる『おじいさんそのもの』を、差別によって無残なかたちで喪失した」ことだった。

成長するにつれ、黒島は自分のアメリカのルーツを否定するように傾いていく。生活も荒れ、高校も不登校になるが、教師に勧められた在日外国人が集う合宿に行き、それぞれが自分のルーツと向き合っていたことを知る。「自分は楽な方に流れてきた」と情けなくなり、「市川友基」だった名前を「市川トーマス友基」と、祖父の姓を名乗って生きていこうと決心するに至る。（その後、結婚して黒島姓となる）下地は黒島が「トーマス」を名乗るようになったプロセスに深く共感する。

二〇一六年に友人の紹介で会ったセシリア久子（三七）と結婚。セシリア久子の父は沖縄県宮古島出身で、ボリビア人の母と結ばれた。セシリア久子が六歳のとき、家族で日本へ来ている。下地は妻の姓を名乗り、今の「下地ローレンス吉孝」となった。

二〇一八年からはさきにも述べたように、ケイン樹里安とセシリア久子と「HAFU TALK／ハーフトーク」をスタートし、「ハーフ」や海外ルーツの人びとの暮らし、語らい、本音などの情報を発信している。ミックスルーツの人びとが発信する現実の多様性がわかると同時に、いかに日本社会の「ハーフ」観が偏狭かつ排他的かがわかる。

下地の Twitter の自己紹介を見ると、「クィア」と記しているのが目に留まる。「LGBTQ」の「Q（Questioning）」で、下地は男性として自分のジェンダーアイデンティティを定めていない。下地は男性として生きていて身体的な違和感もないが、子どもの頃から社会に定着している「男らしさ」が嫌でたまらなかった。

「マッチョな考え方や女性を蔑視するような会話が苦手で、男同士の会話に入れなかった。ジェンダーに関する差別も子どもの頃から受けてきました。自分が男性であることにすごく嫌悪感があって自己否定的になるときがあるんです。だから、自分のジェンダー・アイデンティティは、男性と女性が混在しているような、クィアというのがいちばんしっくりくる概念なんです」

ミックスルーツであること、子ども時代から味わってきた「階級格差」、そして性的マイノリティーとが相まって、下地は複眼的に社会を見つめている。これからも現実を調査し、社会に伝え、ミックスルーツに関する発信でメディアに問題があれば批判していきたい。

下地の母親は川崎に来たとき、「ジャングルから来たの？」と冗談にもならない言葉を投げつけられた。母親に息子についてたずねると、「時代に合った取り組みでしょう。人はいろいろな事情を持って生きています。彼は異人種間で生まれた人たちの代弁者になるのかなと思います」とうれしそうだった。

5月1日

昨日買った、よもぎのペーストをスパゲティに和えて食べる。

午後から沖縄県総合福祉センターへ。「第三二軍司令部壕の保存・公開を求める会」主催でおこなわれる牛島貞満さんの学習会に参加するため。彼の祖父は沖縄戦で守備軍を率い、自殺した牛島満司令官。軍隊は住民を守らないという信条を初めてリアルで聞かせてもらった。知り合いの顔もちらほら。そこで配布された牛島貞満さんの書いた文章が載っている冊子（会報）にこんな文章があった。牛島さんは教員だった。

高校生の頃、日本軍が中国や朝鮮でやってきたことを文献などで知った。家族から聞く「立派な牛島中将」の姿と、日本軍の侵略の事実は、なかなか結びつかなかった。そのうち私は、六月二二日の慰霊祭には参加しなくなっていた。教員になってからは、沖縄には、ぜひ行ってみたいという衝動と、祖父のことで沖縄の土を踏みがたいというキモチがあって、なかなか決心がつかなかった。それは、自分なりに平和や人権を大切にする教育をしてきたつもりだったが、自分の祖父がやったことをどう思っているのかと、沖縄の人に問われたら何と答えればいいのか、自分の中で整理がついていなかったからだった。

ぼくは死んだ祖父のことを思い出した。九〇何歳まで生きた。彼の軍隊体験は面と向かって聞いたことがなかったが、南方戦線の生き残りのひとりだということは本人の口から聞いたことがある。二等兵だった。韓国を支配下に置いていた時代にはソウルに住んでいたこともある。夕食時等に酒を飲んでは軍歌を歌い、日本の侵略を美化するような話ばかりしていた。「現代史」に関心を持つようになった高校生のぼくを「孫がアカになった」というようなことを言って嘆いていたな。ぼくは小学校二年のときに父親を亡くしていたから、祖父が父親がわりのようなものだったが、そんなことから、やがて祖父が嫌いになり、遠ざけ、軽蔑すらするようになった。中学生あたりから会話した記憶がない。
モノレールを降りて、ゴーヤーチャンプルー弁当と鯖の塩焼きを買って、家で食べた。

5月2日

那覇空港で「沖縄弁当」を食べ、午前中の飛行機で東京へ。那覇空港で三五〇円の「チャンポン弁当」を喰う。沖縄で「チャンポン」といえば、ご飯の上に、肉や野菜やかまぼこを炒め煮にしたものを卵でとじてのっけるというものであることは、すでに世間ではよく知られていると思うが、ちょっと冷えた弁当はご飯に汁が適度にしみていて美味いのだ。

15　私宅監置という異常な制度

2021年5月16日

リスペクトする岩瀬達哉さんの新刊『キツネ目―グリコ森永事件全真相』（二〇二一）を飛行機の中で読了。当時の捜査員の中枢からも話を聞き出す力というか、粘着力がすごい。事件が起きたのは一九八四年だからぼくが高校を卒業した年。ものすごい執念で一二年間取材を継続してきた。岩瀬さんは一貫して「週刊現代」でこの事件を書き続けてきたのだが、最終回で、ある関西在住の作家を真犯人だと断定――仮名にしたものの――、作家は激怒して他誌に反論を書き、講談社から版権を引き上げ、裁判に訴えた。最高裁まで争い、一審と二審を最高裁は支持し、作家の「冤罪」は晴れた。この本では、その事実について一行も触れていない。じつはそのことをどう総括するのか期待して読み進めたので、残念だった。それとも最高裁判決を受けて、作家とのあいだに「蒸し返さない」という暗黙の了解が取り交わされていたのだろうか。

入管難民法改正案の成立が断念された。入管に収容されていたスリランカ人女性の死亡を受け、入管の非人道的体質が明らかになった。改正案の、外国人を一層犯罪者扱いする内容に反対する世論はわずかずつだが大きくなっている気がするが、日本社会は相変わらず無関心のままだ。

河野太郎沖縄担当相が、先日、沖縄の日本復帰（一九七二年五月一五日）から四九年が経つのを前におこなった記者会見で、沖縄の「子どもの貧困」に言及。若年妊娠・出産について触れ、「いかに若い人の妊娠率を下げるか、母子家庭の発生を抑えるか」と自分の言葉で語った。たしかに若年妊娠・出産にともなう大人たちの役割、何より本人が背負う仕事は増える。しかし、それらを「自己責任」として、つまり、否定すべきものとしてだけ認識し、背景にある家庭などの構造、国や行政の責任についての思いが感じられない。若年妊娠を「悪いこと」として認識しているのだろう。単身で貧困に陥ることなく子育てできる仕組みを作る「公助」こそ大事で、河野沖縄相の認識は誤っている。子どもを抱えて学校に行ける社会は遠いのか。「あるべき日本人の家族像」でも主張している宗教団体が発行する本でも読んで感化されたのだろうか。

ＮＰＯ「ｋｕｋｕｌｕ」に行き、ジャーナリストの二木啓孝さんと交えて打ち合わせ。というのは、二木さんは休眠中の「世界書院」を買い取り、新しく出版社を始めたのだ。編集を担うのは大ジャーナリスト・魚住昭さんの息子さんだそうだ。「ｋｕｋｕｌｕ」で出す本の発売元を引き受けてもらうことになった。新しい「世界書院」から出すある共著本（『楽しい！2拠点生活──移住でも別荘でもない』二〇二二）の原稿も二木さんから依頼されている。

終わったあと、本プロジェクト主要メンバーの金城隆一さんと今木ともこさん、深谷慎平さんと二木さんで、市場通りの「米仙」へ。また「米仙」がよいが始まりそうだ。この日記に「米仙」が登場しまくるので、彼にも読んでもらうために初めてマスターの名前を聞いてLINEを交換した。北海道出身の於本《おもと》秀樹さん。いつも最高に美味い寿司をありがとう。

そのあとは、栄町のいわゆる「おばあスナック」へ行き、一時間ぐらい二〇度の泡盛をちびちびやりながら、七〇歳すぎの女性と話す。二木さんと一歳違い。二木さんからしても、ぼくから見ても「おばあさん」じゃない。バツいちで子どもは成人したので、いまは実母とふたりで暮らしているという。その日常生活の話がおもしろい。

栄町の「おとん」に行ったが閉店の二〇時に間に合わなかった。池田哲也さんがあとかたづけをしていた。「おとん」から目と鼻の先の栄町市場場内に、二〇代の写真家の普久原朝日さんが那覇市議選に立候補するための事務所開きを遅くまでしていた。彼を応援している石垣綾音さんや島袋寛之さんもいたので、いろいろ話す。

5月17日

拙宅にこもりきりで仕事をする。来週発売の『沖縄アンダーグラウンド』の集英社文庫版の見本が届いた。二万字を加筆したから分厚い。

七月にも別の文庫本が出る。二〇一八年に出した『黙秘の壁――名古屋・漫画喫茶従業員はなぜ死んだのか』を潮文庫に入れてもらう。（『加害者よ、死者のために真実を語れ――名古屋・漫画喫茶従業員はなぜ死んだのか』と改題）その文庫本のゲラのアカ入れに集中。親本に大幅加筆。ゲラを読み返していて、自分でも引き込まれるというか、ああ、こんなしんどい取材をしていたんだなあという感慨めいたものにふけりながら、夜が深くなり、気づけば日付をまたいでいた。

5月18日

午前中は仕事をして、昼にジャン松元さんと合流。沖縄県精神保健福祉連合会（沖福連）の某所にある作業所へ。同会の高橋年男さんと山田圭吾さんに取材。原義和監督の『夜明け前のうた』を広く紹介するために、関係者に会っていく。「私宅監置」というおぞましい制度が生きていた時代を追ったこの映画はぜひたくさんの方に観てほしいと思う。

原義和さんの著書『消された精神障害者─沖縄・台湾・西アフリカ「私宅監置」の闇を照らす犠牲者の眼差し』（二〇一八）から少し引用する。

私宅監置は、自宅の裏座（家の内側で物置などに使われた場所）や敷地内の小屋などに、精神障害者を閉じ込めた措置のこと。

一九〇〇年に制定された精神病者監護法に基づき、警察や保健所に届け出て行なわれた。幻覚妄想などの症状でいわゆる〃異常行動〃を取ってしまう人が、強制的に隔離された。主な目的は、治安維持など社会防衛だった。各地で野放しに行なわれていた隔離を、届出を義務づけ、公的に把握することで、悪質な隔離監禁を防ぐ狙いもあった。（中略）

私宅監置が廃止されたのは、それから三〇年以上が経った、敗戦後の一九五〇年のこと。精神衛生法の制定によってである。

しかし、サンフランシスコ講和条約で日本から切り離された沖縄では事情が異なり、私宅監置の制度がそのまま残った。日本本土から遅れること一〇年、一九六〇年に琉球精神衛生法が制定されたが、私宅監置は廃止されなかった。

今日は京都から仲村清司さんが来る曜日なので、夕刻に合流して浮島通りの「コション」でセンベロとんかつを喰う。池田哲也さん、森本浩平さんと普久原朝充さんも合流。そういえば、来る前に、ライターのカベルナリア吉田さんと初邂逅。少し立ち話。彼は同じ歳なのだが、がっちりした精悍な体格を維持しているのはすごい。

5月19日

自宅の前の道路で子猫が車に轢かれたらしく、頭から血を流して死んでいた。

ジャン松元さんと合流して読谷村へ。社会学者の下地ローレンス吉孝さんを「AERA」の「現代の肖像」のページに書くので、取材&撮影するため。まず「グリーン　リーフ」でインタビュー。恩納村で創作活動をしているメグ・ワゾウスキーというアーティストのヒョウをモチーフにしたピンバッジを買う。金武町まで移動して、下地さんをキャンプ・ハンセンに付随するようにバーなどが立ち並ぶ「特飲街」で撮影。ジャンさんは金武の生まれなので、懐かしそうだ。営業はしていないようだったが、母親といっしょに行ったことがある店もまだ数軒残っていた。

一軒の米兵相手のバー――こちらも今は営業していないようだったが――の壁に「千夜一夜物語」を想起させる絵が描いてあった。ジャンさんが言うには、ベトナム戦争、湾岸戦争、イラク戦争など海外での戦争が起きるたびに、アメリカが戦う相手国の「絵」に書き換えられていたのだそう。「キングタコス」でタコスを食べて休憩。次は県立公文書館へ行き、下地さんが調べ物をする様子を撮影。そして、小禄へ。下地さんの祖父(米軍軍属)と祖母(沖縄出身)が出会った街だ。いまは航空自衛隊の基地となっているが、かつてはもっと広大な米軍基地だった。移動中にもインタビューを続ける。

取材を終え、ぼくは宜野湾の某有名食堂でレバニラ定食を食べる。よく看板を見かける食堂。残念ながら不味かったが、完食。今日の新聞によれば、沖縄の新型コロナ新規感染は過去最多の一六八人。

5月20日

昨日に続いて九時にジャン松元さんと合流。場所は明かせないが、北部方面へひた走る。『夜明け前のうた』を作った原義和監督と、沖福連の山田圭吾さんと現地で合流。「私宅監置」の建物が沖縄で唯一残されている場所へ案内してもらった。鬱蒼とした木々の中にそれはあった。道路からは見えない。母屋も使われていない。鉄製の扉が朽ちて外れていた。コンクリートブロックで作られた二畳ほどの広さ。ここに閉じ込めたら病気はさらに悪化するか、健康状態を害して死んでしまうだろう。建物に触るとぞっとした。実際に幽閉されたまま多くの人が歴史から「消される」ように亡くなっている。

さきに説明したが、一九〇〇年に作られた法律で、地域の「精神病者」を馬小屋以下の小屋に閉じ込めておくことを定めた、信じられない制度が「私宅監置」だ。糞尿がそのまま垂れ流し状態になっていることについて、当時、調査をした精神科医はすさまじい異臭がしたと記録しており、牛や馬以下の扱いを受けていた歴史があったことに慄然とする。沖縄は県史を始め市史、町史、村史、字史など自治体史を出すことに熱心な地域だが、この「私宅監置」について触れているものはないという。まさに顔も名前も消されてしまった人々の群れがいるのである。

5月21日

午前中にジャン松元さんと合流してまた北部方面へ。かつて「私宅監置」の申請手続きに行政の立場で関わった経験を持つ人のお宅にうかがい、インタビューさせてもらう。

那覇に戻って、「陶 よかりよ」に寄り、『高田渡の視線の先に―写真擬《もどき》 1972-1979』（二〇二一）という本があることを主の八谷明彦さんに教えてもらい、ネットで注文。その本は、写真を本人が撮り、文章を息子の高田蓮《れん》さんが書いている。阿部誠さんの作品を購入。帰りにひとりで「米仙」へ。ちょうど店を開けたところで、いちばん客。カウンターでセンベロ寿司をつまみながら、酒を飲む。

5月22日

崇元寺のガジュマルの巨大な古木の下で、お笑い芸能事務所FECの山城智二さんと、所属している「護得久栄昇《ごえくえいしょう》」ことお笑いコンビ・ハンサムの金城《きんじょう》博之さんと合流。ここで護得久栄昇さんの撮影ではなく、山城さんをメインにした撮影。護得久栄昇さんにも、写真に映り込むというかたちで「協力」してもらう。ジャン松元さんとぼくは三〇分前に来て、セッティング。雨が降らないでよかった。二〇二二年一月に琉球新報社から刊行予定のジャンさんとぼくの共作本『沖縄ひとモノガタリ』に掲載する。

ジュンク堂書店一階のカフェでコーヒーを飲み、森本店長と少しゆんたくしたあと、いったん帰宅して仕事と洗濯。夕方からノンフィクションライターの安田浩一さんのトークを聞くために、再びジュンク堂書店へ。安田さんとは二年ぶりかな。ぼくが脳卒中を患ったあと、普通の生活の中で

「リハビリ」をしていたとき、安田さんと東京・下北沢の書店B&Bでトークライブをやる予定だったのだが、ぼくの体調を気遣ってくれて、延期にしてもらった。ジュンク堂書店のトークが終ったあと、安田さんらと、またしても「米仙」へ歩いていった。店はだいたいどこも時短で二〇時までなので、「米仙」後は近くの森本さん宅でかるく飲むことにする。

浮島通りを歩いていたら、ランドマーク的だった、たぶん戦後すぐに建てられた料亭だった建物――「木村屋 寿司」という字がかすれて見えていたが、意匠からしてもともとは料亭だったのだと思う――取り壊し作業が始まる寸前だった。寿司屋としては、太巻きといなりだけを持ち帰ることができるテイクアウト専門店だったらしい。ぼくが沖縄に通い出してから使われていたのを見たことがなかったから、長年、朽ちた空き家のまま放置されていた。沖縄の「戦後」の風景が、またひとつ消える。

5月23日

今日から沖縄は緊急事態宣言。それまでは一九時までは酒類提供は可能という情報だったが、急遽、酒類も「自粛」要請対象になった。昨夜、「米仙」の大将も「烏龍茶だけで刺身とか寿司を喰う人はほとんどいないと思いますからね」と困っていた。六月二〇日まで店を閉めるそうだ。ぼくの知り合いの店もほぼ六月二〇日まで閉店するみたいだ。

九時すぎに起きて飯を喰い、洗濯。天候もあやしい。散歩しがてらどこにも飲み食いに出かける気持ちが萎えた。今日は取材で出かける用事もないので、部屋を一歩も出ないで、たまっている仕事や読書をするか。ちくま文庫『つげ義春コレクション』(全九巻、二〇〇八‐〇九)が届いたので味わうように読んでいこう。

5月24日

目が覚めて、すぐに仕事にとりかかる。じきに腹が減ったので、トマトパスタを作って朝昼兼用飯。明日、発売の「琉球新報」の連載ゲラを最終チェック。沖縄県の緊急事態宣言発出に絡んだ話だが、五月一九日の自民党沖縄振興調査会で、「国の政策に頼るなんて沖縄県民らしくない」と細田博之・元官房長官（当時）が発言した。発言中、玉城デニー知事はマスクをしていても厳しい表情がわかったと地元新聞は報じているが、そのあとの記者会見では「県も感染防止にしっかりと取り組みなさいという激励だったと受け止めた」と述べ、抗議はしなかったという。問題視しなかったデニー知事にがっかりしたという声をぼくもいろいろ聞いたが、デニー知事も当然怒りを抑えて苦渋の「政治的発言」をしたのだと思いたい。

それにしても、厭味たっぷりの細田発言は野党から「沖縄差別だ」と集中砲火を浴びたが、そのとおり、政権党の本音があらわれている。辺野古新基地で国に反旗を翻している問題とごっちゃにして、緊急事態宣言を出してほしいならなんでいつも国策に反対するんだということだろう。自治体と国の関係を単なる「上下関係」としかとらえず、自治体の独立性を無視した無知な発言である。まるで子どものいじめじゃないか。

夕刻からＮＰＯ「ｋｕｋｕｌｕ」へ行って打ち合わせ。二〜三時間みっちりミーティングして、知り合いの店は閉めているので、日用品を買って、美味しくない牛丼をかきこんで帰宅。

5月25日

朝から仕事。昼になって、モノレールで県庁前駅まで行って、立ち食い蕎麦屋「永當蕎麦」で豚肉のつけ汁蕎麦を食べたあと、「Ａ＆Ｗ」でコーヒーを飲みながら本を読んで時間をつぶす。その席から見える琉球新報社で担当の文化部の古堅一樹記者と打ち合わせ。月イチ連載も今年いっぱいで終了して、書き下ろしと撮り下ろし、ジャン松元さんの過去作品、ぼくが「ＡＥＲＡ」に書いた記事を編んで一冊にする。琉球新報社から刊行。タイトルは「沖縄ひとモノガタリ」。

夕刻に、普久原朝充さんと壺屋のスージ小《ぐゎ》（筋道）をかるく散策。写真家の岡本尚文さんも合流して、無人状態の「鳳凰餃子」でノンアルコールビールと餃子。二〇時になったので外に出ると最近オープンしたばかりの居酒屋で、客が酒を飲んでいるのが見えた。けっこう、にぎわっている。今日、沖縄県で過去最高の二五六人の新型コロナ新規感染者が発表された。

5月26日

早めに那覇空港に行ってワーキングスペースで仕事をする。朝昼兼用飯は、「タコ・タンドリーチキン カツカレー」弁当。こういう組み合わせが沖縄らしいな。半分がカツカレーで、半分はタコライス。ご飯の量が多すぎて少し残してしまった。

16 ジョン・カビラと川平慈英の父・川平朝清

6月4日

書評用に溝口敦さんの『喰うか喰われるか―私の山口組体験』（二〇二一）を機内で読了。溝口さんが若い時分に圧倒的に影響を受け、ライターの道に進むことになったと記していたＭ・Ｈ・エンツェンスベルガー著『政治と犯罪─国家犯罪をめぐる八つの試論』（一九六六）を取り寄せた。ネットで検索すると軒並み数千円なのに、一軒だけ一〇〇〇円ぐらいの古書店があった。しめしめ。

県庁前で降りて永當蕎麦でかき揚げ蕎麦とカレー。カレーが三〇〇円だったのでミニサイズと思い込み、頼んだら普通サイズだった。省庁などの地下食堂などでよく出ている──ぼくの思い込みかもしれないが──カレーライスっぽい。これが好きなのだ、ぼくは。

那覇に来るまで名古屋で重い荷物を担ぎながら取材に回っていたせいか、シャワーを浴びたら疲れがおそってきた。沖縄のむわっとした湿気と暑さを急に浴びたせいもあるのだろう。昼寝を少々。夕刻に栄町で写真家の岡本尚文さん、普久原朝充さんと会う。

6月5日

ひさびさにぐっすり寝た感覚がある。午後に人に会うことになっていたが、降水確率が九〇パーセントだし、待ち合わせのカフェが昨日から休業中なので、延期にする。いま沖縄県は人口比で見ると、新型コロナ陽性者率は全国一になっている。台風が近くを通過しているせいで突風がときおり吹く。どんよりした空気。外に散歩に出る気もしない。巣籠もり状態で仕事を続ける。

6月6日

「琉球新報」の月イチ連載で取り上げる森本浩平さんの自宅にジャン松元さんとおじゃまして、インタビュー&撮影。電子ドラムセットを叩く森本さんの姿でメインの写真は決まり。むつみ橋のスタバに寄っていくつかデータを送ったあと、島袋寛之さん、深谷慎平さんと合流、空港近くの「G-shelter《ジーシェルター》」へ。

ここはもともと音楽、デザイン、映画などに興味を持った若い人たちが集まってできたスペースだそう。だんだんと音楽イベント中心に運営されるようになり、安里の店舗から、昨年に那覇空港近接の倉庫地域に移転したという。無機質な運送会社の倉庫など建物群の中を抜けていくといきなりスタジオがあらわれる。撮影・配信の機能を強化したスタジオ型店舗だという。七月におこなわれる那覇市議選挙に出る中村圭介さん（二期目・無所属）と、新人で立候補予定（立憲民主党公認）の普久原朝日さんとオンラインで「Vote for Naha !! 『みんなで街を作るために―いま政治がやるべきこと、出来ること』」と題したトークライブに参加。ぼくは司会役。那覇市が抱える課題などについて二時間近く、議論する。朝日さんはまだ二六歳。ぼくの半分以下の年齢だ。終ってから深谷さんの車で中村議員を家まで送り、ぼくらは栄町で飯を喰って帰る。（中村圭介さん、普久原朝日さんともに当選した）

6月7日

七時に目覚めてしまったので、洗濯。昼前に桜坂劇場へ集英社文庫版『沖縄アンダーグラウンド』を一五冊納品した。支配人の下地久美子さんとちょっとゆんたく。「おとん」の池田哲也さんと牧志アーケード街内の「カフェ パラソル」で合流してお茶を飲む。オーナーの棚原《たなはら》進さんとちょっと話して、ぼくは歩いてすぐのところにある「大衆食堂ミルク」で煮付け定食を食べて、再び「ひばり屋」で池田さんと合流。蚊に刺されながら、しばしゆんたく。「おきなわいちば」という季刊誌の「旅とさんぽ」特集にぼくを取り上げてもらった。十数人の「散歩人」がイラスト化して登場していて、知った人もちらほら。しっかし、ぼくがすごく老けた感じで描いてあって笑った。まあ、そんなもんか。

6月8日

冷蔵庫にあった残り物の野菜などを炒めて、沖縄そばにのっけて喰い、すぐにパソコンに向かう。昼過ぎに、取材進行中の喜納えりかさん（ボーダーインクの編集者）に会いに行く。原稿に詰まったら、可能であればまたその人と言葉を交わすことで、「突破口」になることが多い。

取材後、新都心の「サンエー那覇メインプレイス」に日用品を買いにいったら、アーティストの町田隼人さんとばったり。スタバに入ってゆんたく。彼は順調に売れていて、沖縄の超人気バンド「HY」のコンサートグッズも手がけることになったという。拙宅に帰ってパスタを茹でて食べる。今日、取材した成果を原稿に反映。

今日の「琉球新報」に面識もある大城周子記者の手による記事が。川平朝清《かびらちょうせい》さん（九三）について大きく紙面を割いた秀逸なものだった。「復帰半世紀 私と沖縄」シリーズの三回目で、ジョン・カビラさんや川平慈英《じえい》さんの父、戦後沖縄初のアナウンサーである。留学先のアメリカ・ミシガン州で出会ったワンダリーさんと朝清さんの人生が綴られている。

反戦平和を貫き、是々非々の人だった。
朝清とワンダリー（筆者注・妻の名前）の間には慈温、謙慈、慈英の三人の息子が生まれた。長男の慈温（ジョン・カビラ）には忘れられない出来事がある。小学校高学年の頃、社宅の改築工事にやって来た若い大工が兄弟に向かって「君らパンパンの子か」と言った。
「パンパン」は米兵を相手にした街娼に対する侮辱的な呼び名だ。朝清は若い大工を静かに諭した。「たとえそう呼ばれるような母親から生まれた子であっても、その子に責任はない」。朝清とワンダリーは、子どもたちに常にフェア（公平）であることを求め、「自分は何者なのかをしっ

かりと持つように」と説いた。

兄から一〇年以上――小学校高学年から――性暴力を受け続けて、バラしたら殺すと脅され続けていたという女性の記事が、「沖縄タイムス」に大きく載っていた。中学生になり同級生に相談したところ、噂が広がり、教員から「兄とやっているの?」と言われた。相談機関につながったのは二〇歳をすぎてからだという。辛すぎる話だ。女性には万全のセラピーやケアを、そして兄には厳正なる対処と矯正をしてほしい。これは犯罪なのだ。

6月9日

八時ぐらいに目が覚めて、ずっと仕事をする。じつは林のようになったバルコニーの木々の葉の間に、またまたキジバトが巣を作っていたことを、先月、剪定をしていているときに知った。枝をかきわけていたら卵をあたためていた親鳥と目が合った。こんなところに。ぼくはそっとしておくことにして、今回きてみたら、巣には小柄の鳥がちょこんと座っていた。雛が無事に成長したのだ。そして、今日、まるでこわごわバンジージャンプをする人のように、子どものキジバトはバルコニーの端にちょっとずつ寄っていき飛び立っていった。ぼくはその様子をずっと見ていた。さよなら。元気でやれよ。ぼくは巣をかたづけ、周囲の枝を剪定した。

仕事を昼過ぎまで続け、牧志のNPO「kukulu」へ。進行中の本のプロジェクトのために、長年ひきこもっていた青年と会っていろいろ話を聞かせてもらう。途中で、すぐ近くの浮島通り沿いにある古着屋「ANKH」に寄り、相方に頼まれていた古着のワンピースを受け取りにいく。「ANKH」は店内に保護猫が何匹もいる。寄ってくる猫を撫でまわす。途中で同業の橋本倫史さんと邂逅。坊主にマスク、丸眼鏡だと、またわからなかった。「ｋｕｋｕｌｕ」の本プロジェクトの打ち合わせ終了後は、いっしょに進めている深谷慎平さんらと食事をして帰宅。

6月10日

月イチで「琉球新報」に連載している「藤井誠二の沖縄ひと物語」の発売日。もう二八回目になる。今回は飲酒運転が原因で自損事故を起こして大怪我を起こし、障がいを負って生きる宮城恵輔さん（この本のカバーイラストは、彼の手によるもの）。

二度寝して昼までだらだらと過ごす。夕刻に「琉球新報」の担当の古堅一樹記者とカメラマンの大城真也さんが近くのホテルまで来てくれて、集英社文庫版『沖縄アンダーグラウンド』発売についてのインタビューと撮影をしてくれた。コロナ対策で、外から来社しての取材はしないことになったそうだ。カフェは営業していないが、水だけは常備してあって使用は自由。ありがたい。我々以外に人はいない。ゴーヤーチャンプルー弁当を買って、帰宅。ちょっと昼寝。さっき買った弁当を食べて、つげ義春を読みながら、寝りに落ちた。

6月11日

朝からパソコンに向かう。午後に「ｋｕｋｕｌｕ」に行って打ち合わせ。そのあと、長い間、父親から虐待を受けて不登校になっていた青年に話を聞かせてもらう。先日話した青年とは別の人物だ。彼は明るくふるまっているが、「ｋｕｋｕｌｕ」に来たころはほとんどしゃべらなかったそうだ。淡々と父親から受けた暴力について話してくれるのだが、聞いていて辛い。終ったあと、テイクアウトの弁当を買って家で食べる。

6月12日

那覇空港へ。いつもの三五〇円の弁当を物色。シーフードカレーというのがあったので、食べたら青魚の味がした。缶詰などでたまに売られている鯖カレーに近い。なかなかイケる。

17 売春を斡旋していた彼女は「女の子たちには早くやめてほしかった」と言った

2021年8月8日

夜、那覇着。新型コロナ対応のワクチン二回目を接種して一週間経った。PCR検査も何度かおこなってきたが、すべて陰性。目まぐるしい日々を一カ月半ほど過ごしてきたので――非常勤講師を愛知県と神奈川県でこなし、いくつかの取材と原稿執筆に追われてきた――ひどく疲れている。だが、先を見越して早め早めに仕事を進めておいたこともあり、ほうほうのていであったがクリアできた。

そういえば、PEPジャーナリズム大賞現場部門大賞（インターネットに発表した記事から選ぶ賞。船橋洋一さんと林香里さんらが新しく創設した）というものをいただいたのがうれしい。授賞式で、大賞の石戸諭さんとは十数年ぶりに会った。彼が毎日新聞岡山支局にいたときに会って以来だ。

久々に安里に来てみると、自動水やりの装置が電池切れを起こしていてバルコニーの何分の一かの鉢が枯れるか、その寸前になっていた。過去にこういうことは何度もあったので、剪定作業は明日にして、コンビニで買ってきた弁当を食って早く寝ようと思っていたが、気になって電池を入れ換えて、水やり。枯れた葉のついた枝を剪定。汗だくになったので、シャワーを浴びて寝る。

ちなみに受賞した記事は、二〇二〇年四月六日にヤフーニュース特集で配信した以下のようなルポだ。字数の都合で泣く泣く落とした箇所を加筆して掲載したい。ネット記事上の写真の撮影は、関西在住の写真家・遠藤智昭さん。

その八年間は毎日不安だった――「無国籍児」だった娘と、フィリピン人母の思い

大阪府豊中市の「とよなか国際交流協会」で働く三木幸美さん（二八）は、八歳まで「無国籍児」として育った。フィリピンと日本のふたつのルーツをもつ。外国にルーツのある子どもたちの中には現在も戸籍や国籍のない子どもが一定数いるといわれるが、正確な数は把握されていない。「ケーススタディーとして私を知っておいてほしい」。取材を通じて、三木さん自身も知らなかった事実も明らかになった。（筆者注：ここまでリード文）

阪急宝塚線豊中駅に直結したビルのワンフロア。鏡張りのレッスン室で、七～八人の女の子たちがダンスの練習をしていた。教えているのは三木幸美さん。「もっと腕を振って！」「動きを大きくね！」。声をはり、ゆっくりと話す。日本語に不慣れな子どもがいるためだ。女の子たちはフィリピンや中国、韓国など、外国にルーツをもつ。在日四世、五世もいれば、ニューカマー（一九七〇～八〇年代以降に渡日した外国人）の子どももいる。

「とよなか国際交流協会」は、外国人市民の居場所づくりや地域住民との交流事業を実施する

ために一九九三年に設立された団体である。三木さんのダンス教室は外国にルーツをもつ若者の支援事業として始まり、今は独立したダンスチームとして活動を続けている。三木さんのダンスは中学生から習い始めた。大規模なダンス・エンターテインメント作品コンテスト「Legend Tokyo」で審査員賞を受賞したこともある。

「とよなか国際交流協会」で働くようになったきっかけは、大学生時代にボランティアとして活動に参加したことだった。現在は総務の仕事をしながら、ダンスを教えたり、各地で講演活動をしたりしている。三木さん自身、日本とフィリピンのふたつのルーツをもち、ある事情で八歳まで「無国籍児」として育った。

こんな記憶がある。小学校の授業が終わり、帰り支度をしていると、校舎の外で子どもたちが口々にはやし立てる声が聞こえる。「わあ！　ガイジンやあ！」。その言葉が胸に刺さる。靴をはきかえて外に出ると、母が笑顔で待っている。三木さんの母、メルバさんはフィリピン人だ。

「自分は指をさされる対象で、それはいまは親に向いているけれど、いずれ自分に向くんじゃないかと不安に思っているふしは当時からありました」

メルバさんは毎日送り迎えをしていた。入学時に校長から「(幸美さんが)交通事故にあっても責任は取れません」と言われていたからだ。

日本の小学校ではほぼ全ての児童が日本スポーツ振興センターの災害共済給付制度に加入する。子どもが学校の管理下でけがをしたり病気になったりしたときに保護者に対して給付金を支払う制度である。「学校の管理下」には登下校も含まれる。三木さんはその制度の対象ではなかった。

国民健康保険にも加入できなかったために医者にかかることができず、発熱したときなどは市販薬でしのいでいた。幼稚園は私立へ通った。

一九八六年に来日したメルバさんはそのときオーバーステイ（在留期限後の不法残留）の状態にあった。父親は別の女性と婚姻関係にあった。

ニューカマーの外国人女性には、配偶者の国籍にかかわらず、オーバーステイが発覚することを恐れて、子どもが生まれても出生届を出さないことがある。病院等で出す出生証明書の類いはあっても、公的な登録書類上は「どこにもいない子ども」になってしまう。

三木さんは当時をこう振り返る。

「小学校低学年のときは、自分には国籍がないという意識がなかったんです。ですが、幼い日の記憶は断片的にいくつかあります。ある日マクドナルドへ行ったとき、母の自転車のうしろに私が乗っていて、車と接触事故に遭った。でも、そのときに母は助けを呼ばなくて、すみません、すみませんと同じ言葉を言うだけ。フレームがグニャリとまがり、漕げなくなった自転車を押して帰った。オーバーステイがバレるのがいやで、被害者なのに警察を呼ばなかったんだと思います。その場での示談で済ませました」

こんなこともあった。近所のスーパーでのできごとだ。三木さんはキッズスペースで遊んでいた。そこに居合わせた女の子と遊ぼうとしたところ、相手の父親が怒りだした。

「相手の父親が追いかけてきたのが怖くて、私は思わず逃げたんですが、ママーって叫んだ声に母が気づいた。追いついた母は、私の意見も聞かずに、すみません、すみませんと相手に謝りたおしていた。逃げるように家に帰って、私がけがしていないか手で確かめてくれたあと、思い切りぎゅっと抱き寄せてくれたんです。あの場では私の目を見てくれなかったのに……と、悲しかった思い出があります」

一九九七年のある日、メルバさんは大阪市役所内にある教育委員会事務局を訪ねた。当時、国際理解教育相談員として窓口にいた榎井縁さん（現・大阪大学大学院人間科学研究科附属未来共創センター・特任教授）は振り返る。

「たしかお父さんとメルバさんが一緒に来られたと思います。子どもが生まれたけど届けていないと。どこにも（娘を）登録している書類がないので、就学通知はもちろん来ない。小学校には入れますか、という相談だったと思います」

榎井さんは神奈川県出身で、五年前に大阪市に移っていた。メルバさんの話を聞いて驚き、すぐに教育委員会の初等教育課の指導主事に相談した。

「市教委の方たちはみなさん動じなくて。『戸籍がなくて来る子はたくさんいるから大丈夫』って。書類がなければ『その子が（その住所に）いる』ということを証明できるものを持ってくればいい。メルバさんあてに来たフィリピンからの手紙でもいいと。学校は非常に柔軟でした。子どもが校区に住んでいて学齢に達していたら迎え入れるのが基本というスタンスで受け入れてくれました」

メルバさんが教育委員会に来たとき、榎井さんは、父親が子どもを認知さえすれば子どもの国籍は取れると伝えた。

しかし問題があった。当時は、国籍法第三条によって、出生後父が認知したのみでは国籍の取得を認めていなかった。認知をした上で、さらに父母が結婚しなければならなかったのである。母親が外国人（日本国籍を有しない）で、父と結婚していない場合は、「胎児認知」でしか子どもは日本国籍を取得できなかった。

この取り扱いを、父母が結婚している子どもと父母が結婚していない子どもを差別するもので、憲法違反だとする最高裁判決を引き出し、法改正（二〇〇八年）に結びつけた弁護士の山口元一さんはこう言う。

「改正前は、出生後認知で、父母が結婚をしないまま子どもが日本国籍を取得するには帰化という方法がありましたが、そのケースはほとんどなかった。法務省が、日本国籍を持たない家族全員がまとめて帰化申請をしなければならないという恣意的な運用をしていたからです。三木さんの場合は改正前ですから、フィリピン人のお母さんが日本人の父親と婚姻したうえでお父さんが認知をすることと、お母さんのオーバーステイ問題を解決する必要があった。彼女の父親は日本人ですから、お母さんと婚姻した場合は非嫡出子から嫡出子となって、日本国籍を得ることができます。それまでに時間がかかってしまった」

三木さんが小学校に上がった翌年、父親とメルバさんは婚姻関係を結んだ。そして、法務局に娘の日本国籍取得の書類を提出することができた。メルバさんは管轄の入国管理局に何度か足を運び、在留特別許可を取得することができた。

三木さんのようなケース以外にも、子どもが「無国籍」になるパターンはいくつかある。父親が日本人でも関係が切れてしまって認知を受けられなかったり、両親とも行方知れずだったりする場合もある。

社会学者の石井香世子さんと弁護士の小豆澤史絵さんは、二〇一七年に、全国の児童養護施設六〇〇カ所を対象に「無国籍」の子どもに関する調査をした。有効回答のあった三〇〇の施設のうち、「国籍のあやふやな子供達が措置されたことがある」としたのは七二カ所あった。親はフィリピン、次いでタイが多かった。

石井・小豆澤両氏は「『無国籍』の子どもたちは、労働力が不足する日本に外国から働きに来た人々を親に持つ場合が、ほとんどです」とする（『外国につながる子どもと無国籍』二〇一九年）。

彼／彼女たちは、経済的に困窮して公的な支援が必要になっても、さまざまな事情で行政につながることができない。オーバーステイが発覚することを恐れている場合もあるし、言葉の壁で適切な窓口につながれない場合もある。そもそも家族に仕送りするために働きづめなので、それ以外のことに考えが及ばない。行政の情報発信も不足している。

　三木さんは、大阪ミナミにある大阪市立南小学校でも放課後の生涯学習活動としてダンスを教えている。南小学校の児童は約一七〇人、そのうち半数が外国にルーツをもつ。

　その南小を中心に、二〇一三年、当時の校長の発案で、外国にルーツをもつ子どもたちを対象とした学習支援教室「Ｍｉｎａｍｉこども教室」が発足した。きっかけは、前年に起きたフィリピン人のシングルマザーによる無理心中事件だった。当時六歳の長男は死亡、四歳の長女は重体、自らも首などを刺して重体となった。背後には生活苦と育児ストレスがあった。

　二〇一九年一二月、「Ｍｉｎａｍｉ子ども教室」代表の金光敏《キムクァンミン》さんを訪ねると、日本人の夫のドメスティックバイオレンスから着の身着のまま大阪へ逃げてきたフィリピン人女性が幼子を連れてきていて、精気を吸い取られたような表情で、たどたどしい日本語で相談していた。そんな母子がこの街にしょっちゅうやってきて、口コミなどで同教室を頼ってくる。

「子どもたちの大半がフィリピンルーツで、中国、韓国、タイ、ルーマニア、リトアニア……。シングルマザーかステップファミリーが多い。ほぼホステスをしています。ぼくらは彼女、彼らの生死に関わる、たくさんの例を見てきていますから」

　そう金さんは言う。

「けっきょく、彼女たちのコミュニティーにどうアプローチするかは、ぼくらのようなＮＰＯのほうがノウハウがあるわけです。彼女たちにとっても、行政は頼れなくても、ぼくらを頼ってくることはできる」

「教育や福祉、臨床心理の分野に関わる人たちの養成課程に、外国人の援助論が足りない。日本にはもう三〇〇万人の外国人が生活者として暮らしているんですよ」

やはり日本社会で困難を抱える外国人を多く見ている前出の山口さんも、日本の外国人労働者政策についてこう言う。

「彼らを取り締まる法律はあっても、守る法律は作ろうとしない」

三木さんの場合は、先述のとおり、八歳で日本国籍を取ることができた。その後は大学まで日本の教育を受けて育った。

一方で、中学校に上がるころになると、自分がフィリピンと日本のふたつのルーツをもつことに割り切れない思いを抱くようになった。

「お母さんは私を日本人として育てようとしていたし、私は日本語しかできへんし、自分は日本人だと思っていた。でも、一方で自分は誰かに指さされる、自分の生活の中で日本ではないというものを持っているという感覚があって、その間でぐるぐるしていた」

小学校から高校まで、三木さんが通った学校には同和・人権教育や多文化理解のためのプログラムが用意されていた。小学生のときは「民族学級」に参加する在日コリアンの友達をうらやましく思った。家に帰って母親のフィリピン料理を食べると誇らしい気持ちになれた。フィリピンの民族舞踊も習い始めた。

民族舞踊の発表会などの大阪の多文化共生教育について、部落解放・人権研究所代表の谷川雅彦さんに聞くと、「部落解放同盟では、差別の歴史や背景、実態ときちんと向き合う教育を学校や教育委員会に対して要望してきました。大阪の多文化共生教育のベースに、同和教育から続く人権教育があるのはまちがいない」と断言していた。

「みんなと違うということで差別されるのが怖いと思っているのに、何もしなければ自分は日本人になっていくんだろうなということに漠然と不安を覚えるんです」

中学二年のとき、校内で起きたある差別事件の被害者になった。いまだからこそ三木さんは語ることができる出来事だ。中二のときに二階の廊下から運動場を見ていたところ、運動場にいた男子生徒とふとしたことから言い争いになった。彼は怒って二階に上がってきて差別的な言葉を吐きつけた。「おまえガイジンのくせになんでこんなところにおんねん？　なんで日本におんねん？　国に帰れよ」。彼は幼なじみで、かつ在日コリアンだった。三木さんは驚きとショックのあまりとっさに資料室に駆け込み、薄暗い部屋の片隅でうずくまって泣いた。

その一部始終を見ていた友人が探しにきてくれたが、あとになってから三木さんは幼なじみの心の捩じれを思った。それは、よく学校の裏手にある朝鮮総連の事務所に右翼の街宣車がきて、在日コリアンに対してもヘイトスピーチをよくがなっていた。クラスメイトが彼に「なんとかせいよ」と心ない言葉を投げる。彼はそれが苦しくて裏目に出てしまったんじゃないか――。翌日、教員同席のもと、彼は形式的に謝罪したがもやもやは晴れなかった。

中学三年生のとき、「自分が差別する側にまわった」できごとがあった。相手は母親のメルバさんだった。

「初めて差別をしたんです、母親に対して。日本語が不自由だから志望校のパンフレットは読めない。そもそも日本の高校は三年間通うこと、専願と併願があること、すごく基本的なところから私が説明しなきゃいけない。母親が読めない字を私が代わりに読むことや、書けない字を書くことは小さいころからやってきているはずなのに、母親が情報弱者であることやその代理を全部私ひとりですることがすごく重荷に思えてきて……ある日、口論になったときに『日本語へたくそやし何言ってるかわからんわ、読めるようになってから言ってや』って言ってしまったんです」

「そうしたら母親は怒ることもなく、『あんたのママが私じゃなかったら、あんたはもうすこし幸せやったかもな。私の娘だからだよね』って泣くんですよ。私はすぐにハッと我に返って謝ったんだけど、母親はショックを受けているから全然届いてなくて。何度謝っても、泣いていた」

そのできごとを、自分が差別されたことよりも思い出す。忘れられない。ごめんね、では終わらない――三木さんは唇をかみしめた。

「それまでは差別する人は嫌なやつというイメージがあったんですが、自分がそうなってしまった。言葉で相手にダメージを与えることができるのを知っていたのに……」

三木さんが「どこにもいない子ども」だった八年間、メルバさんはどんな思いで日本で暮らしていたのだろうか。それが知りたくて、三木さんを通じて取材を申し込んだ。いまは夫とフィリピンの故郷の村で暮らしている。

メルバさんに当時の思いを聞いたら、この取材は終わるはずだった。ところが三木さん自身も知らなかった事実が明らかになる。

念のために、子どもが生まれたときにフィリピン領事館に行かなかったのかと確認すると、はじめはすっきりとした答えが返ってこなかった。重ねて聞いてみると、出生届を出したというのだ。日本の領事館ではなく、人を介して本国で出生届を出していた。その届け出では、三木さんはメルバさんの故郷で生まれたことになっている。メルバさんはそのことを誰にも言わず、三木さん本人にも隠し通した。

三木さんにそのことを電話で伝えると、「えええええっ！」と心底驚いた声が返ってきた。「まじですか……。私の人生変わっちゃいましたね」

あらためてメルバさんとメールなどでやりとりをした。彼女のたどたどしい日本語をつなげると次のような言葉になる。

「その八年間は、毎日が不安でした。もし私が捕まったら、娘と離ればなれになってしまうかなとか、この子は一緒にフィリピンに帰れるのかなとか、毎日毎日不安だった。何回か目の前でいじめもありました。けど、私が相手の親になんか言うたら、事が大きくなって警察に言うかもしれない……って思うと、なにもできませんでした。涙を流しながら子どもを連れてその場を離れた。すごい悔しかった。ゆき、ごめんなさいの気持ちでいっぱいでした」

最後に、ゆきみは わたしのこどもでよかったかな？――ひらがなでそう綴られていた。

三木さんは、不安の中で自分を育てた母親を思いやった。

「一度だけ母に手紙で、一生懸命生きてきたママの人生の選択は何もまちがってなかった、と伝えたことがあるんです。日本の法律についてなんの情報も知識もなく、私を守るために生き、それしかできなかった母に、あらためてその思いが強くなっています」

三木さんとメルバさん。三木さんは取材のあと、自分の出生届を初めて取り寄せた。病院が発行した出生証明書が添付されていて、そこにはたしかに「ユキミ パンガヤン」と名前が書かれていた。

日本社会の中で孤立感を深める外国人は依然として存在する。そしてそれは「何か事件にならないと気づかれない」。そんな社会であることが多くのマイノリティーを苦しめていると三木さんは考えている。三木さん自身が体験した「個人的な問題」を公的に可視化・問題化することが必要だ。

「いまも外国ルーツの子どもや家庭の支援について、地域差や温度差があります。日本で生きていくために必要な情報を当事者に伝える中間集団的なものが、まったく足りていないと思う」

三木さんのスマホには、小学校五年生のときに授業で書いた自作の詩が保存されている。紙に書いたものを幼なじみが保管していて、のちに送ってくれた。

自分が自分であるために
本当の自分を教えてあげる
自分が自分であるために
自分にうそはつけない
たとえ自分がいやなやつでも
たとえ自分がいいやつでも
それが自分だ
本当の自分だ
世界にたった一人しかいない
本当の自分なのだから

三木さんは「自分が自分に教えてあげるように書いているんです」と言ってスマホの画面を見た。触れれば破裂してしまいそうな複雑な思い。まだ幼かった自分自身との「約束」の言葉だ。

のちに三木幸美さんがＳＮＳでこんな投稿をしていた──今、改めて藤井さんの受賞コメントを

（オンラインで）見ている。なによりも私が今回の取材を受けてよかったと思うのは、母がこうやって日本に生きてきたことを、きちんと記録して、納得して、私ではない人の手も借りることで肯定できたこと。家族の中だけでは、ストーリーに頼るだけの取材では、こんな風には語れない。

取材中、時には自分でも考えて来なかった部分に潜るような質問に狼狽えたけど、（中略）「この世界にもうひとり私が存在している」とわかったとき、藤井さんは取材を通して私よりも先にその事実に辿り着いてしまったことについて、どう引き受けようか悩んでいるようにも見えた。ただ、書き直します、と。書き直すことで引き受けようとしてくれたのだと感じた。書くことと同じくらい、それまでの取材で思い描き、考え、書いてきたものを手放すことを選んでくれた。見たいものではなく、振る舞いとして見せているのではなく、「過去を通して、いま生きている私を見ている」と感じたのは初めての経験だった。

ジャーナリズムの言葉から遠いところに生きてきた私だけれど、ああ、ジャーナリズムって恐ろしいものなんだなあと思った。ずっと「自分が外国人だから」「わからない」「がんばらないから」と自分をせめてきた母に、改めて「あなたの人生は何もまちがってない、私は、私たちは、そう思っている」と、客観的に伝えられてよかった。この記事は一生大事にしたいと思う——。

うれしかった。泣きながら何度も何度も読み返した。書き手冥利に尽きると書けば、ありきたりすぎる。もっと深い部分で三木さんの人生に触れることができた喜びと畏怖の念が沸き上がってきた。三木さんは他者の人生を「取材」するということの本質を突いている。ぼくにとっても、もちろん一生大切にしたい言葉だ。

8月9日

一〇時ぐらいに起きて、バルコニーの剪定・掃除の続き。思い切って枯れた葉のついた枝をばっさりやっていく。また芽が出るだろうか。この際、いくつか鉢を減らしてバルコニーをすこしすっきりしようと思い、昼過ぎまで、休憩しながら続ける。Tシャツを休憩のたびに換える。

休眠していた世界書院から刊行される予定の、「多拠点生活」を実践している複数の書き手が参加する本に、ぼくも末席に加えていただくことになったことはすでに書いたが、先日、ベースになる原稿のためのインタビューの文字起こしと整理を二木さんにしていただいたので、さっそくそれがあがってきて、加筆などに取りかかる。

夕方に壺屋の「GARB DOMINGO」に行き陶芸作家の新里竜子さんのマグカップ（新作）を、PEPジャーナリズム大賞現場部門大賞をもらった記事の主役・三木幸美さんとそのパートナーの嘉住《かすみ》圭介さんに送る。幸美さんの母親・メルバさんには琉球の伝統的な彩色と文様で飾られた花瓶を贈ることにしている。帰りに暖簾《のれん》が出ている食堂を見つけたのでゴーヤーチャンプルー定食。

8月10日

午前中は引き続きバルコニーの剪定と掃除。転んで手を擦りむいた。汗だくになり、シャワーを浴びる。昨日スーパーで買い込んでおいた生野菜とパスタを茹でて食べる。休憩して、昨日の原稿に取りかかる。

夕方にミュージシャンのジョニー宜野湾《ぎのわん》さんにリモートでお話をうかがう。一時間以上、インタビューに応じていただく。気さくな方で、なんだか恐縮してしまう。カップラーメンを食べたら眠くなり「夕寝」。起きたら二一時すぎだったので、日付をまたぐまで明日のリモート取材に備えて資料などを読む。デヴィッド・バーンとスパイク・リーが組んだ『アメリカン・ユートピア』（二〇二〇）のサントラをずっと聴いている。じつは映画はまだ観ていない。早く観に行かなきゃ。今回の沖縄滞在中はずっとこれを聴いていることになると思う。

8月11日

野菜たっぷりの焼きそばを作って、昨日に引き続き午前中はバルコニーの鉢植えの剪定。完全に根っこまで枯れてしまった鉢は処分して数を減らす。大型の鉢に枯れた雑草がこびりついているのでひっぺがす。枯れ葉を手でかき集める。鉢の配置を換える。汗だくになってシャワーを浴びる。四五リットルのビニール袋ふたつ分になった。

昼過ぎに深谷慎平さんが原付バイクを返しにきてくれた。数カ月前に彼のパートナーが乗るというので差しあげたのだが、けっきょく乗らないので（うまく乗れないらしい）、出戻ってきた。とにかくボロいのでいろいろメンテナンスが必要だなと思いつつ、あるいは廃車にするかと、錆び付いた車体を見つめて悩む。

一五時からリモートでPEPジャーナリズム大賞現場部門大賞を受賞した件で、ヤフーの「newsHACK」という社内向け（外部からでも見られるそうだ）サイトからインタビューを受ける。受賞した記事はヤフーのニュース特集に掲載された記事なのだ。一九時からは衆議院議員（当時）の屋良《やら》朝博《ともひろ》さんにリモート取材。

8月12日

午前中に桜坂劇場でドキュメンタリー映画『サンマデモクラシー』（二〇二一）と『オキナワ サ

ントス』（二〇二〇）を観る。前者は、米占領下のトップである高等弁務官に対して裁判を起こした玉城ウシさんという女傑の物語。当時、海産物に法外な関税をかけるという施策（布令）をアメリカは沖縄人民に対しておこなっていたのだが、サンマはそのリストに入っていないのにもかかわらず関税をかけられたことに怒った糸満の魚売りの女性が、これまた豪傑弁護士とタッグを組んでアメリカと闘った実話だ。監督は沖縄テレビの山里孫存《まごあり》さん。一度だけお目にかかったことがあり、試写会にお誘いいただいていた。

後者は、第二次世界大戦中に、ブラジルに移民していた日系人がヴァルガス独裁政権から受けた「迫害」を記録したドキュメンタリー。その中のひとつであり、なおかつ伏せられてきた「サントス強制退去事件」について、サントスの沖縄県人会の老人と松林要樹監督が、退去させられた人々の名簿（松林監督が偶然に発見した）をもとに真相をたぐり寄せていく。ほとんど記録に残されていない歴史的事実を掘り起こした。すでにBSで放送されているが、それが大幅に再編集されていて迫力が増した。

帰りに牧志のアーケード街でもずくの天ぷらなどの惣菜を買い込んだ。家に戻り、連日続けているバルコニーの植物の剪定や掃除をして汗だく。シャワーを浴びて休憩したあと、パソコンに向かう。仕事に一段落つけたあと、買ってきた惣菜をつまみながら芋焼酎を飲む。

8月13日

午前中にバスにゆられて北部のある村へ。文庫版の『沖縄アンダーグラウンド』を読んで、宜野湾市の「真栄原新町」で、かつて売買春宿を手広く経営していた方から連絡をもらい、当時の話をたっぷり聞かせてもらえることになったのだ。暴力団との関係や、金融業者との関係、「内地」のホストクラブとの関係がリアル。その方は売春斡旋の容疑で逮捕されたことを機に（不起訴）、「ちょんの間」経営をやめて、いまは別の仕事についている。往復三時間以上かけて沖縄を縦断。乗客はほとんどいなくて、常にぼくの他に二〜三人だけだった。

ぼくはこの日以外にも何度か続けて彼女に会った。以下はその「語り」を要約したものである。

——私は最終的には真栄原新町でわりと規模の大きい店舗をふたつ、めんどう見ていたんですが、だいたい売春の時間は一五分とうたっていますが、実際は五〜七分でした。取り分は女の子が六割、経営者が四割のパターンもあったし、折半の女の子もいた。いつも変動していました。私は当時は浦添に住んでいましたが、女の子は真栄原交差点付近のアパートに二〜四人住まわせて、それが何カ所もありました。店に住み込みでやっている子はいなかったです。テレビを見たいだろうし、店は決して清潔じゃなかったから。私は店を経営もしていましたが、売春もしていました。

私は中国地方の出身なんですが、大阪から沖縄に来たのは二二歳か二三歳のときで、四年ぐらいいたかな。大阪に出てきた理由は、地元でいったん就職したんですが、研修で出向いた大阪でホストクラブにハマってしまった。で、地元の会社もやめ、実家も出て、大阪で暮らし始めたんです。失踪届けも出ました。いったん二カ月ぐらいして地元に戻ったんですが、彼氏が家庭内暴力が激しい男で、いつか殺されてしまうかもしれないから別れようと思っていたんですが、彼が別の女といることがわかり、完全に大阪に移住しました。

店舗型のヘルスで働きましたが、系列店が摘発されて、千日前に立っていたら声をかけられて売春したんです。そのあともラブホテル街で立っていたら売春がうまくいって、これでやっていけると思ったんです。そうしたら、たまたま、デリヘルのドライバーが、ここらはヤクザのシマがあるから勝手にやっていると危ないと声をかけてくれて、そのデリヘルの店に出入りするようになった。そうこうしているうちに宝くじがあたり、大阪で付き合うようになっていた恋人がそれを元手に金融業を始め、私はデリヘルを経営するようになったんです。松島や飛田、九条新地で自分で売春もしていました。そのうちに沖縄は稼げるという情報が入るようになり、沖縄に渡ったんです。

私は真栄原新町で働きだして、店もかまえるようになりました。私はウリもしていましたが一〇〇パーセント、もらっていた。特権でしたね。組合はヤクザの関与を嫌ってはいましたが、実際は関係していました。私の店も名義は私でしたが、ヤクザが大阪などのホストクラブに借金を作った女の子を送り込んだりして、実質的に関わっていました。だから、アガリを入れろと要求してくるんです。断ると、たとえば、実際はプレイ時間は五分じゃないかという文句をつけてくるような客を何人も送り込んだりしてくるんです。そうやって流行っている店の利権に手を出してきました。

真栄原新町が「浄化運動」でつぶされる数年前に、私は売春防止法違反で逮捕されました。売春斡旋の容疑です。女の子たちは勧誘行為で逮捕されることはありませんでした。私は拘留を延長されて、カネの流れなどをいろいろ聞かれましたが言いませんでした。当然、私の店にあがっていた利益がヤクザに流れていることも言いませんでした。ヤクザは一晩で一〇〇万が動く模合《もあい》をしていましたから、警察はカネが動いた証拠を摑みたかったんでしょう。女の子たちにカネを貸していた金融業の人もやはり売春斡旋の容疑で逮捕されていましたが、私は不起訴になりました。

それを機にその世界から足を洗うことにしました。いまは飲食関連の仕事をしながら、貧困問題に関わるボランティア活動をしています。だまされてつれて来られた女の子が子どもと睡眠薬で心中した事件があったんです。自分の店の子ではありませんでしたが、罪悪感が今でもつきまとっていて、心がおしつぶされそうになり、人の役に立つことをしたいと思うようになったんです。

私がこんなことをいうのはアレなんですが、女の子たちには早くやめてほしかったんです。借金返してさっさとやめる。多いときは一〇人ぐらい女の子が在籍していましたが、彼女たちはいくら働いても、稼いだ分だけおカネを使ってしまう。化粧品とか服とか、ストレスで浪費する癖がついてしまうんですね。で、借金が終っても、また戻ってくる。その繰り返しですね。私もウリをやっていたので、どこか戦友的な感じもあったので、なるべく、女の子たちのおカネの管理をするようにしていました。

マックスの人数がいたときは沖縄の子はゼロでみんな内地の子です。中国の子がいるときもありました。関西から来る子が多かった。ほぼ、ホストクラブ経由。もともと二〇～三〇万の借金が、沖縄に来るあいだにヤクザや半グレを通すからどんどん増えていく。店はだいたいマチ金とつながっているので、トイチ（一〇日で一割の利息）で貸して借金漬けにするんです。内地に送って稼がせることもありました。

ちょんの間は、逃げようと思えば逃げられるんです。借金するときは保証人は私なんで。そのへんは信用するしかないですね。最後までいっしょにいた子は、三〇代前半までやってました。ホストクラブで借りた借金が最終的に二千万までふくらんでしまいました。沖縄でもホストクラブに入れ込んでしまったんです。

私ですか？　私は男に対する一種の「情」ですね。私は借金とかはなかった。惚れやすいんです。お客と疑似恋愛的なものをたくさんしていた気がします。まあ、依存ですね。相性が合う人とはまちがいなく外で会ってましたね。おカネのためにいやいややっている子もいたと思うけど、私みたいなタイプもいる。人それぞれだと思いますけれど、不思議に沖縄は客に対する熱量が内地より高い気はしていました。内地にペースが合わなくて、沖縄に帰ってくる子もけっこういましたね。お客さんと結婚する子も多かったですよ――。

帰宅後は仕事部屋に籠もって仕事。彼女の話が脳裏でぐるぐると回り続ける。何か雑用をしようとするがはかどらず。

8月14日

終日、やーぐまいして原稿を書く。はかどらず。ヤフーに書いた「犠牲者の名誉を回復したい――精神医療の近代化と『私宅監置』」というぼくの記事が公開された。以下、引用する。

沖縄本島北部にあるその小屋は、うっそうとした樹木に埋もれていた。コンクリートで固めたサイコロのような建物だ。上部にオオタニワタリが生い茂っている。鉄製の扉は、蝶番《ちょうつがい》が劣化して破損し、壁に立てかけられていた。

腰をかがめて中に入る。食事を差し入れる小窓と、南側の壁に小さな穴が五つあるが、採光は十分ではなく、昼間でも薄暗い。鉄の扉が閉められ、外からがっちりと錠前がかけられたら、中に閉じ込められた人の恐怖は相当なものだったに違いない。

床の片隅に溝が穿《うが》たれていた。そこは排泄をする場所で、たまったふん尿を外から家族が定期的に掻き出す仕組みだったという。

外に出てもう一度全体を眺める。何も聞かされていなければ、農機具小屋か、家畜を飼っていた小屋に見える。数メートル先に物置があり、その隣に瓦葺きの母屋がある。声を出せば、母屋に届いただろう。

そこに閉じ込められていたのは、「富俊さん」という男性だった。

富俊さんは違法に閉じ込められていたのではなく、私宅監置という制度にもとづいていた。私宅監置とは、精神障害者やそうだと疑われた者を、家族が、自宅の一室や敷地内に作った小屋に閉じ込めておく仕組みのことである。

一九〇〇年に制定された精神病者監護法にもとづくもので、家族は警察（のちに保健所）に届け出たうえで私宅監置をおこなっていた。一九五〇年の精神衛生法の成立によって精神病者監護法が廃止されるまで、日本各地でおこなわれていた。

しかし、戦後アメリカの占領下に入った沖縄は事情が異なった。一九六〇年に琉球精神衛生法が制定されたものの、医療事情が貧しく、私宅監置は廃止されなかった。一九七二年に日本に復帰するまで、沖縄の私宅監置は続いたのである。

沖縄で私宅監置されていた人たちの「いのちの痕跡」を、這うようにして記録してきた映像作家がいる。

愛知県出身で、現在は那覇市に住む原義和さん（五一）は、絶望的な闇の中に閉じ込められたまま死に至った、あるいはそこからかろうじて生還した人々の記録を、『夜明け前のうた』というドキュメンタリー映画にまとめた。

「この制度は、国が作って保健所や警察が管轄した、公的な隔離政策です。しかし手続き上、親やきょうだいが監護義務者になるため、まるで自分たちが主体的に閉じ込めているように思わされる。だから、固く口をつぐんでしまう。その結果、監置された人たちの存在は社会から消されていきました」

今年五月、原さんの案内で、沖縄で唯一壊されずに残っている監置小屋を見にいった。もうひとり、公益社団法人沖縄県精神保健福祉会連合会（沖福連）の山田圭吾会長も同行してくれた。沖福連は、県内各地域の精神障害者家族会がベースになっている組織である。

原さんの調査によれば、富俊さんは一九二九年生まれ。二三歳のとき人に会うことを怖がるようになり、精神疾患の症状があらわれる。症状は次第に悪化した。沖縄県公文書館に保管されている監置の許可書には、こう書かれている。

「神経衰弱症を起こし、その後、不眠状態に陥り、言動の異常を認められるに至り、自宅にて療養中なるも、恐怖憂鬱症にして、常時自閉無為の状態にありたる。一二月一三日正午頃より、急に行動暴発的になり、部落民に恐怖を与えること甚だしく、他人に危害を与えるほか、公安上憂慮される状態である」

富俊さんの監置許可願いは、一九五二年一二月に琉球政府厚生局予防課で審議され、一週間後に琉球政府の許可が下りた。

実際に監置された場所を歩きながら、原さんが解説する。

「もともとは母屋の裏に木で小屋が作られていたんです。富俊さんは大工をしていたし、体も大きくて力もあったから、壊して外に出てしまった。そこで、コンクリートブロックの頑強な小屋を、今の場所に建て直した。警察官が六人がかりで押し込めたそうです」

一時的に外に出ることもあったようだが、小屋に閉じ込められた生活は、一九六六年に金武町（沖縄県国頭郡）の精神科病院に入院するまで続いた。

私宅監置の行政手続きに携わったことのある人に会うことができた。

沖縄県在住の玉城勝利《たまきかつとし》さん（七六）は、一九歳で名護市の保健所（琉球政府厚生局名護保健所）に就職した。精神保健担当に配属された玉城さんは、住民から私宅監置の申請があると、その家を訪問して、患者の状態や家族の暮らしぶりを確認した。

玉城さんは「好き好んで閉じ込めていた人はひとりもいません」と言い切る。「こんなふうに聞かれるのも本当は嫌なんです」。

監置の申請は、行政的には「監置許可」という。監護義務者となる家族が、監置される「精神病者」の名前や年齢、監護者の住所・氏名、「精神病者」との関係を書いた書類を作成する。発病の年月日、症状などを記した書類や、医師の診断書も必要だ。それらに、監置小屋の見取り図を添付して、保健所に提出する。

保健所は「精神病者」の状況を調査し、琉球政府の担当部署に提出し、最終的に行政主席の決裁を経て、監置許可が下りる。監置後は警察の管轄になる。

監置されている人たちの状況を見て回るのも、玉城さんの仕事だった。

「まず（名護保健所管轄の北部）一二市町村にそういう患者がいるのかいないのか。いるなら何名いるのかとか、逆に変なかたちで処置されていることもあるので、申請がないときには、役所の衛生課と一緒になって調査して歩くわけです。（民家が山中にあるから）バイクで山に登っていって、包丁を持って追われて帰ってきたり。いつでも逃げられるようにエンジンをかけっぱなしにしておくんです」

玉城さんが見た中では、小屋ではなく、家の裏座（沖縄の民家で、北側［裏側］にある部屋。寝室や産室として使われた）に監置されている人もいた。

「女性だと（小屋に置いておくと）性的暴行を受けることがあるので、裏座にかくまって。女性は暴れても危害を与えるほどではないんですけど、男性だともうすごい暴れますよね。みんなすごく繊細なんです。不用意に刺激してはいけないので、私はだいたい縁側から中の様子を見たり、家族に話を聞いたりしていました。小屋も中までは入りませんでした」

「家族はみんな、苦しいわけです。どうにかして助けたいというのが、まずありますから。本当は病院に入れて、しっかりと治してもらいたいというのが親の心でしょ」

一九四九年に、沖縄初の公立の精神科病院が金武町に作られた。その後、民間の精神科病院も開業したが、医療保険制度がなく費用が自己負担のため、治療をあきらめる人が多かった。一度は入院させても、入院費が払えなくなって自宅に連れ帰った。

「田畑を売って入院費を作る家族もいました。でも二週間後にまた支払いがくる。財産を切り売りして(入院費に)充てていっても、最後は泣く泣く、監置小屋になってしまうわけです」

貧しい人には事実上、私宅監置しか選択肢はなかったのだ。本人の同意なしで入院させる措置入院という方法もあるにはあった。それなら公費で入院させることができる。しかし、病床数や予算が圧倒的に不足していた。

「私は措置入院というかたちで病院に入れてあげたかったけど、めったに許可が出ないんです。自分が調査した(措置入院の)申請が許可されれば、親の心労や経済的な困窮を軽くしてあげることができて、やりがいを感じることもできるけど、申請しても措置されないことの繰り返しで。本当につらくて、自分がおかしくなりそうでした」

けっきょく、玉城さんは三年で退職した。

沖縄が日本に復帰した後は、私宅監置は徐々に姿を消し、小屋から生還した人はそのまま精神科病院に移されていった。

原さんや沖福連は、現存する監置小屋を遺構として残したいと考えている。しかし、玉城さんはそれには賛成できないと言う。

「あんなもの、もう見たくもない。（監置小屋を）負の遺産として残したいんだったら、今ある精神病院を見にいけばいい。病棟に鎖錠されて、個人の部屋に入ったらまた鍵で、一〇年も薬づけにされて。環境がきれいか汚いかだけの差であって、あまり変わらないんじゃないかと思うよ」

そもそも私宅監置はなぜ生まれたのか。精神医療史の側面から私宅監置を研究している、橋本明・愛知県立大学教授を訪ねた。

橋本さんは「（一九〇〇年に）精神病者監護法が制定された理由は大きくふたつある」と指摘する。ひとつは、幕末に諸外国と結んだ不平等条約の改正、もうひとつは「相馬事件」だ。

不平等条約は具体的には、治外法権を認めることと、関税自主権を持たないことである。治外法権を認めると、外国人が日本で罪を犯しても、日本の法律で裁くことができない。

日本ではそれまで、精神疾患の取り扱いに関する公的なルールがなかった。座敷牢に閉じ込めたり鎖でつないだりすることが、私的におこなわれていた。諸外国とすれば、法の定めがないために、自国民が不利益をこうむったり残虐な扱いを受けたりするのは認められない。

「明治政府は、不平等条約を撤廃するために国内法を整備する必要があり、精神病者監護法もその一環として作られました。同法は『精神病者を監置できるのは、監護義務者だけである』と定めています。監置できる場所も『私宅』『精神病院』『精神病室』の三つに限定しています。これはつまり、『不法監禁しません』ということなんです」

もうひとつの「相馬事件」とは、一八八〇年代に起きた、旧相馬藩のお家騒動だ。相馬家当主が精神に変調をきたし、家族によって自宅に監禁され、のち東京府癲狂院《てんきょういん》に入院した。しかし、旧藩士の一部が「殿様は病気ではなく、財産をのっとろうとする陰謀だ」として訴えを起こす。裁判が泥沼化する中、一八九二年に当主は病死した。この事件が社会的関心事となり、法整備の機運が高まった。

「精神病者監護法は私宅監置を定めた法律だから人権侵害だという論調もありますが、事態はむしろ逆で、不法監禁を防ぐためにこそ、法律を整備して、近代的な手続きのもとで患者を監置しようというものでした。（精神障害者を）地域から隔離して（小屋や病院に）閉じ込める発想は、近代だと思います。効率とか生産性とか、いま私たちが日常的に享受している便利さと同じものだと思います」

精神病者監護法を管轄するのは警察行政であり、治安維持の意味合いが強かった。たとえば、申請時に提出する監置小屋の見取り図は、各県の警察がひな型を持っていて、家族はその指導のもとに図面を描いた。

申請書類でいえば、当時（明治時代）は精神医療の黎明期で、精神科医はほとんどいなかったのに、誰が診断書を書いたのかという疑問が生じる。答えは「医者だったら誰でもよかった」。橋本さんによれば、病名はおおまかにしか書かれていなかった。むしろ重要なのは、患者が暴力を振るって近隣に迷惑をかけるとか、火の取り扱いが不安だといった、治安に関する訴えだった。

現存する監置小屋は一九五二年に建てられたものだが、橋本さんはさらにその五〇年前、日本の精神医療のはじまりを見る。「近代化の歴史の一部として、保存して後世に伝えてほしい」というのが橋本さんの意見だ。

原さんの映画『夜明け前のうた』には、晩年、那覇市の高齢者施設で暮らした富俊さんが、サンタクロースの扮装をしている写真が出てくる。

一九六六年に精神科病院に入院した富俊さんは、一九七二年に退院し、通院治療に切り替えた。実家の母屋にひとりで暮らした。監置小屋はのちにボイラー設備を取り付けて、シャワー室として使ったそうだ。亡くなる二年前に施設に入所。妄想や幻聴は、二〇一七年に亡くなるまで続いたという。

「彼がどういうつもりだったのか、なぜこの小屋を壊さなかったのか、それは聞けなかったんです。亡くなってしまったので。だけど、いろんな経緯があって、ここは奇跡的に残っている。それはとても大切なことなんじゃないかと思っています」（原さん）

原さんは二〇一一年に「隔離の現在《いま》～精神障害者とともに生きるには」（琉球放送）という番組を制作した。統合失調症で一七年間の入院生活を送った男性の、退院後の姿を追ったドキュメンタリーだ。

精神障害者の長期入院（社会的入院）について調べる過程で、精神科医の吉川《きっかわ》武彦さん（故人）に会いにいった。そこで、私宅監置されている人たちの姿を写した一群の写真を見る。一九六四年に米軍統治下の沖縄にはじめて派遣された精神科医の岡庭武さんが撮影したもので、それを吉川さんが預かっていた。

「すごい写真があるなと思いました。心を揺さぶられたし、どう向き合っていいのか、正直わからなかったです。吉川先生は『こんなもの外に出せるわけない』とおっしゃったんですから」

原さんは、顔にぼかしを入れて、番組の中で紹介した。

「吉川さんが（プライバシーがあるから）出すならぼかしてねと言ったので。そのときは疑いませんでしたけど、これでいいんだろうか、このままでいいんだろうかというもやもやしたものは残りました」

五年後、沖福連の高橋年男事務局長（六八）から、「沖縄の私宅監置の記録を残したいのだが、吉川先生の写真を持っていないか」と電話がかかってきた。吉川さんは前年に亡くなっていた。やはりこれは、自分が向き合うべきテーマなのだ――原さんは取材を開始した。岡庭さんが残した名前とメモを手がかりに、当事者やその家族、親戚に会うため、沖縄じゅうを何年もかけて訪ね歩いた。

当事者のほとんどは高齢であるか亡くなっており、遺族を訪ねても門前払いされることが多かった。原さんがやろうとしていたことは、何十年も前の家族の秘密を暴くことに等しかったからだ。

それでも、治安を守るためなら犠牲やむなしとした当時の考え方を忘却してはいけないという信念が、原さんを突き動かした。

原さんは「告発するために映画を作ったのではない」と言う。

「遺族の批判は覚悟の上でした。だけど僕は、死者の声が聞きたいんです。そこに答えがあると思っているから。だって、みんな出たいんですよ。小屋を壊して外に出ようとしたとか、穴を掘って出ていったという証言をいくつも聞きました。この人たちは恥ずかしいことをしていたわけじゃない。恥ずかしいことをしていたのは社会のほうで、顔や名前を出すことは犠牲者の名誉を回復することなんです。だけど社会は、その犠牲を、仕方がなかったと片付けて、見えないようにしてしまう。僕はある意味で、社会のありように無理やりあらがっているのかもしれません」

8月15日

夕刻まで原稿を書いて、前島の「ホテル アンテルーム」で開催されている、写真家の岡本尚文さんの個展を再び覗きにいく。在廊しているご本人とパートナー、そして建築家の普久原朝充さんと合流してホテルのロビーでコーヒー飲みながらゆんたく。帰りにスーパーに寄って買い出し。レジを済ませて帰ろうとしたら、八〇歳すぎと思われる痩せた老婆がひとり、レジの横にうなだれて座っていた。制服警官が寄り添っている。スーパーの入り口にはもうひとり、制服警官が無線で何やら連絡をしている。推測だが、彼女は万引きで捕まったのだろう。ぼくはその光景を正視できずに早足で家路に着いた。言葉にならない、得体の知れないざわざわとしたものが胸の奥からせり上がってきた。

今日、沖縄県内のコロナの新規感染者は六六一人。一週間の平均は六〇七人。沖縄県は海外のパンデミックを引き起こした国レベルの感染の広がり方だ。国際通りはそれなりに人流があるので、なるべく歩かないようにしている。

8月16日

夕刻まで原稿を書いて牧志へ。NPO「kukulu」へ進行中の本作成のプロジェクトの打ち合わせや取材。終わって帰宅したら二二時をすぎていた。焼きそばを喰って寝る。

8月17日

夕刻まで原稿書き。出戻ってきた原付バイクに乗って、首里の友人が紹介してくれたバイクショップに出向く。久々に乗りまわしてみたが、廃車にしたほうがいいと確信したからだ。バイクショップでナンバーを外してもらい、それを住民票がある東京都世田谷区役所に持っていき、廃車の手続きをしなくてはならない。

沖縄に仕事場をかまえてから数年後に、東京で乗っていたその原付を後輩に晴海まで乗っていってもらって、フェリーで運んだ。那覇港まで取りにいったことを覚えている。こっちでもちょいちょい近所の買い物などのときに使っていたが、やはり移動手段としては、タクシーとバス、レンタカーのほうが圧倒的に多いのが現状だ。

帰りに新都心で買い出しをして、帰宅。買ってきた惣菜を食べる。今日の沖縄県の新型コロナの新規感染者は六八四人。先週一〇日の三三二人より三五二人増えた。

8月18日

夕刻までひたすら原稿。「ｋｕｋｕｌｕ」の打ち合わせを金城隆一さん、深谷慎平さんと三人で安里のホテルロイヤルオリオンのカフェで。ここは広いし、いつも客はほぼいない。今日付の「琉球新報」文化面にぼくの月イチ連載が掲載された。今回はジュンク堂書店の森本店長に登場してもらった。夜、部屋で川名晋二さんの『基地の消長 1968－1973―日本本土の米軍基地「撤退」政策』（二〇二〇）を読む。

8月19日

インターハイ取材で長い北陸出張から帰ってきたばかりのジャン松元さんと合流。「琉球新報」に掲載する人の撮影に同行。午前に首里で仲地宗幸さん。午後に与儀にある出版社「ボーダーインク」で喜納えりかさんを撮影。合間にジャンさんとふたりで寄宮の「琉球新麺通堂《とんどう》」でラーメンを食べる。帰宅後は掃除などをして、原稿を書く。ＮＨＫ「クローズアップ現代＋」の「封印された心の傷〝戦争神経症〟兵士の追跡調査」を観る。

沖縄県は新型コロナ新規陽性七六八人。過去最多を更新。

8月20日

今日は沖縄はウンケー（お盆）。午前中、那覇市郊外で『沖縄アンダーグラウンド』の文庫版を読んだという、かつて沖縄の売春業界に関わっていたという――「裏社会」といったほうがいいのか――過日とは別の方からも連絡をいただいていたので、たっぷり二時間ぐらい話をうかがう。匿名でも、ぼくが記録することは固辞されていたので、意思を尊重したい。ぼくに泥のようなものを吐き出してしまいたかったのだろう。

その方は――買春街が壊滅したあと、働いていた女性たちを救えなかったことを――ずっと後悔しているという。拙著が、人間の記憶を他者に伝えたいというような気持ちを掘り起こしたのだろうか。拙著を生々しく裏付けするような「業界」の内側を覗き見る。

ノンフィクション作品は常に「見切り発車」で、一定の「完結」の手応えを感じた段階で世に送り出す。自信と不安が入り交じって、たいがいいつも体調がすぐれなくなる。ただ、それは次の未知の物語を掘り起こすボールを投げるようなものでもあり、同時に作品に対するリアクションが思考を進化させることもある。

午後はバスで一時間以上かけて読谷村へ。ご縁あって、一四時から「FMよみたん」の「ＩＬＯＶＥ ゆんたんザップ」に出演させていただく。同局の入っている建物まで、五八号沿いの最寄りのバス停から三〇分ほど炎天下を歩く。車は多いのだが、歩いている人はいない。遠くに自転車をこいでいる高齢の男性をひとり見た。併設している市場で読谷村の特産品などを見る。帰りも一時間半ぐらいかけてバスに揺られる。いいタイミングでバスが来たので、太陽にあまり焼かれずにすんだ。

8月21日

終日、原稿。夕方、前島のホテル・アンテルームに顔を出して、岡本尚文さんと珈琲を飲む。帰宅して食事。先日、亡くなった写真家の勇崎哲史さんの写真集『大神島―記憶の家族』（一九九二）を開く。勇崎さんとは一度だけお目にかかったことがある。

8月22日

名護市内である人に取材。今日は現場での展開が見えないのでバスではなく、格安レンタカーを借りて朝、那覇を出発。途中、嘉手納ロータリーの「みよ家」でそばとジューシーを食べる。

夕刻、レンタカーの返却時間まで余裕があったので、読谷村に寄って、星野リゾートが手がけるカフェ「バンタカフェ」で一休み。こりゃあ、観光客に人気出るわなあという「オサレ」感。ついでに久しぶりに残波《ざんぱ》岬まで足をのばして海を眺める。数人しか人の姿を見ない。

8月23日

終日、やーぐまい。家飯。原稿。とはいえ、晩飯だけは歩いて数分の近所で、汁なし坦々麺的なものと餃子をテイクアウトしてきた。きわめて美味い。こんないい店があるなんて今まで気づかなかった。店長と話したら、東京の有名ラーメン店などで二〇年近く修行した方で、あちこち移動しながら店を出しているという。灯台もと暗し。漫画家の南勝久さんの『ザ・ファブル』全巻をKindleでオトナ買い。読み始める。

8月24日

浦添市内で當山冨士子さんに会って、原稿のチェックをしてもらう。会うのはもう三回目か、四回目か。バスで向かい五八号沿いの「屋富祖」で下車して、ほぼ誰も歩いていない屋富祖商店街を歩いて大平へ。暑いのでゆっくり歩く。

二〇～三〇分ほど歩いただろうか。最近はいくつかの取材をリモートに切り換えたりしたが、今回は相談して直に話したいと言われたので、自宅近くの広い貸しスペースを借りてもらった。汗だくで到着すると、「あれ、車じゃないの?」と驚かれた。沖縄は車社会なので、てっきりぼくは車を持っていると思っていたそうだ。ぼくが炎天下を歩いてきたことについて、しきりに申し訳ないとおっしゃり、帰りは車で送るというお言葉に甘えることにした。

単行本化する「琉球新報」の連載「沖縄ひと物語」に、書下し・撮り下ろしを何本か入れる。當山さんは「書き下ろし」組のひとり。取材相手が望めば何度でも会おうと、ぼくは基本的に思っている。藤井はこの問題をわかっているのか、というその人なりの不安の裏返しでもあると思うし、どういう言葉を選べばいいのか慣れていない人もおられる。こちらも乏しい語彙の中から、しっくりくる言葉をさがす。そういう作業を負担に感じたら、取材者失格ではないかとぼくは思っている。帰宅して、お土産にもらった島バナナと、テイクアウトしておいた惣菜を食べる。『ザ・ファブル』がおもしろすぎて読み進める。

8月25日

朝、ジャン松元さんと合流して、糸満市の「嘉手志川《かでしがー》」へ出向く。南山《なんざん》城跡の横にある。かつて南山を支えた湧き水スポット。遺跡なのだが、地元の親子たちがプール代わりにして遊んでいる。

ここで「琉球新報」連載に掲載する社会学者・上原健太郎さんを撮影。上原さんはこの近くで生まれ育ち、南山城跡の横の小学校に通っていた。だから、嘉手志川は遊び場で、しきりに「なつかしい」と言っていた。

昼過ぎに帰宅し、原稿を書く。昼飯とともに焼酎を飲んでいたら寝てしまい、二〇時ぐらいに覚醒した。『ザ・ファブル』全巻読了。カップラーメンを食べて腹を満たして寝る。

8月26日

夕刻まで原稿。NPO「kukulu」に出かけて、出版プロジェクトについての会議に参加。漫画というスタイルになりそうで、ぼくはその原作を任されることになりそう。終わって帰宅して飯を喰う。寝るまで原稿を書く。

8月27日

終日、やーぐまいして原稿。腹が減ったら買い置きしてある食材を適当にアレンジして沖縄そばに乗っけて喰う。夜までその繰り返し。外は快晴。

8月28日

朝早く起きて洗濯。次回来るときには剪定した植物に芽が出ているかな。部屋をざっと片づけて空港に向かい、いつもの弁当店で牛肉とピーマン炒め丼弁当を買いもとめ食べる。

この日、沖縄県では六九二人の新型コロナ新規陽性者が報告された。羽田空港から相模大野駅にリムジンバスで向かい、ボルボの中古車専門店へ、修理のため預けておいた愛車ボルボ二四〇（一九九一年式）を受け取る。たいしたことがなかったのか、修理費はゼロ円。長期間、預かってもらって、すみません。

18 プラモデル作りを始める

2021年9月16日

羽田空港の「赤坂うまや　うちのたまご直売所」でたまげかけご飯を二杯かっこんで、フライトまで朝日新聞を読む。朝日新聞の「社会季評」に東畑開人さんの論考が出ていて頷かされた。彼のことは「AERA」の「現代の肖像」でも書かせてもらったことがあり、一時はしょっちゅう東京・品川付近で会っていた。超俊英な臨床心理学者だ。記事の一部を引用する。

分断が刻まれた社会に必要なのは、宣言ひとつでひとびとの気持ちをひとつにすることではないはずだ。谷間を無理に埋めるのではなく、谷間は谷間として存在を認めること。そのうえで、谷間の向こうからの声を聞き、遠くの耳にまで言葉を届けること。バラバラになった孤独たちの間で、それでもなお言葉が行き交い続けることよってのみ、社会はかろうじて存続しうると思うのだ。

ぼくが東畑さんを取材したときは彼がブレイクしたきっかけになった『居るのはつらいよ―ケア

とセラピーについての覚書』（二〇一九）が広く読まれだしてしばらく経ったころで、たしかコロナの第三波のあたりだったか。「コロナ禍で家にいるのはつらい、とはどういう社会なのか」というテーマをぼくが勝手に設定して東畑さんへ投げ、インタビューを重ねていった。

白石和彌監督の『孤狼の血 LEVEL2』（二〇二一）を東京の映画館で観たせいか、アジアのノワールものが観たくなり、往路ではタブレットで韓国映画『チング 永遠の絆』（二〇一三）を観直してきた。

白石監督のことも「AERA」の「現代の肖像」で書かせてもらったことがあり、もちろん作品はすべて観ている。ずいぶん言葉を交わした。ぼくはまごうことなき白石ファンというか、リスペクトする表現者のひとりである。ちなみに、今回の作品もすばらしかったのだが、主人公のひとり、鈴木亮平演じるシリアルキラーのようなヤクザが在日コリアンであることの描き方――白石監督の「差別」と「暴力」に対する意図はわかるのだが――が些か粗い感じは否めなかった。

那覇空港に着いて閑散とした午後の空港内の売店で売れ残っていた四〇〇円の弁当を、売店の電子レンジであたためてその場で喰う。しばらく、椅子に座って惚けていた。

部屋に着いてからも韓国のノワールものが観たくなり、ナ・ホンジン監督の『哀しき獣』（二〇一〇）とその前作の『チェイサー』（二〇〇八）を観直していたら、日付が変わっていた。映画を観ながら七～八年前に買ってため込んでいたイタリアのトマト缶詰を七個使ってトマトソースを仕込む。どうせ、あまり外出しないから、これをいろいろ毎日アレンジして食べよう。

9月17日

あるメディア業界誌に掲載された元編集者の瀬尾健さんの連載に自分の名前を見つけた。

僕が伊良部島の話を何度も書くのも、一種のマウンティングというか自慢だろう。本人は「幸運な早期退職で大金を手にし、沖縄に別荘購入！こう書くとまるで絵に描いたスノッブ成功者でしょ？　でも実は全然違ってですね……」とズッコケ話のつもりでいても、けっきょくはオルタナティブを手に入れた都会人の俺スマートでしょ、という自己陶酔からは自由になれない。

そもそも、土地建物の管理にしても隣近所・地域のつき合いにしても、本当の苦労は二階を守ってくれているゲストハウス主人に任せてしまい、僕らは時々顔を出してはオーナー風を吹かせているだけだ。これは〝よいとこ取り〟だから楽なのだ。いつまでもお客さんだから。こういう自己欺瞞には自覚的でありたい、とは思っている。いま快適で楽しいのは、欺瞞の上にあぐらをかいているからだ、と。

だから藤井誠二の「沖縄・東京二拠点生活」などをケッと思いながらも注意深く読んでいる。藤井は那覇のマンションを買ったようだが、勿体ない、と思う。もし情熱と暇があるなら都会ではなく、田舎の、部落の中の古い戸建てに住むのが良い。それがもっとその土地を味わえる（苦労も味わえる）方法だ。那覇だと東京と変わらない。何やらハビトゥスというか自分を揺るがせずに済んでしまう。文人のまま、都会人でいられる。

文化人・都会人・内地人のハビトゥスをまとったまま沖縄に接し、沖縄を語る欺瞞があると思うのだ。とくに県紙が文化的な本島では〝内地の文化人〟が〝沖縄に好意的〟というだけでゲタを履かせてもらえる。そうした特権を有する者が発する〝ウチナー論〟がどれほど真実をえぐれているか、僕は疑問に思う。

だから、一時期、沖縄に定住していた社会学者の打越正行さん（『ヤンキー地元』の著者）と、沖縄大学教員の樋口耕太郎さん（『沖縄から貧困がなくならない本当の理由』の著者）が好きだと瀬尾さんは書いていた。ちなみにぼくは、打越さんは友人だし著作も評価しているが、樋口さん――かつてインタビューさせていただいたことがある――の『沖縄〜』という本に書かれている、沖縄に対する視線が嫌でたまらなくて、本人に公開で批判を送った。残念ながら返信はなかった。やっぱり、と思った。でも、SNSでブロックはされなかった。この本はネットでもずいぶん賛否両論あって、とくに沖縄で「炎上」していた。

瀬尾さんには、拙著『沖縄アンダーグラウンド』の取材費用を集めるためのクラウドファンディングに協力してもらったし、そのときにお目にかかっていて面識もあったので「読みました。いろいろ考えさせられました」とSNS上でメッセージを送ったところ、「こんど伊良部島に遊びにおいでよ」と返信が来た。彼の文章には何の反発も感じなかったが、あえていえば、ずっとぼくが考え続けていることのひとつを念押しされた感覚だろうか。ぼくは取材者として動きやすいように那覇の中心に住んでいるし、取材者という「鎧」のようなものを着ていないと人とコミュケーションを取れないヘタレなので――まあ、業のようなものかもしれないとでも今のところは言うしかないのだけど――書くもので評価をしてもらうしかないのかな。

昼過ぎに起きて夕刻まで仕事をして、新都心まで歩いて映画『ドライブ・マイ・カー』（二〇二一）を観にいった。うまく書けないが、観終わって、ぼくが生きてきた道筋の中で蓋をしてきたある感情に気づかされた気がする。この映画を観ようと思ったのは、数十年来の友人であるライターの尹雄大さんが濱口竜介さんにインタビューしている記事を読んだから。濱口さんが映画

『ハッピーアワー』（二〇一五）を発表したときにおこなわれたものだ。全編は尹雄大さんのオフィシャルブログから見られるようになっているので読んでほしいが、たとえば次の箇所がとくに印象に残る。

尹　：自分の仕事に引きつけて言いますと、聞き取った内容をまとめる仕事はノンフィクションでありながらフィクションの要素もあります。嘘を書くわけではなく、断片的な事実をストーリーとして綴るためには書き手の描写が必要だからです。その際、濱口さんが他の脚本家とのあいだで起きた通じなさなと同じようなことが生じます。僕にとって「この人はこういうことを言わない」文言が読者への説明として必要だと言われることがあります。でも、「そういうことは、この人のからだは言わない」という確信があります。

濱　口：それを言わないと話がつながらないと編集者は感じるわけですね。

尹　：はい。でも、生身の人間は説明的に生きていませんよね。話に脈絡がなかったり飛躍があるのが当たり前です。いつでも理路整然と語れるわけがないし、辻褄の合う行動を常にしているわけでもない。

濱　口：そうなんですよ。ドラマを語るということは、どうしたってご都合主義です。だからドラマをあるテキストで進めていっても、実際のからだで演じると「そうはならないよ」ということが非常にたくさん起こります。

インタビューの全体を読まないと意味がわかりづらいかもしれないが、深く首肯できることをふたりは話し合っている。深夜になって、キム・テギュン監督の『暗数殺人』（二〇一八）を観てから、仕込んでおいたトマトソースをパスタにかけて食った。寝たのは深夜三時ぐらい。

9月18日

今日も、仕込んでおいたトマトソースをアレンジしてご飯にかけて食べ、仕事に取りかかる。合間に岡本尚文さんの写真集を本棚から取り出す。前回は岡本さんの個展に二回行って、ご本人とゆんたくしてきたが、あらためて写真集をじっくりと眺める。個展に展示されていた作品はここに収められている。『沖縄01 外人住宅 OFF BASE U.S. FAMILY HOUSING』と、『沖縄02アメリカの夜 A NIGHT IN AMERICA』。

後者の写真集には、以下のまえがきが添えられている。

（前略）『アメリカの夜』というタイトルはフランソワ・トリュフォーの映画から想起した。古い映画では昼間に夜のシーンを撮るためにブルーのフィルターを装着して「夜」を撮影する。フェイクな夜。

そのことを浅川マキは『アメリカの夜』という曲で歌った。

私は音楽をきっかけにアメリカの文化に強く影響を受けた。

それは「格好の良い」フェイクなアメリカでもあるが、この島の深淵には別の顔が潜んでいる。

沖縄とアメリカ、日本、そして自分との関係。

それが何なのか、答えを探している。

だから写真を撮り続けて「採集」する。

夜に現れるアメリカを。

岡本さんが「採集」した風景は昼間に見ると、老朽化のせいもあって、ほこりっぽく感じる。時代の遺物的な感じもある。しかし、夜になると闇をまとって表情を変える。暗さと照明のせいだけではないはずだ。それがなぜだか、ぼくにはわからない。ちなみに上間陽子さんの『裸足で逃げる―沖縄の夜の街の少女たち』(二〇一七)の表紙写真は岡本さんの作品だ。

9月19日

夕刻まで仕事をして「ひばり屋」へ歩いて出かけて珈琲を飲む。「おとん」の池田哲也さんがいた。そのあとで「GARB DOMINGO」へ寄って新里竜子さんの皿を衝動買い。某カフェで沖縄政治の事情通に会って、さまざまな「裏話」を聞かせてもらう。帰りに弁当を買って帰宅。

9月20日

午前中、黒川隆介さんの詩集『この余った勇気をどこに捨てよう』(二〇二一)を読む。ときどき声に出して読む。詩人はいったいどうやって言葉を思いつき、紡ぐのだろうか。

午後から、レンタカーで沖縄市の古謝《こじゃ》へ。東江《あがりえ》厚史《あつし》さんにインタビュー。彼は玉城デニー知事の親友だ。いつ始まって、いつ終わったかわからない濃密な「語り」を引きだせた余韻のようなものが残る。とても感慨深いインタビューができた。ぼくはほとんど発問しなかった。相手の言葉を確認するために聞き直す以外は、「ああ」とか「そうですか」という合いの手を入れて流れを変えたりする程度。聞き手がしゃべりすぎるインタビューはたいがい出来がよくない。ぼくはひたすら相手がしゃべるのを聞くことに徹することができた。インタビュー後は、やはり高揚する。その帰り道に相手の言葉を反芻するのが好きだ。

じつは沖縄県知事・玉城デニーさんの青春記を書き下ろすつもりで、光文社にオファーしている。企画が通るか通らないかはわからないが、ぼくは何かにつきうごかされ、あちこち取材してまわっている。人に会い、資料にあたる。東江さんへのインタビューもそのためにおこなった。タイトルは、『誰も書かなかった玉城デニーの青春―もう一つの沖縄戦後史』にする予定だ。

その足で宜野湾の大山に寄って、ちょっとした取材。「ひばり屋」に寄って珈琲を飲み、帳がおりてきたので帰宅して、またまたトマトソースでパスタ。そういえば、「ひばり屋」にいるとき、主の辻佐知子さんが笑いをこらえて「そのTシャツ、おしゃれなの?」と聞いてくるので、見れば、裏表逆、前後逆。ブラックのTシャツだったので気づかなかった。今日会った人たちは笑いをこらえていたんだろうな。辻さんが「ダブル逆」Tシャツを着たぼくをFacebookに載せていた。違和感はずっと感じていたが、ちゃんと確認しようと思わなかった自分が笑える。

9月21日

QABの島袋夏子さんとランチ。久しぶりにいろんな話をした。彼女はQABにうつる前から別の地方局でドキュメンタリーを作り続け、数々の賞を得ているすごい記者なのだが、取材者が被取材者の「人生」にどう有益なかたちで介入するのか、どこまで介入していいのか、してはならないのか、などを具体例をあげて話し合う。昼間から重い話をして脳味噌が疲れてしまった。

彼女は、ジャーナリストのジョン・ミッチェルさんらと『永遠の化学物質―水のPFAS汚染』(二〇二〇)というブックレットを出している。沖縄(だけではない、大阪や東京でも)の米軍基地から流出した化学物質が沖縄の水や土地を汚染している。今年、ジョン・ミッチェルさんは、それら日本の環境汚染の実態を告発した『POISONING THE PACIFIC』（二〇二〇）という本でアメリカのNPO「環境ジャーナリズム協会」のレイチェル・カーソン環境出版賞の二位に選ばれた。衆議院議員（当時）の屋良朝博さんも国会などで追及しているが、米軍による土壌汚染はほんとうにひどい。彼らは日本をゴミ捨て場ぐらいにしか思っていないのだろう。

部屋に帰ってから、またトマトソースで煮込みを仕込み、仕事をする。一段落して、東京都写真美術館で見てきた、山城千佳子さんの個展「リフレーミング」の公式パンフレットを読み直した。前にお目にかかったときに、この個展に出されていた新作の話をしておられたような気がする。山城さんの作品を回顧できるのはすばらしい機会だった。山城さんの表現をどう言葉にするかわからないでいるが、「沖縄」が彼女の「身体性」を透過することにより、ある種の原初的な沖縄の姿が社会問題に巻き込まれていくにつれ、人々が狂い、もがき、躍る様は心を揺さぶられる。

公式のパンフレットのまえがきを読んで、綿密なロケハン、つまり現場取材をしていることに驚いた。山城さんは山肌がむき出しの鉱山地帯の中に残るちいさな集落にばったり出会ったことから着想を得ていったそうだ。荒涼とした削られた岩石の中に取り残された集落には聖地が残り、岩石の山の一部にも聖地が破壊されずに残されているという。目の前の海ではマリンスポーツを楽しむ人々がいて、そのせいで折れてしまった珊瑚のかけらを家に持ち帰り再び命を与えようとしている人がいることも知る。

海が砂漠化していく現況。その中に深く眠り、沈む、残された人々の聲のかたち。そういった風景から何かを感じることができるのか、何も感じないのか、研ぎ澄まされた山城さんの感性に触れると、澄んだ美しいブルーだが、浅く潜ると絶望的に暗く感じた海で方向感覚を失った、かなり前の記憶を思い出した。あれからぼくは海に潜るのをためらうようになった。

9月22日

九時にリモート取材後、プラモデル製作に取りかかる。じつは沖縄滞在初日からロボットのプラモデルをパーツごとに「牛歩戦術」でつくってきた。今日、それがやっとこさ完成する。プラモデルなんて小学生のときに作ったのが最後だった。極小の部品を小型のニッパーを使って切り離し、組み立てる。集中力を高めようとか、右小脳出血をやったあともそういう作業ができるだろうか試してみるというもっともらしい理由をつけてはみたが、楽しいわ、これ。

昼まで仕事をして桜坂劇場でドキュメンタリー映画『東京クルド』（二〇二一）を観る。よくできた、必見の作品。現代日本の暗部をへんな演出めいたものなしにえぐりだしている。観終えたら帰宅して仕事の続き。

夕刻に酒とつまみを買って、森本浩平さんの自宅で「宅飲み」。森本さんは豚しゃぶしゃぶを用意してくれていて、高級な肉なので会費制にした。普久原朝充さんも合流。彼は、普天間に今も存続するAサインバー「CINDY」――ぼくも何回か行ったことがある――のオープン四〇周年を記念するウイスキーボトルをどこからかもらったそうで、それを持ってきた。なんだかもったいないので封を切らず、森本さん宅に置いてきた。ぼくはビールと芋焼酎を買っていったが、三人ですべて飲みきり、久々に三人ともべろんべろんに。

9月23日

二日酔い気味。今日もやーぐまいするつもりで黙々と仕事をする。合間に、熊本博之さんの『交差する辺野古―問いなおされる自治』（二〇二一）を拾い読みした。新基地容認へと変わっていった沖縄・辺野古の複雑な地域性を浮き彫りにしている好著。

一度だけ、外出をした。今日はぼくの「藤井誠二の沖縄ひと物語」が掲載されている「琉球新報」の発売日なので、コンビニへ買いにいった。今日発売の回には、沖縄の県産本を作り続ける出版社「ボーダーインク」の編集者・喜納えりかさんにご登場願った。琉球大学で政治学を学び、革新陣営にも関わってきた彼女は「沖縄のリベラル」を自覚しているが、彼女が感じる「沖縄のリベラル」は男社会で、男尊女卑的な体質を変えられないことへの厳しい指摘などを聞き、書いた。

9月24日

朝、新都心へ。ジャン松元さんと合流。街づくりコーディネイターの石垣綾音さんを撮影する。予定ではこの女性が「琉球新報」の「藤井誠二の沖縄ひと物語」の最終回になる。思えば、長い連載になった。帰宅してからはひたすら仕事をする。インタビューの文字起こしを「慈しむように」、ゆっくりとやる。音で記録された言葉や間合いや空気感を反芻しながら文字に変換していく。文字起こしはただの機械的な作業ではない。

実弟の鉄の彫刻家・藤井健仁宛に包丁を送った。沖縄の鍛冶職人、知名定順《ちなていじゅん》さんが手打ちで作った「カニマン鍛冶工房」の包丁。というより、刃物と書いたほうがいい存在感。戦後、沖縄では車の板バネで造られた刃物が重宝がられた。いまは廃車になった軽トラの板バネを使うらしい。トラクターの爪なども使ったそうだ。鋼鉄はとても貴重で手に入れることがむずかしかった。

工房のある宜野座あたりの道の駅でその無骨な美しさに一目惚れし、衝動買いした。肉や骨を叩き切り、割る。斧のような感覚。手にずっしりとくる。ぼくのような軟弱者には使いこなせないまましまってのおいたのが、今回たまたま目にして、握ってみたとき、これは鉄彫刻家の実弟に譲るべきだと思い、急ぎ送った。たしか入手したときに弟に知らせたら、たまたま刃物の専門誌で「カニマン鍛冶工房」特集ページが組まれていて、それを送ってくれた記憶がある。

9月25日

昼まで仕事をして、ジャン松元さんと合流。恩納村の海岸アポガマへ向かう。玉城史奈子さんと娘さんを撮影に行く。彼女は子どものころ、ここで貝や蟹などを採っていた。潮たまりに残された熱帯魚が美しい。途中で雨が強くなり、岩場で遊んでいた米兵やカップルたちが巨大なガマの下に入ってきた。いっこうに雨足は弱まらないので、びしょ濡れになって、車に乗り込み、彼女の家におじゃまさせてもらい、ご両親にご挨拶。観葉植物の農家をされているので、広大なビニールハウスを見せてもらう。「一鉢もっていったらいいよ」とのお父様の笑顔に甘える。

彼女は有名でも、特別な何かに秀でた人でもないが――何か新聞ネタになるような人ではない――彼女の「人生」の断片を拾い集めて書き終えて、ジャンさんに見せたときに「ある意味でいちばん沖縄らしいね」と彼は言ってくれた。ふつう書き手は他者の「何か」を書こうとするわけだが、その何かが目立つような要素がなくとも、とてつもない輝きを持っているとき、それをどう書くか。煩悶《はんもん》した原稿だった。彼女（と娘）には、ジャンさんとの共著本の書き下ろし・撮り下ろし本『沖縄ひとモノガタリ』にご登場願う。寝る前に映画『ジョーカー』（二〇一九）を観たら、三時をまわっていた。

9月26日

やーぐまい。文字起こし仕事をひたすら続ける。大切なインタビューはなるべく要約せずに、相手の息づかいまで記録していく。語り手の声の肌理《きめ》に触れるような感覚。インタビュー中は気づかなかった、語り手の言葉の間や感情の揺れ動きを注意深く聞き取る。文字起こしをなるべく自分でやるようにしているのは、インタビューを追体験というか、自分も相手の言葉にどう反応しているかが、客観的にわかるからだ。だから、集中力が続かず、二時間のインタビューをおこすのに数日かかることはざらだ。

今日は誰とも話さなかった。夜になって、武田一義さんの漫画作品『ペリリュー──楽園のゲルニカ』（全一一巻、二〇一六－二〇二一）をKindleで読み出す。かわいらしいタッチのキャラクターたちで描かれる戦闘の地獄。

9月27日

やーぐまい。昨日と同じ。インタビューの文字起こし。取材した人々の言葉に埋もれる。腹がへると冷蔵庫に入っているもので何かを作って食べ、パソコンの前にもどる。その繰り返し。今日も誰とも話さず。

9月28日

午前中から、NPO「ｋｕｋｕｌｕ」で鼎談の司会。鼎談には金城さん、今木さん、糸数温子さんにも参加していただいた。進めてきた出版プロジェクトの本に収録する。関わっていた子どもたちの経験を、「ｋｕｋｕｌｕ」の主宰者の金城隆一さんと今木ともこさん、当事者の子どもたちから丹念に聞き取り、それをぼくが原作化し、沖縄在住の漫画家・田名俊信さんが描く。一部のプライバシーに関わる部分をのぞき、すべて実話。もちろん、「ネーム」の段階で子どもたちにも読んでもらい、ていねいに事実を確認してもらう。沖縄の子どもたちが置かれた現実のきびしさの断面を聞くと、胸が押しつぶされそうになる。帰りに「武蔵家」でラーメンを食べて帰宅、ちょっと昼寝してから仕事をする。

今日付の「琉球新報」が、「性的被害、社会運動でも…寝室侵入された女性『泣き寝入り』」と題した記事を書いていた。被害者が匿名で告発していた。ぼくが先日、紹介した喜納えりかさんのメッセージとつながる。「男社会化」した運動の内側では性暴力は横行しているという事実は喜納さん以外からも聞いていた。

記事の末尾を抜粋する。

被害に遭った女性は、これまで見過ごされてきた社会運動の場での性差別や性暴力への対応は急務だと訴える。ほとんどの被害者は「運動をつぶしたくない」と口をつぐみ、泣き寝入りを強いられている。運動隊は「分断につながる」と言って、口をつぐませていると指摘。あらゆる運動体の意識改革を求めている。

運動体内では性暴力についての勉強会を開き、加害者とされる男性は酔って覚えていないことも書かれている。

被害者含め、記事ではすべて匿名だが、ぼくはこの「社会運動」がどこなのか知っている。その運動体自体に関わっている女性がＳＮＳでさかんにこの事実を批判していたからだ。彼女は正しいと思った。だから、メディアの人間も当然知っていたはずで、ようやく記事になったかと思った。沖縄の「反戦運動」の象徴のひとつである「そこ」は、多くのメディアに取り上げられた。運動はいくつもの映像作品にもなっているから、当然国家の横暴と闘う「社会運動」の姿が印象に残る。イデオロギーは関係なく、個人の尊厳を押しつぶしたことを、社会運動の「大義」で隠そうとする体質は共感を得られようはずがないと思うのだが。

9月29日

午前中、那覇空港へ。復路は黒田卓也さんのアルバム「ライジング・サン」を聴いていた。羽田空港に着いてメールを見ると、勝手に進めてきた、玉城デニー知事の青春期をさまざまな人たち（もちろん本人のそれを中心に）のオーラルヒストリーを重ね合わせて立体化する単行本の企画が通ったという、光文社の編集者からだった。がんばらねば。タイトルも『誰も書かなかった玉城デニーの青春―もう一つの沖縄戦後史』でいくことになった。

首里劇場

Ⅳ　沖縄で暮らす人たちの物語を紡ぐ

19　「体調がいい！」と叫びたくなった日など一日もない

2021年10月15日

名古屋での仕事を終えて、早朝の沖縄行きのフライトに備え、ホテルで早く床についていた。すると深夜二時すぎに携帯が鳴った。目を覚まして出てみると、関西地方に住む女性の友人からで、酒と睡眠薬を数十錠飲んで、これから、散歩に出て行き倒れのように死ぬから、あとはよろしくといったことを、呂律《ろれつ》がまわっていない状態で話した。「その場からはやく一一九番して」と繰り返したが聞く耳を持ってくれない。どんどん睡眠薬の影響で意識が遠のいていくのが電話越しにわかる。そのうちに何か物音がして応答がなくなったので、そのまま倒れたのだろうと推察した。

ぼくはすぐにその友人の地元の警察に連絡して、彼女の住所や携帯番号、会話の中で出てきた地名などを伝え、特定の地域を推定して捜索を依頼した。携帯電話のGPS機能を使って居場所を特定してほしいと頼んだが、警察がそれをおこなうのは当該者の家族などからの依頼があったときに限られていて、「友人」だけではおこなえないという。それでパトカー数台と自転車や小型バイクに乗った警察官を動員して朝まで捜索してくれた。

一時間おきぐらいに担当の所轄の警察官から電話があり、友人との間柄や職業、友人の生活環境をあれこれ聞かれる。けっきょく見つからなかったが、早朝六時すぎ、救急隊員から電話があり、いま救急車に収容して病院を探しているという。「助かったんですかっ⁉」「ええ、川の土手で意識を失って転げ落ちたようで、水には浸かっておらず、石などに頭をぶつけた裂傷などはあって、若干の低体温症と思われますが、命は問題ありません」。ああ、よかった。間に合った。

早朝散歩の人が見つけてくれて、通報してくれたようだが、事前に警察に通報してあったからその後の手続きは迅速だった。そのあと、所轄署からも電話があり、無事だったことを伝えられた。もし見つからなければ、沖縄行きを変更して、その友人の地元に向かおうと思っていたのだが、ほっと胸をなでおろした。友人の自殺念慮は長年にわたるものだし、ぼくは他の何人かの友人についても同じやり方で保護してもらったことがある。たいがい、友人たちは地元に頼れる友人がいないので——ぼくとは取材で知り合った——電話を受けたぼくが警察に電話をすることになる。ほぼ徹夜状態だったので、飛行機が離陸したとほぼ同時に眠りに落ち、那覇空港に機体が着陸した衝撃で目が覚めた。

部屋についてしばらくすると、呂律がまわらない友人から電話があった。助けてくれたんだって？　ありがとうね。何を話したのか覚えてないんですよ——。こんなことを言っていたよ、と説明すると、友人は記憶を少し統合できたようだったが、大半の記憶が欠落していた。大量の睡眠薬を飲んでいるから、これから数日間は絶食だろう。外傷の手当てもある。なるべく早い時期に会いにいく機会を作ろうと思う。

しばらく横になったあと、普久原朝充さんと合流して晩飯。牧志の「米仙」でセンベロ寿司。ぼくの中で完全に沖縄のセンベロ一位が「米仙」になっている。緊急自体宣言が開けて、一〇月一日から営業を始めたのだ。街も人流が多い気がする。帰ろうとふたりで歩いていたら、ジュンク堂書店の森本店長と、集英社でぼくの『沖縄アンダーグラウンド』の文庫版を担当してくれた田島悠さんが歩いているところに遭遇。

栄町の「おとん」に顔を出してご挨拶したあと、近くの焼売が名物の「ムジルシ」の外のカウンターで飲んでいたら、ずっと以前にうちに遊びにきたこともある写真家で俳優（沖縄のテレビCMでも見かける）久高友昭《くだかともあき》さん、宝田幸子さん、天才ラーメン職人の野崎達彦さんなど知ってる面々と久々に邂逅。カウンターは道路側にあるのでどうしても歩道のほうにあふれ出てしまう。それぐらい安くて美味い。巡回中の制服警察官にかるく注意をうながされた。帰りに「リウボウ」で食料などを買って帰宅。

10月17日

昼まで寝て、昨日、空港で買っておいた弁当をあたためて食べる。ずっと仕事。文通している長期懲役囚からの手紙に長い返事を書く。

件の自殺未遂で入院した友人と、今後のことなどについて電話で話す。なんとか生きていく気力を少しでも取り戻してほしい。元気いっぱいになってほしいとは思わない。ぼく自身、十数年前にパニック障害を患ってから、「今日は体調がいい！」と叫びたくなった日は一日もない。ぼくも基本的には身心状態は低空飛行のまま生活している。その中で精一杯仕事をこなし、眠れない夜をなんとか埋め、朝を迎える。基本的にその繰り返し。まあ、それでいいかなと諦観している。今日はどこかへ飲みにいく気も起こらず。

10月18日

昼前に起き出して飯を喰う。冷蔵庫にある野菜類などを炒めて、それをおかずに素麺を食べる。夕刻までずっと仕事。さがしていた資料がどこの古書店に問い合わせても、シリーズもののその巻だけがない。図書館に行くしかないと思っていたが、ふと見ると分厚いそいつが本棚に。領収書が入っていた。思い出した。移転する前の「ちはや書房」で取り置きしてもらい、購入していたのだった。手に入りにくい官製資料だし、いつか使うこともあるだろうとその希少本に大枚をはたいたんだった。うれしさと同時に、最近資料本の二度買いがたびたびあるので、そのたびにかるく落ち込んでいた気持ちが上書きされたような。

夕刻に、半年ぶりにのれんを出した泊の「串豚」で、沖縄生まれ育ちの女性と、関西から移住して長い男性と待ち合わせて、久々の串を打ったホルモン。美味い。「ジェノベーゼ」というメニューがあったので、聞けば、「コロナ休業中に家でパセリを栽培して、それをペーストにしたんですよ」と瓶に入ったそれを主の喜屋武満さんが見せてくれた。スパゲティに絡め、小鉢に盛る一品。素朴で美味しかった。

ふたりの家が栄町方面なのでいっしょにタクシーで向かう。モノレール安里駅のすぐ下にあった沖縄そば屋台――いまは移転してしまったらしい――の跡は「リウボウ」の駐車場が拡張したかたちになっていて、そば屋台には跡形もなくなっていた。となりの拝所だけはそのまま。そこにキジトラの子猫がいた。たぶん人間に世話してもらっているのだろう。人なつっこくて嫌がらずに抱っこまでさせてくれた。あのあたりがテリトリーだと思われるので、ふたを開けたプラスチック容器の猫の餌を買って、拝所に供えるようにして置いてきた。

10月19日

昼前まで寝ていて昨日と同じように家飯。ひたすら原稿を書く。河出書房新社の季刊文芸誌「文藝」（二〇二一年冬季号）の特集は「聞き書き、だからこそ」で、高橋源一郎さんと斎藤真理子さんの対談など、充実した内容だった。とくに、『東京の生活史』（二〇二一）という超大部の本を編集したばかりの岸政彦さんの「聞くという体験」という文章がいい。これは研究者や文筆業だけでなく、他者から「聞く」ということを生業にしている人は読んだほうがいいと思った。

「聞き書き」そのものを表現することと、聞き書きをおこなってそれを「ルポ」の形式にまとめるという表現とはいろいろな重なりもあるが、差異もある。ルポルタージュは、単行本などの「長尺」のときは「聞き書き」スタイルをそのまま掲載することもあるが、雑誌などでは文脈に合わせて短く刈り込んだり、言葉を足したり、（事実関係の）ウラをとったりして「成形」してしまうことが癖になってている。

岸さんは、いとうせいこうさんとも対談していて、いとうさんは自著の『福島モノローグ』（二〇二一）を紹介していた。その本はぼくも読んだが、ひとり語りのかたちで表現している理由がよくわかった。「聞く」という営為の奥深さと、不思議さ、大事さがそれぞれの論者から語られた貴重な一冊だ。

10月20日

朝、レンタカーで北部へ。宜野座村《ぎのざそん》で用事を済ませて、宜野座の「道の駅」で沖縄そばとジューシーを食べる。天気がよかったので、しばらく海を眺める。そのあとコザに向かって、仲村晃さんにインタビューをたっぷり三時間以上させてもらう。彼も玉城デニー知事の古い友人だ。デニーさんの青年期を描くには、仲村さんの回想は欠かせない。

事前にメールでコミュニケーションをとっていたせいもあるのだろうが、初対面とは思えない（少なくともぼくはそう感じた）リズムで彼は話し始めた。合いの手をはさむ必要はほとんどなかった。沖縄の「復帰後」をどう生きたか、いま取り組んでいることなど……レンタカーを返却するため、那覇のレンタカー店に返却する時間を考えておいとましたが、いい言葉をたっぷりと浴びた感触が身体に残った。

那覇に戻って、松山の「酒月」にてひとりで晩酌。半年ぶりに主と話す。酒類提供ぎりぎりの時間までいて、人のほとんどいない松山の街を歩いて、五八号線まで出てタクシーに乗った。

10月21日

曇天。朝方に雨が降ったので、バルコニーに出てみると、雨が降ったあとのにおいがした。昨日取材した方の経営するカフェでケーキを買っておいたので、それを食べる。書評用にある本を読み終えて原稿を書き出したら一気に進んだので、書き上げて担当者に送信。

遅い午後に国際通りを端から端まで歩いて、通りに面したビルへ向かう。玉城デニー知事が高校のときに組んでいたバンドのメンバー・糸数昌睦《いとかずまさひろ》さんとの待ち合わせまで時間が四〇分ほどあったので、時間をつぶそうと思ってカフェを探すと、観光地として有名な、紅芋タルトで知られた御菓子御殿の二階にカフェがあった。広い。増え始めた修学旅行の一行や、地元のおばあさんたちがいる。価値ある大型のやちむんも展示してあって目にも楽しい。こりゃあ、いい。打ち合わせや取材に使えるな。このカフェスペースを今まで知らなかった。

約束の時間になり、近くのビルの一室で糸数さんにインタビュー。充実した対話ができた。四〇年以上前の貴重な写真もデジタル化してくださっており、ちょうだいできた。ありがたい。

知り合いの居酒屋を何軒かのぞくが、どこも閉まっている。前から取材をお願いしていたが固辞されていた人の店に行き――閉店間際に行くとたいがいお客さんがいなくてゆっくり話ができる――あらためて取材を申し込んだ。すると、匿名を条件にOKをいただき、ラインを交換してもらえた。これまで拙著や拙記事を送るなどしてお願いを続けてきた。小躍りするほどうれしかった。

高揚した気分でセンベロ寿司「米仙」に行き、ひとりで晩飯。日本酒をちょっと飲みすぎてしまった。店は通りに面しているので、カウンターでひっそり飲んでいるつもりでも、それなりに目立つ。マスクをした女性から声をかけられたが、誰だかわからなかった。マスター（板前）の於本秀樹さんが「前に泥酔して声をかけてこられた女性ですよ」と笑っていた。プロの職人の記憶力、さすが。

衆議院選挙が告示されている。ぼくが生活の拠点を置いている一区は赤嶺政賢さん、國場《こくば》幸之助さん、下地《しもじ》幹郎さんが立候補。下地さんは自民党への復帰を求めていたが、けっきょく無所属。ぼくは沖縄県で選挙権はないけれど、関心はある。赤嶺候補と他のふたりは水と油だが、「日米地位協定」だけは「抜本的改革」で共通している。

10月22日

曇天。今にも降り出しそうだ。肌寒い。自分で作った朝昼兼用飯を食べて、夕方まで仕事。夕刻になってからバスに乗ってコザへ。一回乗り換えで行けるとアプリは教えてくれた。アプリの指示通りに途中で下車したはいいが、誰も歩いていない道路の真ん中。迷いつつ、アプリの指示どおりにさびしい農道を歩いていくと高速道路に出た。そうか、高速道路のバス停に上がり、高速バスに乗り換えろということか。闇が空を覆う寸前の中を車がビュンビュン飛ばす高速道路のバス停にひとりポツネンと立っていると、えもいわれぬ孤独感を感じる。

定刻から二〇分ほど遅れてバスはあらわれ、またも高速道路上で降りる。バスの中から取材相手に遅れる旨を電話した。下車するとき、バスのドライバーに「タクシーをひろえるところはないか」と聞くと「すぐ上に上がれば広い道路がありますよ」と教えてくれたので出てみたら、そこは嘉手納基地の第一ゲート前だった。車の量は多いがタクシーはぜんぜん来ない。

仕方ないので、またアプリに頼って第二ゲート前まで二〇分ほど早足で歩いて——一般的にゲート通りと言われるのはこっちのほうだが——ゲート前では有名なタコス店「Cafe OCEAN」に到着。やっとのことで親泊《おやどまり》功さんと会えた。彼も玉城デニーさんの高校時代のバンドのメンバー。一〇分の遅刻で済んだ。ちなみにこの店はかつて一九六七年からAサインバーだった。二時間、ビールを飲みながらたっぷりインタビューに応じていただいた。一段落してトイレから戻ると親泊さんは、ベン・E・キングの「スタンド・バイ・ミー」をライブスペースで歌っていた。すごい声量。

古い写真などの資料をお借りして、帰りは胡屋《ごや》十字路で那覇行きの最終バスに間に合い、拙宅の近くのバス停で降りることができた。コンビニで弁当を買って歩いて帰った。沖縄県内のバス旅はやはり慣れんわい。

10月23日

冷蔵庫にある物を調理して食べたあとは、インタビューの文字起こし作業。合間にさがしていた資料が三つも見つかり、テンションが少し上がる。夕刻まで仕事をして、ジュンク堂書店に寄り、ちょうどお子さんと本を買いに来ていた沖縄国際大学の前泊博盛《まえどまりひろもり》さんを森本店長に紹介していただく。しばしゆんたくして、ある政治家に会いに行く。

10月24日

昼まで仕事をして、NPO「ｋｕｋｕｌｕ」へ。ここに集まってきた子どもたちのことを漫画にした単行本（世界書院から発売予定）のかたちが見えてきたので、タイトル会議。二時間ちかく話し合った末、『スタンド・バイ・ミー―沖縄「ｋｕｋｕｌｕ」の子どもたち』（仮）に決まった（当時）。出版資金の一部をクラウドファンディングで調達することにトライしてみようという方向性も見えてきた。

そのあと桜坂劇場の「さんご座キッチン」で、写真家の岡本尚文さんと打ち合わせ。『沖縄島建築』という本に続いて『沖縄島料理―食と暮らしの記録と記憶』（二〇二一）という本を出したばかりの岡本さん。彼の作品を来年の春ごろに出す拙著（この二拠点日記本の第一弾）の表紙に使わせてもらうことになり、作品の見本を何点か預かる。かつて「ＤＡＮＲＯ」という朝日新聞社のウェブサイトに連載していた「二拠点日記」を、少部数だが東京の論創社から出してもらうことになったのだ（『沖縄の街で暮らして教わったたくさんのことがら』）。表紙はぜひ岡本さんの作品で飾らせてほしい。

打ち合わせ後は、岡本さんとセンベロ寿司屋「米仙」へ流れる。「ｋｕｋｕｌｕ」関係のメンバーらも三々五々合流。飲んでいたら批評家の仲里効さんにばったりお会いする。

10月25日

夕刻近くまで仕事して琉球新報社へ。ぼくと写真家のジャン松元さんの共著本の最終打ち合わせ。原稿がほぼすべて揃ったので、その確認など。ジャンさんと組んで「琉球新報」で約三年続けさせてもらった月イチ人物ルポ「藤井誠二のひと物語」三四回分＋ジャンさんの作品約三〇点＋「AERA」にぼくが書いた真藤順丈さんと普天間朝佳さんのルポ＋書き下ろし（七人分）を加えて、四三人の短編ルポを一冊の本に編んだ。解説は仲村清司さん。ジャンさんの作品がたっぷり入っているから写真集っぽくもあり、かっこいい。タイトルは今のところ「沖縄ひとモノガタリ」でいく。沖縄と深く関わり続けている、あるいは「関わり続けていた」人たちの、「ちいさな言葉」を注意深く聞き取り、集めたつもりだ。

ひとりでセンベロ寿司「米仙」で晩飯を食べていたら、アーティストの町田隼人さんに声をかけられた。このところの彼の売れっ子具合はめざましいものがある。町田さんのルポも『沖縄ひとモノガタリ』に収めている。

10月26日

「K・i t r・i」のアルバム「K・i t r・i s t」を那覇空港ロビーで聞き入っていたら、出発ゲートの変更に気づかず、腕時計を見たらなんと離陸一〇分前。新しいゲートに走ったら、地上添乗員が「藤井さんですかあ？」と言いながら小走りで近づいてきた。ぼくが最後の客。無事に定刻に離陸。あぶない、あぶない。

明日は、ジャン松元さんが東京に来て、歌舞伎町の路地で、作家の真藤順丈さんを撮影することになっている。ルポは「AERA」にぼくが書いたものだが、写真だけジャンさんが新たに撮り直し、単行本『沖縄ひとモノガタリ』におさめる。

20 フリオ・ゴヤさんの作品

2021年11月21日

二〇一五年に韓国の天安市《チョナン》で起きた殺人事件を元にしている映画『悪人伝』（二〇一九）を観ながらフライト。キム・ムヨルという役者を知らなかったのだが、裏社会と手を組む設定の役柄。存在感が抜群にいいと思った。観ていて飽きない演技。

ジュンク堂書店に寄って森本店長とゆんたくしていたら、そこにパートナーの実家に帰省中の双葉社の箕浦《みのうら》克史さんとばったり。長いあいだ、担当をしてきてもらったが、いまや双葉社の幹部の座にいる。明日、飯でも食べようと約束して別れた。ぼくはそのまま牧志のアーケード街のいつも「米仙」へ向かい深谷慎平さんともろもろ仕事の打ち合わせやら。「おかえりなさい」と板前の於本秀樹さんたちが声をかけてくれる。ジュンク堂書店でも「米仙」でも、何人かの知人とばったり。

深谷さんから、金秀《かねひで》建設社長の上地千登勢《うえちちとせ》さんのコラム（「沖縄タイムス」二〇二一年一一月二一日付）を見せてもらった。同僚の酒癖の悪さとセクハラ（具体的なエピードについて触れている）について書いたものだ。沖縄のメジャーな建設会社のトップの女性が「男社会」の悪癖に対するこうした内部告発ともいえる文章を書くのは勇気がいることだと思う。

（前略）多くの男性は「酔った席でのちょっとした冗談」のつもりかもしれないが、そういう仕打ちを受けると大抵の女性は恐怖で固まってしまう。その場で声を上げられない女性（男性）を見て見ぬふりをする人は、セクハラの当事者と同罪であると自覚してほしい。

浮島通りを歩いていると、餃子が美味い「華」に誰も客がいなかったので入る。ここの責任者の女性は十数年前から顔見知りで、向こうもぼくの名前を知っていてくれている。もともと安里の「漢謝園」でフロアを担当していて、餃子が美味くて安かったから、よくひとりで喰いにいっていた。

11月22日

昨夜、「華」で餃子とニンニク炒飯をテイクアウトしてきたのでそれをあたためて朝昼飯にする。ずっとインタビューの文字起こし。おこしながら、書き下ろし始めた玉城デニーさんの青年期を描いたノンフィクション『誰も書かなかった玉城デニーの青春』の出だしを練る。

夕刻、箕浦さんと彼のパートナーといっしょに、前島にある居酒屋「喜作」で飯を喰う。「喜作」は大東寿司（特製のタレでマグロやサワラを漬け込んだネタで握った寿司）で有名だが、やはり大東寿司は美味い。ドゥルワカシー（田いもを使った料理）も久々に食べた。箕浦さんの実家はこのすぐ近くなので、店とは顔なじみ。パートナーがさきに帰宅したので、箕浦さん行きつけのバー「glam」に歩いて移動。ぼくがたまに利用するレンタカー店の横にあるのだが、ここがバーだとは気づかなかった。三〇年前に新潟から移住してきた店の主によれば、オープンは二一時で閉めるのは朝の九時ぐらいだそう。その時間帯に酒を飲むのは、飲食店を閉めたあとのスタッフたちだ。

11月23日

昼前に深谷慎平さんが迎えにきてくれて、久茂地の立ち喰い蕎麦屋の「永楽蕎麦」で日本蕎麦を食べていたら、ヒップホップグループ「赤土《あかづち》」のクルーDJ4号棟さんがあらわれて久々にご挨拶。それから深谷さんの事務所に行って、取材相手からお借りしていた写真をスキャンしてデジタル化。

いま沖縄の漁港や砂浜を覆い尽くしている軽石（小笠原諸島の海底火山が一〇〇年に一度の噴火を起こしたことによるらしい）を見にいきたいと言ったら、深谷さんが浦添のカーミージーへ見に行きましょうと話にのってくれた。沖縄に残されたほとんど唯一といってもいい天然ビーチ。数日前はその付近に軽石が押し寄せ、灰色の海と化していたらしいが、いまはその残りがわずかに海面を漂い、岸に打ち上げられていた。風の向きなどによって移動していくのだな。

夕刻、知人と安里の「鶴千」で合流してある相談。「鳳凰餃子」に河岸を変えて紹興酒を飲む。両店とも美味いが、このお二方（五〇代男女）、大食漢だなあと感心しきり。

11月24日

野菜サラダとレトルトのビーフシチューで朝昼飯を食べたあと、夕刻までインタビューの文字起こし。資料と突き合わせながらの作業なのでのろのろとしか進まない。夕方に牧志である方にインタビュー。『誰も書かなかった玉城デニーの青春』関連の取材だ。彼の人生を聞く。長年、今回の本とは関係なく取材をお願いしてきた方なので感無量。ただし匿名が条件。街中のオープンエアのカフェ。インタビュー中に、閉店した惣菜屋さんのおばあさんたちが売れ残った惣菜や、野菜を安く買ってくれと販売しに回ってきた。それらを買い込んで晩飯にした。揚げ豆腐が美味かった。

11月25日

「琉球新報」のぼくの月イチ連載で社会学者の上原健太郎さんを取り上げた記事が掲載された。SNSにはこう書いて宣伝した。

【社会学者の上原健太郎さん。糸満出身。「沖縄では、日常会話の中ではユイマールとか出てきますよね。その精神があることはすばらしいといえるかもしれないけれど、言葉だけ独り歩きするとよくない」。ぜひ紙面等で御一読を。

夕刻まで書評で取り上げる安田浩一・金井真紀著『戦争とバスタオル』（二〇二一）を読み、途中で切り上げて、音楽家の伊波《いは》興奨《こうしょう》さんにインタビューするためにコザの登川《のぼりかわ》へ。玉城デニーさんの後輩筋に当たる方だ。時間ぎりぎりになってしまい、往路はモノレールの終点まで行ってタクシー。真っ暗な住宅街の中に、目立たぬ居酒屋。インタビューが弾み、二三時になっていた。復路はタクシーで那覇へ。六〇〇〇円ぐらいかかった。

一一月二一日付の「沖縄タイムス」に、以下のような記事が出ていた。

戦時中に朝鮮半島から沖縄に連れてこられた元日本軍「慰安婦」で、戦後も沖縄で暮らした裵《ペ》奉奇《ポンギ》さん（一九九一年一〇月一八日に七七歳で死去）の三〇年忌に合わせた追悼シンポジウムが二〇日、南風原町立南風原文化センターで開かれた。ぺさんが亡くなるまで一七年にわたり交流した金賢玉《キムヒョノク》さんらが登壇し、ぺさんをしのぶとともに、戦時下の性暴力の実態に向き合い継承していく重要性を訴えた。一三〇人余が聞き入った。

シンポジウムには、『沖縄ひとモノガタリ』のめんどうを見てくれている、同い年の松永勝利さん――今は「琉球新報」の出版を統括する立場にいる――も登壇していた。彼がかつてこの問題を追った連載記事を読みたくなり、本人にお願いしたらすぐに送ってくれた。

当時は三〇代で、社会部の記者だった松永さんは、一九九八年六月一八日付の「琉球新報」で、こう記している。

性奴隷ともいえる「従軍慰安婦」として人間の尊厳を踏みにじられた日々。それにも増して沖縄での戦後の暮らしは日常的に神経痛や激しい頭痛に苦しみ、ポンギさんは周囲の人に「独りで暮らす今の方がつらい」と漏らしていた。ポンギ・ハルモニ（おばあさん）は沖縄で生きた戦後の軌跡は、そのまま今の世に問う「遺言」ともいえる。

激しく胸に迫る連載記事だった。ポンギさんについては川田文子さんの『赤瓦の家―朝鮮から来た従軍慰安婦』（一九八七）にくわしいが、ぼくが取材してまわったどこかの売買春街にポンギさんの魂がさまよっているのでないか。あらためてそう思った。

11月26日

九時ぐらいに起床。焼きそばを作っていると、火災報知機の検査員ふたり組がやってきた。書評本（『戦争とバスタオル』）の続きを読み、原稿を一気に書き上げて担当者に送信。そのあとはインタビューデータを整理したり、文字におこす。

誰か先達がどこかで書いていた。ノンフィクションライターでもルポライターでも、記者でも呼び方は何でもいいが、そういう仕事をしている人は「足を棒のようにして」歩き回っている印象を世間から持たれているらしい。当たり前だが、実際は「書く」時間も必要だ。「書く」ためには資料を読んだり、取材データを整理する時間もいる。ノンフィクションは「足で書く」とよく形容されるが、それは比喩であって、デスクワークはおろそかにできないと、読み書きが苦手なぼくは思ったりする。

故・立松和平《たてまつわへい》さんの『世紀末通りの人々』（一九八六）が届く。この本には沖縄の人々が何人も出てくる。ぼくは初版本が出た年に買っていて、東京の仕事場の書棚のどこかにあることはわかっているのだが、ネット古本書店で買い直した。「資料」として再読する必要に迫られたからだ。立松さんとは面識はなかったが、二〇年ぐらい前だろうか、首里城に行ったとき城郭内の広場で何かのシンポジウムをやっていて、立松さんがその屋外シンポジウムのパネラーとしてしゃべっていたのを見たことがある。

仕事を続けて夕刻になり腹も減った。牧志へ歩いていく。すっかりぼく的には食堂化しているセンベロ寿司屋「米仙」へ。ドキュメンタリー監督の松林要樹さんと西日本新聞記者（那覇支局）の野村創《はじめ》記者と合流してかるく飲む。

11月27日

彫刻家のフリオ・ゴヤさんの個展が一二月に那覇市内であるのだが、その展評記事を署名で書いてくれないかと、本人から頼まれた。ぼくは「そっちのほう」は書き慣れていないし、個展開催中は沖縄に居ることができないので固辞していたのだが、断りきれなかった。だから午前中、モノレールの経塚駅の近くあるアトリエをたずねた。個展に出す作品はアトリエにすべて用意してあるので、見に行ったのだ。フリオさんは駅まで軽トラで迎えに来てくれた。個展タイトルは「シマからシマへ」。彼は、アルゼンチンの首都・ブエノスアイレス出身だが、いまは沖縄に住んでいる。そして瀬戸内の小豆島にも月のうち一週間ぐらい滞在して創作活動をおこなっている。だから、シマからシマ、なのだ。小豆島で集めた自然石と流木を使った作品群が今回の主役だ。

復路のモノレールに乗っていたら発作的に立ち食い蕎麦屋の「永當蕎麦」のかき揚げ蕎麦が食べたくなり、県庁前で下車。帰宅してからは、いきなりの〆切ができたフリオさんの個展について書くためにパソコンに向かう。これまでのフリオさんの作品とは方向性をシフトした作品から受けた「何か」を文字にするために一気に書き上げた（「琉球新報」二〇二一年一二月四日付に掲載）。

作品群を見て、ちょっと驚いた。それまで見てきた鉄で作られた「フリオの曲線」がほとんど見当たらないからだ。「フリオの曲線」とは私が過去に見てきた彼の作品から勝手に命名したものなのだが、彼が鉄板から削りだす独特のカーブやひねり、かたち、曲がり方などのことを指す。そこにフリオさんがよく使うカラフルな色が乗ると曲線が躍りだすような感覚を受けてきた。

今回はタイトルにあるように、ふたつの「シマ」、ひとつは沖縄、もうひとつは瀬戸内の小豆島を行き来する中でインスピレーションを得て、作品として結実している。

小豆島にある、静寂しかないアトリエ。個展前にアトリエで作品をすべて見せてもらったときにフリオさんに聞くと、小豆島のアトリエにはテレビも音楽もなく、波の音や風、小動物の鳴き声しか聞こえないという。近くに人も住んでいないから、人間が作り出したノイズがない。その静寂の中で浜辺を散歩しながら、たまたま目に入って拾い集めたものばかりが使われているという。同じく小豆島で手に入れた鹿の角も使われている。小豆島や沖縄の夕日をイメージをしたという花崗岩《かこうがん》を使った作品を気に入っているんだ、と彼は言った。

小豆島滞在中に集められた花崗岩や流木が、作品にふんだんに使われている。花崗岩は叩くと「石の目」に沿って平面状に割れる。その割れ方がフリオさんの感性を刺激したようだ。だからか、石には手を加えていない。拾ったまま、割ったままの姿だ。色をつけてあるものもあるが、とても塗りが薄く、岩肌が透けて見える箇所も多い。

もちろん、沖縄の素材も使われていて、砂浜に打ち上げられた珊瑚の死骸や、熱帯植物の種を包む分厚く固い皮なども作品のパーツとして使われている。アルゼンチンから以前に持ってきた鳥の羽もある。素材は他にもあって、ドライフラワーを加工したものや、ピアノの調律・整音部品、そして「フリオの曲線」を帯びた銅板や鉄板もちらほらと見える。

作品は「自然物」をベースにしながら、創作したものを混ぜ込むようにしてできている。かたちも素材もてんでばらばらなのだ。それらは互いに呼応するようでいて、反発しているようにも見える。即興的に「美しいと思ったもの」を積み上げたかのようだ。そして、それぞれのパーツの結節点が「柔い」。つよくつながっていないイメージを与える。ちいさな子どもが石や枝を積み上げたようですね、私が言うと「そうなんだ、そんな感じ」と目を細めた。

もちろん溶接部分はあるのだが、鉄以外の自然物の素材は、結ぶ、差す、はさむ、接着する、ねじ止めする、などの素朴な方法で結合されている。組み合わせるための加工の造作がほとんど見当たらない。それが結節点を「柔く」感じさせるのだろう。

過去の作品を見てきた私からすると、今回はフリオさんの鉄を自在に操る技術を封印しているようにも思えた。「フリオの曲線」も最小限にしか出していない。異なった素材と素材を人為的に抱き合わせるプロセスを省略してアート作品に昇華させたことが、いまのフリオさんの世界の触れ方、あるいは肌触りなのかもしれないと私は思った。

11月28日

昼すぎに那覇市内である方にインタビュー取材、その足でタクシーを飛ばし、イオンモール沖縄ライカムの中で武田誠さんと落ち合う。玉城デニーさんの高校の後輩だ。ライカム内はうるさいので、復帰後はヒルトンホテルとして使われていた某ホテルのカフェに移動してインタビュー。ホテル内のそこここにかつての面影が見える。

インタビューが一段落つくと、「会員制のコーヒー店にいきませんか」と誘われた。たしかに「今から行ってもいいか」と電話をしている。「アビイ・ロード」という、ほんとうに事前に電話をしていくコザ十字路近くの名物コーヒーショップ。店内は手作りのオーディオとビートルズのグッズで埋めつくされていた。ほんとうに美味い珈琲とケーキをいただく。

帰りは普天間まで送ってもらいタクシーを探しながら商店街を歩く。風が気持ちいい。たぶん住宅のリフォーム関係の会社だと思うのだが、見事なコウモリランがびっしり道路に面した表側を埋めつくしている。コウモリランはぼくの大好きな熱帯植物のひとつなのだが、これほどの「群生」にしばらく見とれていた。

那覇に着いてジュンク堂書店の森本店長と「米仙」へ。そこへNHKの「異能のディレクター」渡辺考《こう》さんと写真家の岡本尚文さんも合流。何人かの知人や顔見知りと遭遇したが、たまたま通り掛かったタレント（元お笑いポーポー）の津波信一さんらと同席して盛り上がる。津波さんは「しんちゃん」の愛称で沖縄のテレビでよく観る顔。拙著を読み込んでくれていることがわかり、うれしかった。

渡辺さんは、大西巨人の『神聖喜劇』を、若き日の時代の西島秀俊さんを起用して朗読劇に仕立て上げた異能・異才の人である。『神聖喜劇』は何度も読んで挫折しているので、漫画版で何度か読み通した。帰宅して荒井晴彦さんの『シナリオ 神聖喜劇』(二〇〇四)をネット古書店で注文。荒井さんとは何度かお会いしたことがあるが――たぶん、ぼくは覚えられていない――日本を代表する脚本家の凄味を思った。

11月29日

昨夜買っておいたファミマのゴーヤーチャンプルー弁当をあたためて食べる。夕刻まで仕事。いくつか重要なアポ取りが順調にいって一安心。むつみ橋のスタバで、『沖縄ひとモノガタリ』の校正実務を一手に引き受けてもらっている編集者の坂本奈津子さんと打ち合わせ。そのあとはまたも「米仙」へ。普久原朝充さんと、昨日も会った岡本尚文さんがやってきて合流。そこへ通り掛かったジュンク堂書店の森本店長も合流。

しばし飲み食いしたあと、昨日会った渡辺考さんの家で誕生日会(渡辺さんの)をやっているから合流しようという話になり、祝いのワインをコンビニで買って、引っ越して半年になる壺屋の家まで歩いて向かう。そこには彼の職場であるＮＨＫの若手スタッフ何人かのほかに、京都の「かもがわ出版」の三井隆典さん(創業者!)がたまたまいたのでご挨拶。「浮島ブルーイング」の由利充翠《みつあき》さんが菜っ葉を刻んでいて、同店の大坂谷紅梨《おおさかやあかり》さんもいらした。「浮島ブルーイング」のビールは最高に美味いので、近々、また行きます。

11月30日

昼過ぎまで惰眠をむさぼる。今日は外出はなくて、ひたすらデスクワークやらアポ取り。夕刻になって、二年近くぶりに「すみれ茶屋」へ晩飯を喰いに行く。ずっと店を閉めていたのだ。いつもの常連さんとも久しぶり。ここに来て主の玉城丈二さんとバカ話をしていると、コロナ前の時間にいるような、どこか時間軸がずれた感覚に陥る。軽石が漁港などに漂着しているせいで漁ができず（船が出せない）、市場に魚がないよと丈二さんがこぼしていた。

12月1日

午前中に起床してゆで卵を三つ喰う。昼過ぎに、引きこもりの若者たちを支援する「ｋｕｋｕｌｕ」に出かけて、漫画本の表紙の打ち合わせ。ぼくは原作を担当してきたのだが、作画を担当してもらった田名俊信さんとは、コロナ禍中はリモートでの打ち合わせだった。初めてお会いする。

この漫画は、プライバシーの問題をクリアするための加工を除くと、ほぼ実話だ。「ｋｕｋｕｌｕ」を主宰している金城さんと今木さんが若者たちから「漫画化」する許可をもらい、ぼくがまずふたりから当該の若者の過去の人生についての事情を聞き、次はリアルかリモートで本人たちへインタビューした。そして原作を書き、それを金城さんと今木さんに見てもらい、田名さんに回す。田名さんからラフが仕上がってくると、若者たちに再び見せ、違和感を感じたら、その箇所を修正する、という慎重な手順を踏んだ。

沖縄で「子どもの貧困」問題が言われて久しいが、この言葉には、親や同級生の暴力、学校でのいじめや虐待、引きこもり、親たちが抱えた精神疾患の問題など、さまざまな課題が集約されていることがリアルにわかった。「子ども食堂」も大切な取り組みだが、行政が捕捉できない劣悪な環境のもとで生きる子どもたちや家庭には、第三者の介入が必要なのだと実感している。
帰りはひとりで「一幸舎」でとんこつラーメンをすすり、帰宅。

12月2日

九時に那覇空港へ着き、四〇〇円の「ちゃんぽん弁当」を食べる。空港内の宮脇書店でボーダーインクから発売されたばかりの前田勇樹・古波藏契《こはぐらけい》・秋山道宏編『つながる沖縄近現代史―沖縄のいまを考えるための十五章と二十のコラム』(二〇二一)と、琉球新報社から発売されたばかりの『死闘伊江島戦』(前後編、二〇二一)を買う。後者は漫画家のしんざとけんしんさんが描いた大きな判型の漫画本だ。搭乗ぎりぎりまで読みふけった。飛行機の中ではタブレットで映画版『罪の声』(二〇二〇)を観ていたが、途中で眠りに落ちた。今夜、続きを観よう。

21 伊江島の旅

2021年12月18日

夜遅くに那覇空港に着いた。飛行機で映画版の『怒り』(二〇一六)をタブレットで観た。李相日《リサンイル》監督。原作は吉田修一さん。世田谷区一家殺人事件(未解決)やリンゼイさん殺害事件から着想したことはすぐにわかるのだが、その犯人と周囲から疑われる三人の男の背負ってきた人生の「事情」と、周囲の人間たちの「事情」が絡み合う。舞台のひとつは沖縄で、米兵に少女が桜坂の公園でレイプされるシーンが出てくる。

人を信じることとはどういうことなのか、信じないのはなぜなのか。信じられない自分への怒り、さきの米兵レイプ事件のように理不尽極まるものに対する怒り、世の中への怒り、信じてはいけなかった者に対する怒り。疑心暗鬼の感情で人間はどう動き、変わるのか。原作を読んでいなかったので、すぐに取り寄せた。映画版から原作にいくという道筋もある。

空港に着いたら、その足でコザへタクシーを飛ばす。パークアベニューの「プレイヤーズカフェ」で「琉球新報」文化部の古堅一樹記者が待ってくれていた。ぼくが到着すると、じきにジャン松元さんも合流。約三年続いた藤井&ジャンコンビの連載「藤井誠二の沖縄ひと物語」が終了したので、かるく、その打ち上げ。連載期間の大半は古堅記者が担当してくれたが、彼と酒を飲むのは初だ。

ぼくはそのままコザの「デイゴホテル」に泊まり、ふたりは帰った。建て替えられる前のこのホテルには、かつて(二拠点生活を始める前)何泊かしたことがある。古びていても時代を経てきた味わいがあった。いまはどこにでもある普通のホテルになっている。パークアベニューには、那覇の牧志で大人気の立ち飲み居酒屋ができていて、道路に酔客が溢れる人気ぶり。米軍基地のキャンプ・ハンセン内でコロナのクラスターが発生したというニュースを昨日聞いた。

12月19日

早めに目が覚めたのでホテルで朝飯。シャワーを浴びて、昼までホテルの部屋でだらだら過ごし、ミニシアター「シアタードーナツ」に顔を出して、コーヒーを飲みながらオーナーの宮島真一さんとしばし、ゆんたく。そのあと中央パークアベニューの「インド屋」でヴィクターさんに挨拶に行く。新報連載を一冊に編んだ『沖縄ひとモノガタリ』に彼のことも書き下ろしで収める。もうすぐ発売ですよ、と知らせた。インドの彼の故郷の刺繍入りの古布などを買う。

次は、沖縄コザロック業界の重鎮である喜屋武《きやん》幸男《ゆきお》さんの、上地にある事務所へ二〇分ぐらいかけて歩いて向かう。途中で「沖縄そば ゆい」（当時）という一九七三年創業と看板に書かれた店にふらっと入り、小腹を沖縄そばで満たす。

「沖縄ロック協会」の事務所では、喜屋武さんからいろいろな話を聞かせてもらう。お会いするのは二度目だが、八〇歳を超えているのに堂々とした体軀や顔の色つやは、六〇歳ぐらいだと言っても誰も疑わないだろう。あとで聞いたら近所の運動公園で走っているという。すごいな。意気揚々としている。彼のコザの戦後史についての「語り」は濃密だ。生き証人といってもいい。身を乗り出して聴き入った。帰りは胡屋十字路のバス停まで車で送ってもらい、北谷経由だったが那覇行きのバスがちょうどやってきたので走っていってドアを開けてもらった。

いったん安里の自宅に戻り、荷物をほどく。腹が減ったので、飯を喰いにぶらぶらと牧志へ歩いて、いつものセンベロ寿司「米仙」へ。が、満席。大将の於本秀樹さんにあとでまた来るから席を取っておいてねと頼んで、近くの「浮島ブルーイング」で仲村渠ウィートXという沖縄のクラフトビールを二杯飲む。独特の苦みがたまらなくいい。「浮島ブルーイング」のビールはどれを飲んでも飲み飽きず、つまみなしで延々と飲める。

「米仙」に戻るとカウンター席を取っておいてくれた。横を見ると、ジュンク堂書店の森本店長と、今日、同書店で開かれたイベントに出演した落語家の桂きん太郎さんら落語家さんや芸人さんがおられた。あとでそのテーブルに合流させてもらい、閉店までバカ話をする。

12月20日

沖縄そばを喰ってデスクワークにとりかかる。インタビューの文字起こしや資料読み。やる気がしぼんできたから、夕刻に歩いて泊へ。「串豚」の数軒並びに古書店「ラテラ舎」がオープンしたばかりなので、初めてご挨拶。お世話になっていたリブロの元店長・筒井陽一さんがリブロを退社して、那覇で古書店を始めたのだ。パートナーの筒井由子《よしこ》さんもおられた。すこしだけ新刊も扱っていて、「CONTE MAGAZINE」の二号目を購入。そして、神戸のまめ書房（沖縄の本や工芸品を扱っている）の金澤伸昭・金澤由紀子夫妻も偶然居合わせて、互いにびっくり。仕入れに来たのだという。神戸にいったらご挨拶にいこうと思っていた。すると西日本新聞那覇支局の野村創記者から電話があり、さっそく「串豚」で合流。企画について相談を受ける。

12月21日

午前中に琉球新報社へ『沖縄ひとモノガタリ』のチラシを二〇〇枚受け取りにいく。行く前に立ち食い蕎麦屋の「永當蕎麦」に寄って蕎麦とカレーを食べたあと、県庁前を歩いていたら元ABブラザーズでいまは沖縄に移住して小説を書いている松野大介さんとばったり。そのあと、新都心へ向かい、TSUTAYAのバイヤー・大家亘史さんに会い、本の内容を説明する。

メインプレイスに歩いて行って、求陽堂書房の新里哲彦店長と併設してあるタリーズコーヒーのテラス席でしばし、ゆんたく。新里さんは本の目利きとしてリスペクトしている方だ。新里さんが今いちおしの深沢潮《うしお》さんの『翡翠色の海へうたう』（二〇二一）を購入。メインプレイスでチャーギ（葉）を買い、ヒヌカン（沖縄でかまどの神様）——自分流に作ってあるのだが——に供えるためだ。なぜか、ふとそういう気分になった。

からだがガチガチなので、全身もみほぐし一時間三〇〇〇円の店に飛び込む。指圧系というか、なかなか上手だった。歩いて帰る途中で「march lifestyle & green」の中で営業している「モガメン」でカフェオレをテイクアウトしていったん自宅に帰る。「モガメン」のマスターはひとりで愛猫を連れて、あちこちを転々としながら絶品の料理を作る流浪の料理人。コーエン兄弟の監督作『インサイド・ルーウィン・デイヴィス 名もなき男の歌』(二〇一四)みたいだ。実在のフォークシンガーの存在をもとに着想された映画だが、シンガーは一匹の猫とともにニューヨークを放浪する話だ。「モガメン」にもシェフに寄り添うように猫がいる。名前は「くるぶし」ちゃんという。なぜ、くるぶしなのかは知らない。猫ハウスで寝ていた。

帰宅して洗濯をする。夕刻に池田哲也さんらと、ぼくは昨日に続いて「串豚」でかるく飲む。

12月22日

強い雨。気分は憂鬱。朝早く車を借りて、本部町のフェリー乗り場へひた走る。本部港に車を置いて一一時発のフェリーで伊江島《いえ》へ。卵と麩を炒めたものと豚カツの小片がご飯の上にのった小振りな弁当を乗り場の待ち合わせ場所で喰う。

伊江島はずいぶん前に母と弟と来て以来だ。城山《ぐすくやま》(村外からは〃伊江島タッチュー〃と呼ばれている)の頂上まで母親の背中を押して登山道を登った。岩肌のところどころに、伊江島の激戦の砲弾(米軍の艦砲射撃)の痕が残る。伊江島を米軍が破壊し尽くしたあとは、城山は高さが三分の一になっていたという。今回は、玉城デニーさんの産みの母・玉城ヨシさんについて取材。親族の方々——つまり、デニーさんの親族——に集まってもらうことになっている。

フェリーに乗って三〇分で着く。玉城デニーさんの親族のひとりの方に港に迎えに来てもらい、その方の知人が経営しておられる民宿へ。夕刻から島内に住む親族の方々が三々五々集まってきてくれるので、それまで民宿で昼寝をすることにした。昨夜はよく眠れなかったから。伊江島にいる間は自由に使っていいよと、迎えに来てくれた方から軽自動車を貸していただいた。

夕刻にその方のお宅に軽自動車でうかがい、夕食をいただきながら取材。すべて美味しかったが、チーイリチャー（豚の血を使った豚肉や野菜の炒めもの）が普通に食卓に並んだことに驚いた。ぼくはチーイリチャーが大好物で『肉の王国―沖縄で愉しむ肉グルメ』という本を作るためにチーイリチャー（那覇では山羊の血を使って、チーイリチーと呼ぶことが多い。チーイリチャーと発音するところは中部以北）三昧の日々を送っていた時期がある。それぐらい美味いのだが、すべて食堂か惣菜屋で食していた。一般の家庭の食卓で食べたことはなかった。

取材はとても有意義だった。初めて聞く話が多い。翌日は島内を案内していただけることになり、昼ごろに再訪することを約束して、民宿でシャワーを浴びて寝ることにした。寝る前に宿に置いてある新聞を読む。米軍のコロナのクラスターが二〇七人に上っている（二一日付）ことを知る。キャプハンセン内だ。検査を受けずに沖縄に入ってくる米軍。沖縄にとってはすさまじいリスクである。二二日付の新聞には、沖縄予算の大幅減額が提示されたことが報道されている。アメとムチのムチが露骨に振るわれようとしている。沖縄の新聞のことを「偏向」しているという右派系やネトウヨの連中がいるが、地元紙は事実を淡々と伝えているにすぎない。

12月23日

五穀米など健康感満点の朝飯をいただき、午前中、ひとりで港にある郷土資料館を見て、島のはずれにある「反戦平和資料館 ヌチドゥタカラの家」を訪ねた。反戦地主の反戦活動家・阿波根《あはごん》昌鴻《こう》さんの激しい遺志が込められているのは展示を見ればわかる。館長の謝花《じゃばな》悦子さんにご挨拶して、すこし取材させていただく。

資料館は来館者がたまたま誰もいなかったので、照明がついていなかった。スタッフの方にスイッチの位置を教えてもらったが、薄暗い館内に足を踏み入れると、いまだに血の臭いや叫びが充満している気がして、一瞬、からだがかたまった。照明をつけると、すぐ右手にぼろぼろの小さな着物が展示されていた。子どもが泣くのは利敵行為だという理由で、日本軍は母親の腕に抱かれていた赤ちゃんを銃剣で刺し殺し、母親の胸から赤ちゃんはすべり落ちて、着物だけで母親の手に残ったという。その着物だ。銃剣や血の痕が残る。立ちつくしてしまった。

昼に、昨日お会いした玉城デニーさんの産みの母親・玉城ヨシさん（故人）の親族の方のうち何人かと合流。昨日聞き忘れたことなどについて取材をさせていただく。昼飯は親族の方に島内を案内してもらいながら、海を見渡せるレストラン（ゴルフ場に併設）で、豆腐を味噌で炒めたものを食べる。そこから、城山の中腹あたりまで行ける展望台や湧出《わじぃー》という水源地、米軍の演習地、防空壕として千人を収容したとされる千人洞《ニャティイヤ》などをのろのろと車を走らせ案内してもらった。

芳魂之塔（村民・軍人三五〇〇人余の霊を弔う碑）にも参った。ずらりと並べ立てられた石板には、摩文仁の「平和の礎《いしじ》」のように死者の名前が刻まれている。戦闘で命を落とした人もいれば、戦闘がきっかけで病になり、亡くなった方の名前もある。私が取材した親族の故人の名前も刻まれていた。誰々の次男とか長女、といったふうに刻まれている箇所もそこここに目につく。一家が全滅したため、親の名前しかわからず、子どもの名前が不明なためだ。

昨日から小雨が降り続いていたが、寒さと海風、荒れた海の波しぶきが身体にのしかかってくるようだった。だからか、身体が重い。夕方に親族の方と別れ、民宿へ帰る。今日も晩飯を食べていけばいいさというお誘いは固辞させていただき、コンビニで弁当を買って民宿で食べた。

親族の方からは「離島」ゆえに抱える問題もいろいろと教えてもらった。島には「十五の春」という言葉があるそうで、それは、島内には高校がないため、ひとつしかない中学を出ると、高校進学のために「本島」に渡り、寮生活やひとり暮らしを送ることになる。しかし、その年齢の子どもはいきなり親元から離れる生活に耐えきれず、寂しさゆえに高校を辞めてしまう率が高いのだという。それを「十五の春」と呼ぶらしい。伊江島と本部町（港）とほぼ等距離に瀬底島《せそこ》があり、こちらは架橋されている。伊江島にも架橋すれば——さらに海底トンネルにすれば天候に左右されない——本島の高校へ伊江島から通学することができる。島を出て生活したい者は寮生活でよいが、多少時間がかかっても島から通いたい者もいるだろうから、選択肢ができる。島内の若者人口もたぶん上がるんじゃなかろうか、とぼくは思った。

今、伊江島には四〇〇〇人ぐらいが暮らしているそうだが、うち有権者が三〇〇〇人ほどで、さらにその七〜八割が後期高齢者だと聞いた。医療の面などでも利便性が格段に上がる。緊急のときはドクターヘリが飛ぶそうだ。

12月24日

今朝も健康感あふれる朝飯をいただき、朝八時のフェリーで本部港へ。本部港のパーキングに置きっぱなしにしておいたレンタカーで沖縄市美里へ。本部や名護で会いたい知人が何人もいたが、美里での約束に間に合うように急ぐ。美里でたまたま見かけて入った「桃原」という豚骨ラーメン屋がなかなか美味かった。

美里の宮脇書店（ここに沖縄の本部機能がある）へおじゃまして、バイヤーの渡慶次正哲《とけしまさのり》さんに

『沖縄ひとモノガタリ』のプロモーション。じつは今日の午後に刷り上がってくるので、実物がない。どんな本かを説明するために校了したゲラを見てもらう。先日のTSUTAYA本部でも同じことをした。

　そのあとは琉球新報社へ行って、刷り上がったばかりの本を受け取る。感慨深い。手に持った感触もなかなかいい。新報社の流通・プロデュースなどを担う「琉球プロジェクト」の前原智美さんといっしょに発送の手配などをおこなって、レンタカーを返却した。『沖縄ひとモノガタリ』に登場してもらった「ひばり屋」の辻佐知子さんに本を届けて、珈琲を淹れていただき一休み。

　そのあとはいつものセンベロ寿司「米仙」へ行き、深谷慎平さんともろもろ打ち合わせをしながら日本酒を呑む。途中でミュージャンの木村華子さんも来た。帰りに台湾料理屋の「華」に寄って、明日の朝飯（餃子とニンニク炒飯）をテイクアウト。今日は二五度も気温があった。両店ともほぼオープンエアなので、風が心地よい。帰宅してスマホを見たら、眼鏡（老眼鏡）を新報に忘れてますから受け付けに取りに来てください、というメールが「琉球プロジェクト」代表の仲村渠《なかんだかり》理《おさむ》さんから来ていたことに気づいた。

12月25日

「華」で昨夜買っておいた餃子とチャーハンを食べ、仕事の前に新聞を読む。二四日付の「沖縄タイムス」には、「自衛隊と米軍が、台湾有事を想定した新たな日米共同作戦計画の原案を策定したことが分かった。有事の初動段階で、米海兵隊が鹿児島県から沖縄県の南西諸島に臨時の攻撃用軍事拠点を置くとしており、住民が戦闘に巻き込まれる可能性が高い」とあった。

　沖縄の新聞の一面や社会面を読むと、政府が沖縄をどう見ているのかがわかる。「沖縄」を戦場としか考えていないのか。東京の新聞では報道されたのだろうか。何十年経っても沖縄は捨て石なのか。夜は東京からやってきたパートナーと松山の「酒月」へ行って、店主に師走のご挨拶。鯖の棒寿司が美味い。

12月26日

昨夜買っておいたパンを朝食べる。ずっとデスクワーク。たまりにたまったインタビューの文字起こしを続ける。夕刻、パートナーは桜坂劇場へ映画を観に出かけた。ぼくは「陶 よかりよ」に寄って取り置きしておいてもらったキム・ホノ作品を受け取る。パートナーと桜坂劇場の「さんご座キッチン」で合流、浮島通りの古着屋「ANKH」に寄って店猫を撫でまわし、猫エキスをもらった上で、またしても「米仙」へ。肌寒い半屋外で超安で美味い寿司を食べる。『沖縄ひとモノガタリ』でも書き下ろした玉城史奈子さんご一行とばったり会って、盛り上がる。

12月27日

ご近所の「march lifestyle & green」の中で営業している「モガメン」でまぜめんを愛する男・茂上隆行さんの絶品・琉球まぜそばと餃子を食べてから、琉球新報社へ忘れていた老眼鏡を取りにいったら、ジャン松元さんと波平雄太さんにばったり会う。波平さんは事業部にいるので新刊関連のイベントを考えてねと頼んでおいた。

書店「リブロ リウボウブックセンター」に寄って『沖縄ひとモノガタリ』についてプロモーション。まだ入荷していなかった。拙著の『沖縄アンダーグラウンド』(文庫版)が文庫売り上げの三位に入っていてうれしい。仕事場に戻ってデスクワーク。来年に出す『誰も書かなかった玉城デニーの青春』を書き進めていく。急がないと締め切りに間に合わない。
晩飯は栄町の「ちぇ鳥」へ歩いて行って焼き鳥と芋焼酎で晩飯。大将の崔泰龍さんが「大晦日もやりますからね」と笑っていた。実家の京都には帰らないらしい。

12月28日

早朝に起きてしまい空腹を覚え、カップラーメンを半分だけ食べる。そのあと二度寝して、一一時すぎに牧志の沖縄そば屋の「金月そば」へ歩いて食べに行く。そのあとタクシーとバスを使って、イオンモール沖縄ライカムに入っている未来屋書店と、浦添のパルコのHMV & BOOKSをまわり、営業。合間にちょっとした取材。ライカムの未来屋書店では店長は不在だったけれど、色紙にサインを書かせてもらって恐縮。ポップに使ってください。それにしても、ライカムの住所は「北中城村字ライカム一番地」というんだな。知らなんだ。
浦添のカーミージーの海はやはり美しい。ずっと曇天や雨天続きだったので、しばし海風に吹かれる。軽石の漂着はほとんどない。晩飯は栄町の「アラコヤ」で焼きトンなどを食す。パートナーはここのシャルキトリのファンなので、それをほぼ二人前食べていた。『沖縄ひとモノガタリ』は、ジュンク堂書店でこの三日間だけで五〇冊近くが売れた。

12月29日

デスクワーク。朝昼兼用で散歩がてら栄町まで行って「食堂ヘンサ森」でチャンポンを喰う。帰途に雨がぱらつき出した。帰宅してまたデスクワーク。ひたすら「聞き書き」の文字起こし。遅い午後、パートナーは東京に帰った。

夕刻、栄町ロータリーで岡本尚文さんと普久原朝充さんと合流して「ムジルシ」でオリジナル焼売をつまみ、「鳳凰餃子」へ移動。そしたらジュンク堂書店の森本店長からお誘いの連絡があり、ご自宅へ。芸人さんやメディア関係者がわいわいと鍋をつついていた。いつも沖縄のケーブルテレビで「街歩き」番組「沖縄よんな〜街歩き　こんにちは！ベンビーです。」で見ている芸人のベンビーさんに会えた。芸人の「首里のすけ」さんにも。彼は芸能事務所・オリジンのベテラン芸人で、事務所を率いている。浮島通りにある古書店「ブンコノブンコ」の饒波《のは》夏海さんもいらした。深夜に二時をまわったので、岡本さんに車で送ってもらった。ちなみに岡本さんは酒を飲まない。

12月30日

沖縄そばを作って食べて、デスクワーク。今日は泊の「串豚」で年末行事の、店主の喜屋武満さんが、客のつぐ酒をぶっ倒れるまで飲み干す（客の勧める酒を断らないルール）というイベントがあるのだが、明後日の朝早いフライトなので、おじゃましようかなと思っていたが、家にひきこもって仕事をすることにする。なんか体調もイマイチだし。

12月31日

朝早いフライト。空港でビビンバ弁当四五〇円をかき込む。米の量が多すぎてすこし残してしまった。機内で豊島圭介監督のドキュメンタリー映画『三島由紀夫VS東大全共闘　50年目の真実』（二〇二〇）を観る。討論自体は観念的な言葉が飛び交い、「討論」という感じはなかったが、大教室を埋めた一〇〇〇人近い学生活動家たちを飲み込もうとする三島の姿勢が印象深かった。

三島が自決し、学生運動も社会から乖離し消え去っていく状況が描かれたあと、当日に司会を務めた木村修さん——その後、地方公務員となり、三島の研究を続けた——が、沈黙のあと、学生運動は敗北ではないのかという映画制作者の質問に対して、「敗北とは思っていない。一般的な社会風潮に拡散しちゃったと思っている」、「時間がかかった。しばらくは自分の人生、やってんだろうって」と語るシーンが終わりのほうにあり、印象に残った。

機内で途中まで観た大島新《あらた》監督のドキュメンタリー映画『君はなぜ総理大臣になれないのか』（二〇二〇）を、帰宅して続きを観る。一足先に東京に帰っていたパートナー（同居人）は実家に帰ったので、ひとりで牛丼を食べる。格闘技の大晦日大会をちら見しながら仕事をして、年を越した。みなさま、来年もよろしくお願いします。

22 原稿との格闘

2022年1月20日

今年に入って初めての沖縄。昼過ぎのフライト。機内で雑誌「Journalism」（二〇二一年四月号）に掲載されている、昨年一二月に亡くなった元朝日新聞の名記者・外岡秀俊さんの「メディアは『中立・客観』を離れ、開かれた『公正』報道を目指せ」という論考をKindle版で読み終わったら寝落ちした。着いた足でモノレールに乗ってジュンク堂書店に寄り、『沖縄ひとモノガタリ』の平積みの棚を見る。うん、売れているみたいだ。

『沖縄ゼネスト 50年—解放への狼煙』（二〇二一）という地元の古書店&版元の榕樹書林が刊行

した冊子と、長嶺幸子さんの詩集『Aサインバー』（二〇二一）を買う。両方とも自費出版だと思うが、そういうものもきちんと置いて、手に入るのがジュンク堂書店のありがたいところだ。渡瀬夏彦さんの『沖縄が日本を倒す日―「民意の再構築」が始まった』（二〇二二）も購入し、一階のカフェで読む。

そこでメディア関係の方と、仕事終わりの森本浩平さんと合流。森本さんの家で会費制豚しゃぶ飲み会をやる。新型コロナは、沖縄県は新規感染者は今日時点で一三〇九人。一月一二日から「まん延防止重点措置」指定がなされている。

一月一六日付の「琉球新報」の書評欄に、作家の仲村清司さんが『沖縄ひとモノガタリ』の書評を書いてくれた。

琉球新報紙上で約三年間にわたって連載された記事を中心に、ポートフォリオをあわせて一冊にまとめた「異色」の人物ルポ。異色と表現したのは他でもない。

登場人物は五六人。名の知れた人もいれば無名の人も多い。業界もさまざまで、背景や出身地も白と黒ほどに異なっている。

中には、「落語イベンター」「飲酒運転根絶アドバイザー」「スラッシュワーカー」など、ひと言では説明できない活動をしている人たちも登場する。そこに、直木賞作家やアガサ・クリスティ賞作家、さらには県知事も加わっているから異色本という他ないのだ。

そんな種々雑多な人々を舫《もや》っているのが、「沖縄」である。つまり、沖縄という土壌を縦軸に、何らかのかたちで沖縄と関わっている人々と横軸にして、そこで交差・錯綜する混沌とした沖縄のリアルな姿を浮き彫りにした一冊といおうか。聞き手の藤井誠二は取材相手に本音を語らせる巧者である。

「語りの中の小さな言葉を拾い、反芻してみると、それらは沖縄を相対化し、客観化していた」藤井自身があとがきに記した一節である。彼はその「ちいさな言葉」からむしり取った本質をまな板にのせる。ふだんは見えてこない沖縄が肉塊としてさらされる瞬間である。

「三線人口は増えたが、民謡は減った」と語る民謡歌手。ここでは述べ語り継ぐ歌詞がもはや生まれない沖縄の現実が露呈されている。

「保守も革新も男尊女卑的だ」と沖縄の人権意識の低さを辛辣に批判する編集者。沖縄固有の文化や言葉に潜む加害者性や違和感を訴える人も少なくない。

文化や思想は耕すものであって、固めるものではない――。五六人が繰り出す「ちいさな言葉」にはそんな鋭いツッコミがちりばめられているように思える。

いいかえれば、本書は文化の土壌を肥やす層が沖縄には汲めども尽きぬほどいるという証であるのだ。沖縄の現在《いま》を知るための捻りの利いた一冊といっていい。

1月21日

昼前に起きて、島豆腐を炒めて食べる。ちょうど食べ終わったあとにフリージャーナリストの加藤隆祐さんから雑誌「フラッシュ」のウェブ版に載せるための、リモート取材を受ける。先日、東大の試験会場で起きた高校二年生による刺傷事件について。加害者はぼくの同窓で、四〇年も後輩だ。事件後、文春オンラインが学校名を明かしていたが、ぼくもSNSで明かした。学校側が公表したコメントにあきれたからだ。コロナによる混乱が要因だという。事実関係がわからないうちにあまりにも安易すぎないか。

このテの事件をなんでも「社会」のせいにするのを、もうやめにしないか。マスコミ対応は、ぼくの親しい教員がしているらしいが、わからないなら、正直にわからないと言ったほうが誠実だと思う。学校に直接的な責任があるかどうかもわからない。卒業後も付き合いがある信頼している歳の近い先生がいるが、混乱をしているだろうな。

加害者は一七歳。死者はいまのところ出ていないらしいが、三人を用意していた刃物で刺し、最寄りの地下鉄の駅で発火物を発火させていたという疑いもあり、計画的で悪質なので、たぶん家裁から検察官へ逆送致されるだろう。少年法によって情報を覆い隠してしまうのではなく、できうる限り公開されるべきだと考える。

夕刻までずっと仕事をして、上原岳文《たけふみ》さん、深谷慎平さんと栄町で合流。上原さんにはいま『誰も書かなかった玉城デニーの青春』の資料収集などの仕事を手伝ってもらっているので、その受け渡しと、お礼の食事。栄町「ちぇ鳥」で焼き鳥を食っていたら、知り合いが何人かやってきて、新年のご挨拶。トイレの内側に『沖縄ひとモノガタリ』のチラシを貼ってくれていて、感謝。大将の崔さんに一冊、プレゼント。

そのあと上原さんが「アラコヤ」に行ってみたいと言うので、新年のご挨拶がてらかるく串を喰う。ついでに「トミヤランドリー」にも新年のご挨拶に行ったら、「アラコヤ」グループの総帥・松川英樹さんが飲んでいて、彼が一推しの熊本県産の海苔で刺身を細巻き風に巻いた寿司を喰う。こりゃ、海苔が美味いわ。上原さんがとたんにつぶれて眠ってしまったので、解散。スーパーに寄って食材などを買って帰宅。

1月22日

昼前まで惰眠をむさぼり、島豆腐と豚肉と白菜キムチを炒めて食べる。昨夜、上原さんから受け取った資料を読む。じつにきちんと整理してある。彼はたまにUber Eatsで仕事しているそうだが、こうしたリサーチャーのような仕事に向いていると思う。以前、彼による鼎談の文字起こしを見たことがあるが、ていねいな仕事ができる人だなあと思っていた。

原稿を書いている最中に、ダメもとで依頼していた取材のアポが取れた。ご存命だったことはもちろんのこと、とてもうれしい。かなり高齢の方なので、連絡先をあちこちのツテを頼って探してもらったかいがあった。探してくれた方々にも感謝しなければ。

ゴミ集積場にゴミを出しに行く以外は外出せず、原稿を書いたり、仮眠を取ったりしていると日付が変わる時間になっていた。

1月23日

家で飯を喰い、ひたすらパソコンに向かう。夏までには出さねばならない書き下ろしの『誰も書かなかった玉城デニーの青春』のためだ。腹がへったらまた家飯。読まねばならない資料を机の周辺に積み上げて、付箋を貼りまくっていく。何十年も前の資料の黄ばんだページをめくるのが好きだ。

夕刻に、普久原朝充さんと晩飯を食おうということになり、栄町「潤旬庵」へ。マスターに新年のご挨拶。普久原さんも資料収集の達人というより、県立図書館利用の達人でもあるので、ビールを飲みながらいろいろ利用法を教えてもらっているうちに夜が更けていった。この店はコロナ以前から席と席のあいだにしきり（パーティション）があり、ドアも開けっ放しになっているので比較的安全かもしれない。

帰宅してしばらくすると、名護市長選と南城市長選の結果が判明。いずれも保守系が勝利。名護市長選に関していうと――出口調査の結果だと思うが――若い世代ほど保守系（現職）支持が多い。ニュースでは有権者の声として「辺野古はほぼ埋まってしまっているのでいまさら反対しても仕方がない」「子どもの医療が無料等の（基地交付金を原資とした現職の）対策がよかった」というものが紹介されていた。しかし、辺野古新基地に関してだけは、有権者の六割以上が「反対」の意思を示していることがわかった。でも争点にならない。

いったい誰が勝ったのか。国が勝っただけなのか。Twitterを見ていたら、沖縄の友人のひとりが「沖縄の政治は保革が選挙のたびにひっくりかえってきた歴史がある。べつに驚くことじゃない」と書いていた。

1月24日

一〇時ごろに起きて、ゆし豆腐そばを作ろうと思ったが、沖縄そばがないので、細めのうどんで代用。午後から新都心のシネマQで映画『ミラクルシティコザ』（二〇二二）を観る。交通事故死した元ロッカーの老人の魂が孫の体を乗っ取り、全盛期だった時代の「コザロック」の世界に孫の体がタイムスリップするというもの。知り合いも何人か出ていた。「コザ騒動」も描かれ、ベトナムに送られる米兵の視点も盛り込まれている。

決して「反戦映画」というテイストではないが、コザロックの底流に流れる「戦争」やアメリカ支配の理不尽さが伝わってくる。ジョージ紫さんや喜屋武幸男さん、宮永英一さんら現役のコザロッカーが協力していた。私は喜屋武さん始め当時のロッカーたちに取材したことがあるが、当時のハードロックの激しさが作品の中にもっと欲しかったなあというのが印象。

資料収集を頼んでいる上原岳文さんから連絡があり、昨日頼んだ資料のコピーがもう終わったというので、小禄まで取りにいく。昨日から今日にかけて県立図書館に行って大部の資料を借り出し、コンビニでコピーしてくれたという。彼の仕事の早さに驚く。そのあとは、栄町「ちぇ島」で地元の女性と「おとん」の池田哲也さんとかるく一杯。「おとん」で販売してもらっている拙著にサインをする。

1月25日

昼前まで寝ていて、島豆腐炒めを喰う。豆腐ばかり食べているせいで、二キロぐらい体重が落ちた。資料読みと原稿書きに集中。いい陽気なので、バルコニーのサッシを全開にした。今日も外出しないことに決めた。

ある沖縄関連の本を資料として読んでいて、その本が「引用」している資料を取り寄せて読んでみると、該当箇所がない。これは引用元の資料のタイトルや年数をまちがえているか、テキトーな孫引きの可能性がある。その本は元新聞記者の書いたものなのだが、かなり残念な気持ちになった。一次資料にあたる大事さをあらためて思い知った。

1月26日

一〇時ぐらいに起床。またまた島豆腐と島野菜、豚肉などをフライパンで煮込んだ料理を作る。今日も外出はしないと決め、ひたすら資料の読み込みと原稿書きに集中する。腹が減ったら、鍋の残りものをあたためて食べる。

いつ買ったか忘れたが『波乱万丈の日々―刑事一筋』(二〇〇五)という刑事畑を歩いてきた嘉《か》

手苅福信《でがるふくしん》という方の自伝を手にとった。版元は沖縄で、住所も本籍地も載せているから自費出版なのだろうけど、担当してきた事件の描写がリアルでついページを繰ってしまう。とくに米兵同士の殺し合いや、暴力団の取り締まりなどの箇所は第一線で捜査に当たっていた人にしか書けないだろう。

1月27日

今日もフライパンの残り物に、島豆腐や島野菜を追加投入して、朝昼兼用の食事。すぐにパソコンに向かう。合間に山本彩香さんの『にちにいましーちょっといい明日をつくる琉球料理と沖縄の言葉』(二〇二〇)のページをめくる。山本さんにはいろいろお世話になっているが、この本は単に料理のレシピというだけでなく、沖縄の、いや山本さんの人生哲学がこめられていて、読み入ってしまう。

1月28日

七時半すぎに深谷慎平さんに迎えにきてもらい、QABへ。ローカル情報番組「十時茶まで待てない!」に出演して、『沖縄ひとモノガタリ』について話させていただく。よく観ている、沖縄ローカルの憧れの番組。「泉&やよい」の泉さんとベテラン芸人の山田力也さんとご一緒。ジャンさんは事前にリモートで収録してあって、それを流すかたちで出演。深谷さんにはスタジオ内に入ってもらい、ぼくを撮影してもらった。番組終了後、局近くの立ち食い蕎麦屋「永當蕎麦」で深谷さんと蕎麦をすすり、片栗粉たっぷりのカレーを食べる。自宅に送ってもらい、洗濯やら原稿書きやら。

夕刻に、深谷さんと上原岳文さんから晩飯に合流しませんかと連絡があったので栄町の空いている居酒屋へ。三日ぶりに外出して、酒を飲む。帰りに三人で歩いていたら、那覇市会議員一期目の普久原朝日さんとばったり。しばらく道路上で話し込む。

1月29日

今日も外出しないことに決め、資料読みと原稿書きに集中する。腹が減ったら冷蔵庫にある島豆腐やら野菜やらを炒めて食べる。日付が変わるころまで、休憩をはさみつつ、集中。集中力が途切れる寸前に歯を磨いて顔を洗って、睡眠導入剤を飲んでベッドにもぐりこむ。長い文章を短期間で書くためには、ローテーションをなるべく崩さないことが大切だと思っている。そしてたっぷり睡眠をとること。抱えているほかの仕事のことはあまり考えないようにすること。

石原昌家《まさいえ》さんの『戦後沖縄の社会史―軍作業・戦果・大密貿易の時代』（一九九五）を読んだ。戦後五〇年で沖縄県民がどのような生活を築いてきたかを記した、沖縄を代表する社会学者の貴重な本だと思う。今年は、復帰五〇年である。

1月30日

島豆腐やら島野菜などを使って調理して朝兼昼飯を食べる。原稿に取りかかる。読まなければいけない資料も山ほどある。原稿仕事は主に書き下ろし単行本のためなのだが、インタビューした人々の「語り」を積み重ねていく構成にしている。年月日や整合性が取れない箇所などがあれば、電話やメールで確認をする。

夕刻からジュンク堂書店の森本店長と、ＮＨＫの方たちと打ち合わせをしながら栄町で晩飯を食べる。「リウボウ」で食材買い出し。

1月31日

昼近くまで寝て、冷蔵庫の残り物と昨夜買い出した野菜でパックご飯を炒め、中華風ではない炒飯を喰う。空はどんより、寒さを感じる。今日も外出しないで、原稿を書くことに決めた。

2月1日

今日も沖縄でいう、やーぐまい。外出せず、ひたすら原稿を書く。部屋の中をうろうろ動き回るだけ。合間に取材関係者に電話やメールでもろもろを確認。

2月2日

豆腐とブロッコリーだけという朝兼昼飯を食べて、外出。はやめに出て、牧志の「海想《かいそう》」で相方に頼まれていたハヂチ（沖縄にかつてあった女性が手の甲や指にしていた入れ墨）柄のリングを買う。合うサイズが一個だけ残っていた。そのあと前島のホテル・アンテルームへ。昭和五一（一九七六）年のある資料に名前が載っていた方に連絡がとれて、インタビュー。資料を作った時点では大学の助教授という肩書きだったが、いまは八〇代半ば。貴重な話をうかがうことができた。

2月3日

洗濯をして室内乾燥機の上に干し、那覇空港へ。仕事の合間に見ていたのだが、いま話題のNetflix『新聞記者』を復路のフライト中に観終わる。はっきりいうと興ざめした。自殺した「赤木俊夫」そのものを描いており、話の構成もあきらかに「森友事件」という実話を元にしていることはわかるのだが――多少の演出は仕方がないとしても――とくに後半は陳腐さすら感じるありえな

い展開になっている。この問題を正面から取り上げた気概は評価したいけれども。

「週刊文春」（二〇二二年二月二二日号）では、国を相手に損害賠償請求を起こしている赤木さんの遺族が、遺書公開の過程や裁判など根幹に関わる事実は変えないでほしいと伝えていたとある。だが、「フィクション」なのだからという理由で、赤木さんの遺族からの理解と協力が得られないまま制作・公開がなされていたことや、遺族は当初から協力を断りたいと申し出ていたことも知った。それを無視して『新聞記者』は作られた。ドラマのプロデューサーはドラマが完成したあと、遺族に詫びたというが、いったい何を詫びたのか。

同じタイミングで、たまたま石戸諭さんが作家の山田詠美さんにインタビューした記事を読んだ（「現代ビジネス」二〇一九年八月二一日）。二〇一〇年に大阪市で起きた、ふたりの幼い兄弟をマンションの一室に閉じ込めたまま遊び歩くなどしていた母親が、ふたりを餓死させた事件をモデルにした山田さんの『つみびと』（二〇一九）という小説についてインタビューしている。『つみびと』はぼくも読んでいた。畏友の弁護士が苦悩を重ねながら弁護したという経緯も知っていた。

石戸さんはこんな言葉を山田さんから引き出している。

> 取材を通して事実を積み重ねて事件を描き、社会に問うというのがノンフィクションの役目ですよね。でも、ノンフィクションだけで描ききれないものがあると思ったんです。それが当事者たちの心の中に深く分け入っていくことです。
>
> 現実の事件を設定に使う以上、そこに嘘が混じってはいけないと思って、ノンフィクションを参考にしました。事件を描くにあたって想像と事実に齟齬があってはいけない。事件は事実だが、心の中は想像力をつかって描く。

子供も含めた当事者たちの内面を、想像力を駆使して描きながら、私の言葉で再構築したいと思ったんですね。フィクションだからこそ描ける真実を私は探りたかったんです。

ノンフィクションを書くことを生業としていれば、取材相手との関係性の中で書き手が苦悩することは日常茶飯事だ。そうあるべきだと思う。私も短編・長編に限らず、人の生命や人生が関わってくるものを書くとき、「事実を積み重ねる」前段階や過程で、むしろ心を削られる経験を無数にしてきた。フィクションだからいろいろ悩まなくてもいいや、というような安易な考えが広がってほしくないと思う。

23 古新聞から伝わる時代の空気

2022年2月12日

夜遅く、那覇に着く。雨も降っているので、空港のコンビニで弁当を購入し、タクシーで自室に向かう。缶ビール一本といっしょに喰う。飛行機の中で、先日、五四歳で急逝した小説家・西村賢太さんの本を何冊かタブレットに入れてきたので読みふける。『どうで死ぬ身の一踊り』(二〇〇六)、『二度はゆけぬ町の地図』(二〇〇七)、『苦役列車』(二〇一一)、『一私小説書きの日乗』(二〇一三)、『蠕動《ぜんどう》で渉《わた》れ、汚泥の川を』(二〇一六)など。ぼくはこれまで私小説をたしなむということがほとんどなかったため――そもそも文学というものに縁遠い――芥川賞を取った『苦役列車』やその他のもろもろの受賞作も読んだことがなかった。が、「朝日新聞」（二〇二二年二月九日付）に載った町田康さんの追悼文を目にして、読んでみようと思い立った。

知らせを聞いて暫《しばら》くの間、物が言えなかった。それほどに衝撃が大きかった。西村賢太という作家が此《こ》の世にいて書いているということは私の心の支えだった。（中略）

その世界は、人間の卑小な部分、醜悪な部分、身勝手な部分などをこれでもかというくらいに突き詰めて描いた凄絶な世界で、多くの人が好む美しかったり痛快だったりする物語はまったくない。

この文章がぼくの心からなぜか離れなかった。読んでみると、己の臓腑をえぐり出すような西村賢太さんの文体にハマっている自分に気付いた。

2月13日

春に出す予定の『沖縄の街で暮らして教わったたくさんのことがら』の初校が届いたので、さっそくアカを入れ始める。ぼくの日記なんぞ誰が読むんかいみたいな思いはずっとねばりつくのだけど、かなり加筆しているし、少部数発行ということで、どうかよろしくお願いします。わりと毒を吐いた日常記録。

一四時ぐらいにジュンク堂書店に歩いて行く。一五時から写真家・ジャン松元さんとの共作『沖縄ひとモノガタリ』の連続トークライブの初回。構成作家のキャンヒロユキさんと、お笑い事務所FECの社長で芸人・俳優でもある山城智二さんと。取材裏話から、芸能論みたいなことまで四人でえんえんと二時間しゃべる。版元の琉球新報社の方々も来てくださり、ほぼ満席（ソーシャルディスタンスを徹底して椅子を並べた会場）で五〇人以上が来てくださった。終わって登壇者らと軽くビールを飲んで解散。

2月14日

昼前に起床。昨夜、コンビニで買っておいた野菜サラダや豆腐を食べる。曇天。今日は外出しないで、仕事をする。珍しく深夜二時ぐらいまで集中力が持続。一万字ぐらい書いた。

2月15日

東京から届いたダンボール三箱分の本を整理。午後から近くのホテルのロビーで、かねてからお会いしたかった沖縄国際大学の佐藤学先生とお目にかかった。ホテルへ向かって歩いていたら、「フジイさーん！」というデカい声が聞こえたが、周りを見回してもそれらしき人は見当たらない。男性の声だった。きょろきょろあたりを見回していたら、ジャン松元さんが車をUターンさせて横につけた。「(フジイさんが）歩いていたからさあ」と笑っている。琉球新報社に帰る途中だそうだ。

政治学者である佐藤さんの話は、おもしろすぎて聞き入ってしまった。人格者とはこういう人のことをいうのだろう。ぼくのような人間とは真逆の誠実さを感じる。沖縄国際大学沖縄法政研究所が発行した研究論文の抜き刷りを二種いただく。「名護市第一次総合計画基本構想「逆格差論」の今日的意義—試論に向けて」（二〇二一）と、「2020年米国大統領選挙の諸相」（二〇二一）。佐藤さんは東京のご出身で、ぼくが半移住生活を始めたときぐらいに沖縄に移住された。

Twitterを何気なく見ていたら、「沖縄タイムス」の阿部岳記者が「アジア記者クラブ」と猛烈な攻防を繰り返しているのを追いかけて読んでしまった。阿部さんとは面識があるが、彼はこのたび「むのたけじ地域・民衆ジャーナリズム賞」を、共同通信編集委員の石井暁さんと連名で受賞した。喜ばしい。

そんな阿部さんを「アジア記者クラブ」というところが、「帝国主義の代弁者」と決めつけたのだ。どうやら、「人権弾圧を受けているウイグル族の女性選手が聖火最終ランナーに仕立てられ、習近平氏とバッハ氏の前で国家と私有財産と強欲を否定する『イマジン』が流れ、公園にはバッハ氏の胸像が建った、と。五輪というのはつくづく異様なイベントだ。もちろん札幌でも開かないでほしい」という阿部記者のツイートの出典を明らかにしないところが、そう言わしめた根拠のようだ。「#阿部岳 は反中反共主義者なので歪むのです。思想信条の自由はあるけど、紙面を利用して自らの心情吐露が公論であるかのように装うのは公私混同、工作の類です」とまでアジア記者クラブがツイートで書いていた。

当の阿部記者は、『『帝国主義の代弁者』と呼ばれ、同時に『中国の手先』と呼ばれている。記者は全方面の『お立場』から嫌われているくらいがちょうどいい」と反論していた。阿部記者の普段の活動を見ていると、「帝国主義の代弁者」というぶった切り方はちょっと違う気が。ネトウヨからは「中国の手先」とか言われているしなあ。ぼくも嫌われてナンボだと思っている。

2月16日

午後に沖縄テレビに歩いて向かう。途中、『沖縄で暮らして教わったたくさんのことがら』のアカ入れした初校を投函。時間があったのでむつみ橋のスタバで資料を読む。局まで歩き、ディレクターの米村光さんと、「ひーぷー☆ホップ」の打ち合わせ。憧れのローカル番組にまた出られるぞ。

うひひ。途中から米村さん上司の松田牧人さんもやってきて――松田さんとは飲み友達なので――わいわい話す。

帰りにジュンク堂書店に寄って森本店長とコーヒーを飲みつつ、いろいろとお知恵拝借。森本さんと別れたあとは栄町の「ちぇ島」へ移動して、普久原朝充さんらと焼き鳥を喰いながらかるく飲む。「リウボウ」に寄って食材を買い込んで、帰宅。

2月17日

昼まで寝て、豆腐などを炒めて食べた。今日も外出しないで、資料読みと原稿書き。光文社から刊行する『誰も書かなかった玉城デニーの青春』はひさびさの書き下ろしなので気合が入る。一九四九年から七三年までの地元新聞の記事を（「ハーフ」や「混血児」というキーワードを含んだ見出しと元記事だけ）をひたすら読んでいく。ルーペを使って文字を拾う。休憩をはさみながら、深夜二時近くまでそんな作業を続けたところで集中力が切れる。

2月18日

午前から昼にかけて昨日の作業の続き。古い新聞を読むと、時代の空気がいちばんわかる。目的の記事以外の記事や広告に目がいってしまって時間がかかるのだが。

火災報知機の業者がやってくる。ものの五分で作業終了。次の交換は五年後だそうだ。五年後、何をしているのか、はたして生きているのか、いろんな思いがふとアタマをよぎる。

深谷慎平さんに迎えにきてもらって、首里でFM那覇の「ヒトワク」のインタビュー。諸見里杉子さんがパーソナリティー。そのあと、真栄原まで送ってもらって、ジャン松元さんとパートナーの松元理美さんに会う。理美さんはコザロック界で活躍した女性ボーカリストである。当時のライブハウスでの米兵の乱行をいろいろ聞く。いやはや、すさまじい。一歩違えば「死」が待っていた世界。

そのあと壺屋まで送ってもらって「陶 よかりよ」に寄って予約しておいたキム・ホノさんの写真集を買う。限定品なのでぼくのノンブルは「33」。なんとなく思い浮かんだ数字なので意味はない。いまは茨城で作陶している若手陶芸家・伊藤誠也さんの湯飲みを買い求める。五月に「陶 よかりよ」で開催するキム・ホノ展の展評をオーナーの八谷明彦さんに頼まれ、固辞したのだが、どうしてもと言われ、一応は引き受けることにした。

帰りに「一幸舎」でとんこつラーメンをすすり、コンビニで食料を調達して帰宅すると激しい睡魔に襲われ、冬季北京オリンピックの実況は聞こえてくるのだが、なぜか台風の中にいる夢を見ていた。気がつけば日付を回ろうとする時間だったが、起き出して少し島豆腐を腹に入れて、少し原稿を書く。

2月19日

昼前まで寝る。昨日はよく寝た。今日も外出しないことに決めた。散歩にも行かない。ひたすら原稿を書く。腹が減ったら冷蔵庫にある島豆腐やら島野菜やらソーセージやらを炒めて食べる。深夜二時前に集中力が切れる。

2月20日

午前中に起きて洗濯をする。明日、東京に移動するので冷蔵庫にあるものをテキトーに炒めて食べたり、鯖の水煮などのカンヅメ類を食べて空腹をごまかしながら、今日も外出しないと決め、原稿に集中する。昨日も今日もジュンク堂書店で知人によるトークライブを聴きに行きたかったが、我慢。

2月21日
午前中も原稿を書いて昼過ぎに那覇空港へ。鶏肉を煮込んだやつと野菜炒めが入った三五〇円の弁当を買ってロビーで食べる。復路ではまた故・西村賢太さんの『小銭をかぞえる』（二〇〇八）を読む。

24 高校生「活動家」だったころ

2022年3月1日
日中、都内で取材をして、終わり次第、羽田空港へ。機内では資料をずっと読んでいく。着陸して空港内のコンビニで弁当を買い込んで、タクシーで自宅へ。ビール二缶と。深夜一時ごろ、倒れ込むように寝る。

3月2日
昼過ぎに、お笑いコンビのガレッジセール川田広樹さんと、放送作家のキャンヒロユキさんがやっている五分間のラジオ番組「みーぱちパーチ!」(RBCラジオ)を四本分収録。川田さんは東京と大阪、沖縄と三拠点生活をおくっているという。家族は大阪にいるそうだ。相方のゴリさんは東京。

琉球新報社から出したジャン松元さんとの共作『沖縄ひとモノガタリ』についてしゃべらせてもらう。川田さんに「どんな方が印象に残ってますか」的な質問をされて、ぼくは何人か名前を挙げた。みな「無名」の人たちで、ぼくが取り上げなかったら、メディアに出ることはたぶんなかっただろう。そういう意味では交遊録的な意味もあるのだが、そういう人たち——ぼくが魅力を感じる人たち——はいわゆる「聞かれることに慣れていない」人たちばかりである。

で、ぼくもそういう人たちに魅力を感じていることはまちがいないのだが、どこをどう切り取ったらいいものやら、とまどうことの連続だった。だから何度も会ったりして、ぼくがその人に惹かれている何かを抽出して、思考を整理して、ああでもないこうでもないと見合う言葉をさがした。相手からすれば「なんで自分なんかを取り上げるんですか」と思っている。なので文章が完成したときに、相手がぼくの拙い文章の中に気づかなかった「自分」を発見して喜んでくれたり、驚いてくれたときは、まあちょっと大げさだが物書き冥利に尽きた。

帰り際に同じ建物に入っているQABの島袋夏子さんとばったり。ロビーの片隅でいろいろ話し込む。彼女がプロデューサーをつとめていた「十時茶まで待てない!」が二月いっぱいで終了してしまった。終了間際に出演させてもらって光栄。モノレールでジュンク堂書店に行って、南ふうさんの新刊『ファイナルジェネレーション―記憶と記録の復帰前』(二〇二二)を購入。店内で「アラコヤ」の松川英樹さんにばったり。一階のカフェでページを開き始めたら、森本店長が来てくれたのでしばしゆんたく。

そのあとは久々に泊の「串豚」へ。西日本新聞の野村創記者と会うため。暖簾をくぐったら、野村さんはいなくて、「おとん」の池田哲也さんがいた。赤ウインナー炒めやオムレツ、焼きトンを喰う。池田さんはいいところで切り上げ、ぼくと野村さんは隣の居酒屋「たのし〜さ〜」へはしごして軽く一杯だけ。愛知県岡崎市出身のマスターとも久しぶり。野村記者にタクシーで送ってもらって帰宅。なかなか寝つけず。

3月3日

野菜炒めと島豆腐を食べて、「沖縄タイムス」の記事を何本か読む。学芸部の嘉数《かかず》よしの記者が書いた「『ゆいまーるにもジェンダー格差がある』女性研究者、沖縄を可視化」(二〇二二年二月二八日)という記事が印象に残った。在沖縄で、シングルマザーの生活史を調査・研究する二七歳の平安名萌恵《へんなもえ》さんを紹介したものだ。

(前略)「自由」で「奔放」に子どもを産み育てていると捉えられがちな彼女たちへのまなざしを問い直そうと始めた研究だ。インタビューを通して見えたのは、男性優位の共同体の中で後回しにされてきた女性たちの実態。「ゆいまーる(相互扶助)にもジェンダー格差がある」沖縄の姿を可視化する。

平安名さんが研究の道を志したのは、静岡文化芸術大学在学中の体験がきっかけ。知人女性に「沖縄の女性は南国気質で、性に奔放」という言葉を投げ掛けられ、驚いた。それを機に調べると、男性誌で沖縄女性が水着で描かれたり、米兵による性暴行事件が性的作品のモチーフにされたりしていた。

沖縄のシングルマザーについても「ゆいまーるがあるからやっていける」との言説があり、実情を明らかにする必要性を実感。芸術学を専攻して同大を卒業後、立命館大大学院に進み、二〇一八年から調査・研究を始めた。

離別や非婚でシングルマザーになった二〇～八〇代の四五人の声に耳を傾けた。見えてきたのは、ひとりで踏ん張って子どもを育てる母親たちの過酷な暮らしだ。

ある女性は、中絶を迫ったパートナーとの関係を絶って出産。親族からはサポートを受けられず、生活保護の申請が必要なほど困窮した際も、家族は女性より無職の叔父の居住環境を整えたという。一〇代で出産した別の女性の家族は、同時期に誕生した男兄弟の子を優遇した。

平安名さんは「生み育てもそうだが、進学や就職も『好きなように決めたらいい』『自分たちは何もできない』『迷惑は掛けるな』と突き放されている。共同体の中にいながら放置されているのに、親のケアなどの役割は求められる」と話す。

自立的に生きなくてはならない女性の多くは、他者への信頼も失っている。その背景には、男系の血族が「家」を継ぐ沖縄独特の門中制度がある上、戦後の混乱と貧困も影響している、と平安名さんは分析する。「男性優位の共同体で女性であるが故に、周囲を頼ることができない人たちの姿を説明していかなければならない。社会の理不尽なまなざしに反論していきたい」と決意する。

沖縄の母子世帯の出現率は全国平均の約二倍。子どもの貧困率はひとり親世帯では約半数に達する。平安名さんは、困難な状況に置かれた女性たちが、自分自身と社会を理解するための「説明書のような役割」を果たすことも目標に掲げる。「話してもしょうがない」「どうにもならない」と考える女性たちが、自らの研究を通して「少しでも生きづらさが晴れたらうれしい」とほ

ほ笑む。（後略）

長々と引用させてもらったが、基本的に沖縄は「男性優位社会」で「長男」を重んじるし、「血」にこだわる傾向。女性は「低く」見られる傾向がある。日本の「田舎」はだいたいそうなので、特に沖縄が突出しているわけではないのだが。「ゆいまーる」という言葉の、ときとして空疎性をぼくは書いてきたが、こうした指摘はもっとされるべきだと思う。古くなり過ぎた伝統や文化、社会構造は、問題点を自覚しながら見直すべきなのだと思う。ただ単に、伝統は大事にしましょう、というのは思考停止だと思う。

歩いて牧志の市場通りへの「米仙」へ。アーケード街なので「屋根」はある。店は繁盛してテーブル席をどんどん拡大していて、ほとんど路上で飲むという雰囲気になっている。写真家の岡本尚文さんが先に着いていてふたりで飲み始めた（岡本さんは酒を飲まないが）。飲み始めたら、ぼくに向かってカウンターにいた男性が「先生！」と声をかけてきた。聞けば、この日記の読者の方で、ここに来たらぼくに会えると思って足を運んだら、いきなり初日に会えました、とか。その方が帰り際にいっしょに写真を撮ってくださいと言われたので、赤ら顔の間抜け面でスマホカメラに収まる。普久原朝充さんと森本浩平さんもやってきて、バカ話をする。

ただでさえ場所が目立つので、何人もの地元の知人に遭遇。壺屋焼き窯元の「育陶園」七代目・高江州尚平さん兄弟とは初対面。森本さんの紹介なのだが、巨大書店の店長だけあって、やっぱり顔が広い。リブロリウボウブックセンターの小熊基郎さんからは沖縄復帰五〇周年の全店選書フェアに参加してほしいと頼まれ、臆面もなく自著を選ばさせていただくことにする。帰りは岡本さんに送ってもらい、ひんやりした床が気持ちよく、そのまま床で寝入ってしまい、朝方に覚醒。若干二日酔いでもあったので、二度寝を決め込む。

3月4日

目が覚めたのは昼過ぎ。今日はジュンク堂書店で谷口真由美さんのトークがあるのだが、〆切を忘れていた原稿を書く。ずっと映画『グラン・ブルー』（一九八八）のサントラをかけていた。夜になって、谷口さんらが飲んでいる酒席からお誘いの連絡があったが、原稿にメドが立たないので、せっかくのお誘いにうしろ髪を引かれる思いを感じつつ、ご遠慮する。

3月5日

午前中に起きて、今日も『グラン・ブルー』のサントラをかけながら、昨日とは別の原稿を書き始める。注文をもらえるのはありがたいことだと感謝しつつ、書く楽しさと、書く重圧を天秤にかけたら、書く重圧のほうに傾く。取材は好きなのだが、書くことが辛い。しょせん俺みたいな奴は、こんな仕事向いてなかったんだとネガティブな気持ちに襲われながら、いつまでこの仕事を続けるのだろうかとさらに落ち込むループ。筆を休めて、ウクライナ情勢のニュースを観る。

夕方は沖縄テレビに出向いて、地元ローカル情報バラエティ番組の「ひーぷー☆ホップ」に生出演した。ジャン松元さんとの共作『沖縄ひとモノガタリ』について語らせてもらうのだが、メインのヒープーさんこと真栄《まえ》平仁《ひらひとし》さんはじめ、レギュラー陣の芸人さんたちとのトークにも絡むことになっている。

お題は「地元」。ぼくは名古屋市の繁華街の下町の一角で生れ育ったのだが、ようするに性風俗店や場末系が密集していて、ヤクザの事務所も複数あった地域である。祖父母の代に建てた家（いまは取り壊して売却してしまった）で、表側の道路から裏側の道へとショートカットできる庭があり、拳銃を持った男が塀を乗り越えて庭を駆け抜けて逃げていくのを、祖母は何回か目撃していた。

今は一軒残らず消え去ってしまったが、我が家はゲイバーが密集しているど真ん中で、朝までにぎやかな町だった。ぼくが小学校に上がったばかりのころ、玄関の木の引き戸を明けたら、道路をはさんだ目の前でうしろ向きの女性が立ちションをしているのが目に入り、母親に「女の人でも立ちションするの？」と質問した記憶がはっきりとある。母はたしか何も答えずにひっこんでしまったと思うが、いま考えれば、トランスジェンダーの人か、バイセクシャルの人か、女装をしたゲイの人だったんだろうなという察しはつく。けれど、小学校に上がったばかりのぼくにとっては、初めてに近い「風景」への疑問だった。

ちいさな子どもに刷り込まれた「社会常識」のようなものが壊された。それからしばらくはずっとそのことばかり考えていたが、ぼくにとって地元の「原風景」のひとつにはまちがいないし、いろいろな意味で集まってくる人たちが刺激のある「地元」だった――というような話をしようと思っていた。が、ディレクターと打ち合わせをしていたら、この内容をていねいにしゃべるには尺が足りないという話しになり、急遽内容を変更。どこか怪しさ漂う歓楽街の一角で生れ育ったのが「地元」で、子どものころから正体不明のもくもくと白い煙をたてる「いい匂い」をかいくぐって小学校に行っていた。大人になってからそれが「ホルモン焼き」だったということを知り、以来、ホルモンにとりつかれ、四年半に渡って某漫画雑誌でホルモン食べ歩き紀行を書き綴り、二冊の単行本にまとめるに至ったというオチの話にした。

番組終了後、パートナーが東京からやってきたので、松山の「酒月」で合流して、晩飯を喰う。

3月6日

朝早く目覚め、レトルトカレーをレンチンして食べて、すぐに原稿に取りかかる。夕刻、放送作家のキャンヒロユキさんが松山にオープンした、お粥専門店の「日々晴天」に出向く。キャンさんは台湾好きが高じてお粥の店まで共同で出店してしまったのである。キャンさんが手がける番組のスポンサー関係者や、社会貢献事業などを展開している方など五〜六人が集まる食事会にお招きいただいた。ここのお粥は、じつに美味い。いくら口に運んででも食べ飽きない。白飯以外に雑穀などを煮た粥もたっぷり。パートナーと自分の朝飯用にお粥をテイクアウト。ちょいと飲みすぎてベッドに倒れ込む。

3月7日

やはりかるい二日酔い。昼過ぎに起きて、昨日「日々晴天」からテイクアウトしたお粥をいただく。今にも降り出しそうな曇天だと思っていたら、すぐに降り出した。雨足強し。原稿に取りかかる。夕刻になり、パートナーと牧志へ。保護猫たちがいる古着屋「ANKH」で猫を撫でまわし、センベロ寿司「米仙」へ。雨のせいか空いている。いつもどおりの寿司と天ぷらを食べていたのだが、めんたいチーズオムレツ（このテの料理は一軒先の姉妹店で調理され、供される）に逸れてみた。なかなかジャンクな味でよろしい。コンビニで食材などを買って帰宅。

3月8日

早めに目が覚めて原稿を書く。コメントをもらおうと予定していた知人が重い病にかかった。だが、現在の病状がそれどころではなくなったと、彼のパートナーが連絡をくれた。心配で仕方がない。

洗濯して干す。天気はいいんだが、寒い那覇。雨が降り出して、夕刻になると雨足は強くなった。栄町に出かけて「ちぇ島」で崔泰龍さんの焼き鳥を喰う。絶品。帰りに「リウボウ」で食材を買い込んで帰宅。

3月9日

昨夜は何度も覚醒してしまい、よく眠ることができず。昼近くまで寝ていた。起きて豆腐やめかぶなどを食べて、ウクライナへのロシア侵略戦争のニュースを見ながら、夕刻まで原稿を書く。

近所の安里八幡宮へ参拝。知人の回復を祈願。この神社は保育園と一体化しているので子どもたちに声をかけながら、予測できない動きをするちっちゃい子らをうまく避けながら拝殿へ。すぐ近くに真新しい公園ができていた。いつの間にやら工事をしていたんだな。一周一七五メートルのランニングコースもある。そのうち走ってみるかな。だいぶ前に左足の腓骨の亀裂骨折をやってから「走る」という行為から遠ざかっている。走れるかな。

十数年前に東京・三軒茶屋のバーの階段をしたたか酔って踏み外し、左足首が象の脚のように腫れた。いまそのバーは廃業しているが、超変人なマスターがひとりで切り盛りしていて、ぼくは友人の紹介で行って以来、しょっちゅう入り浸るようになった。そのうちに、ぼくの知り合いやその知り合いなど、常連が広がっていった。

ある日、まだ明るい時間にひとりでのぞいてみると、ぼくが紹介した若手学者二人が飲んでいた。その店には、泥酔した常連客が自由に着られるコスプレ用の衣装が何種類か置いてあって、ぼくは中国人民解放軍の軍服を着て飲んでいたことが（たしか）ある。とにかく無礼講なバーだったので、そのふたりのうちひとりは（たしか）サンタクロースの衣装を羽織っていて、もうひとりは全裸に近いかっこうで、両乳首に空のコーラ瓶を吸いつけていた。乳首コーラ学者は今ではよくテレビのコメンテーターとして顔を見るようになった。ふたりともすでにかなり酔っていたが、乳首コーラ学者はぼくを認めるや、「今度、対談しましょう」と妙にまじめなことを提案してきて、実際に実現した。

一〇人も座ればいっぱいのバーカウンターしかなかったが、カウンターの上を某有名番組のプロデューサーが股間にガムテープだけを貼り付けて踊ったり、某局の若手ディレクターが階段で嘔吐して、ぼくがそれを踏みつけてすべったため、激怒したマスターが道路でそのディレクターの腹を殴りつけていたこともあった。まあまあと止めに入り、ぼくは近くのコンビニで雑巾を買ってきて、何人かで掃除した記憶がある。朝まで店が空いていたので爆音で音楽をかけていた。朝方に三軒茶屋の交差点にいた選挙カーに、店をしめたあとに酔ったマスターがよじのぼって、演説を妨害しようとして逮捕されたことは、ぼくがなんとなく店から足が遠のいたころ、風の噂で聞いた。店はもうない。今日は韓国の大統領選もある。晩飯は栄町「アラコヤ」で焼きとんなどを食べる。沖縄そばの太麺を使った「ナポリンタン焼きそば」がなんともいえず美味。

3月10日

終日、原稿。仕事の合間に、いい陽気で風が気持ちいいので散歩がてら、牧志のパラソル通り（広場）をのぞいてみる。ちょっと前は立ち入り禁止だったのに、いまは備えつけられていたテーブルや椅子（たぶんコンクリートでできていたと思う）の取り壊しモードに入っている。飲み食べ散らかしに苦情が絶えないというのが理由らしいが、牧志のアーケード通りの顔にもなっていたし、近隣のお年寄りの憩いの場にもなっていた。複雑な気分。

そういえば、「トートーメー継承『男性』八割　行事の準備・片付け『女性』八割　性別役割根強く」（「琉球新報」二〇二二年三月八日）という慶田城《けだしろ》七瀬《ななせ》記者が書いた記事を興味深く読んだ。

（前略）アンケートで、位牌の継承者を尋ねると「長男」（六五・三％）、「血縁の男性」（一五・七％）と男性が八割だった。また位牌がある家で行事の際に主に誰が料理の準備や後片付けを担っているのかを尋ねると、「女性」が八三・五％に上った。継承は長男に、料理や片付けは女性に偏り、性別による役割が固定化している状況が浮かび上がった。

トートーメーは、沖縄の一般家庭で旧盆や正月、清明祭《シーミー》などの伝統行事の中心的役割を担う家に配置され、長男や血縁の男性により先祖代々継承されてきた。一方、今回のアンケートで、位牌を誰が継ぐべきかを聞いたところ「誰が継いでもいい」が五六・六％と半数を上回り、少子化や価値観の多様化に伴い、女性が継ぐことへの抵抗感は薄れてきている。（中略）

沖縄の伝統的な祖先崇拝や文化が継承されるには、男女で行事の負担を分け合い、継承について親族内で話し合うことが鍵となりそうだ。

記事によれば、長男や男性親族への継承が多く、女性への継承はタブー視されてきたという。伝統を守ることは大事な側面もあるが、これは沖縄はとくに、元来「伝統」の多くは男性中心で引き継がれてきて、女性の負担や排除なしには成立しえなかった面がある。頑なにそれを堅持していれば廃れるのは時間の問題だろう。

今年出したばかりの、ジャン松元さんとの共作『沖縄ひとモノガタリ』でも同性愛者の女性にご登場願った。沖縄の「シマクトゥバ」（島言葉）にも男言葉・女言葉があり、「ハイサイ」は一般的に知られているが、じつは「ハイサイ」は男言葉で、女性は「ハイタイ」ということを教えてもらった。「シマクトゥバ」を継承するのは大事だが、固定化した言葉に拘泥するばかりでは、ジェンダーの固定化につながり、時代に取り残される。若い世代が離れていくだろうと思う。

3月11日

昼まで原稿。昼前に県庁ロビーでジャン松元さんと合流。玉城デニー知事と会う。夏に『誰も書かなかった玉城デニーの青春』を光文社から刊行するから、その取材で、デニーさん本人への詳細なインタビュー含め、青年期をともに過ごした人たちや、家族や親戚関係者、数十人に二年以上取材を続けてきた。玉城デニー知事の「青春」は沖縄のもうひとつの戦後史と言ってもいい。誰も書かなかった若き玉城デニーさんが疾走する記録。時代の息づかい、彼を取り巻く人々の語りを詳細に記録した。表紙はジャンさんにデニーさんがフェンダーのギターを抱えたキメの一枚を撮ってもらうことになっている。

終了したあと、カフェで一息ついて、栄町「おとん」にいちばん乗り。コロナ禍でずっと閉めていたので、思えば久々。空豆を注文したら、サヤに豆が五個入っているのに遭遇してちょっとうれしい。グルクンの蒲鉾は家内工業で作っているというなかなかお目にかかれない一品。美味なり。

ほかにもソーキの煮付けなどで芋焼酎をちびちび飲んでいると、ジュンク堂書店の森本店長と、在京の出版社「イースト・プレス」の島村真佐利《まさり》さんが合流してきた。同社からはぼくも何冊か本を出しているが、彼は最近、同業他社から転職したばかりだそうだ。彼は東京生れだが、母方のルーツが沖縄にある。三人でわいわいやっていると、店にふらっと入ってきた、拙日記の読者の男性から声をかけられて、いっしょに写真におさまる。矯正関係の仕事をされている方だった。

三人で栄町場内の路地に出ると、路地を吹き抜ける風が気持ちよい。自然と「米仙」へ足が向いてしまう。「米仙」がある通りは立ち飲みの店が密集しているが、米兵の中でも話題になっているのか、ノーマスクの半袖短パンの連中が大声で騒いだり、走り回ったりしている。

激安旨寿司を食っているうちにNHKの渡辺考ディレイターの家で飲もうということになり、ちょっとのあいだ、彼の家におじゃましてあれやこれや話す。渡辺さんは風呂上がりだった。彼にはテレビドキュメンタリー作品以外にも、『プロパガンダ・ラジオ─日米電波戦争幻の録音テープ』(二〇一四)、『戦場で書く─火野葦平と従軍作家たち』(二〇一五)、『まなざしの力─ヒューマンドキュメントの人々』(二〇二〇)、重松清さんとの共著で『最後の言葉─戦場に遺された二十四万字の届かなかった手紙』(二〇〇四)、などの単行本もあり、異能かつ表現する力が横溢したテレビマンなのである。恐れ入る。

3月12日

昼前まで寝ていて、ちょっと二日酔い気味ながら、今日は外出しないことに決めて原稿に集中。空腹をおぼえると買いだめしてある島豆腐や冷凍してある吉野屋の牛丼の具やら冷凍野菜を加熱して食べる。美学者の伊藤亜紗《あさ》さんの人物ルポを「AERA」の「現代の肖像」ページに書いた。多めに書いた原稿約九〇〇〇字を編集者に送信。方向性と内容を確認してもらうためだ。数時間後、お褒めの言葉が。無事、採用。これからこれを刈り込まねばならない。

3月13日

九時ごろ目覚める。朝飯を食べたあと、すぐに原稿に取りかかる。一三時すぎに歩いてジュンク堂書店に向かう。『沖縄ひとモノガタリ』のトークイベント。本書に登場していただいた親富祖愛さんと親富祖大輔さん、そして沖縄国際大学の佐藤学先生に登壇していただく。本部町から親富祖さん家族の乗った車がエンジントラブルを起こしたらしく、浦添あたりで停止の連絡が。子ども四人のうち二人を連れてタクシーで向かっているという。大輔さんは処理をしてから二人の子どもを連れて、あとから登場。事故にならなくてよかった。

　親富祖愛さんと大輔さんたちが沖縄でおこなっているブラック・ライブズ・マター運動についての話が中心になる。ジャンさんも自身の被差別体験を話す。会場には五〇～六〇人。本書に登場してくれた屋我真也さん、普久原朝充さん、深谷慎平さんらも来てくれた。写真家の石川真生さんが会場におられて恐縮。ご挨拶する。前に名刺をお渡ししたことがあるのだが、忘れておられた。そりゃそうだ。名護からラッパーの大袈裟《おおげさ》太郎さんも来てくれて、ネット上ではつながっていたが、初めてリアルでお話をする。

　愛さんから沖縄における人種差別やマイクロアグレッションの話が次々と提起されて、佐藤先生が解説を加える。どこか張りつめた空気だったが、充実した時間を過ごすことができた。ぼくは愛さんのＳＮＳをこまめにチェックしているのだが、最近（三月一〇日）の投稿の一部を書き留めておきたい。

> 　ウクライナから来たアフリカ系の人たちが国外に出ようとしたら、バスでは乗車拒否されることが起きた。逃げ出すことに肌の色の優先順位が作られ、アフリカ系はいちばん最後。世界中がこの無意味な争いに胸を痛めている中、偏見が命を選別する。彼らが白いから？　そんなことが出来るのは。一気に私の中で何かが消えかけた。それから一気に体調が崩れた。

黒さを否定するなら白いことを否定し返す。こんな楽なことはない。マイクロアグレッションや日常的に偏見をそのままにしておくとこういうことになる。だけどまだまだ差別を認識しない人や、意識のない人々や、これくらいと思う人々に私たちの声はかき消される。（中略）

さて私も白い人々をそろそろ全否定しようか？　自分たちの祖先のおこないに始末をせず、今の楽しさに身を投じて、他のレイシャルや民族の領土を好き放題行き来する彼らを否定してみようか。そんなの無意味だとわかる。たぶん多めに彼らが無知だとわかる。平気で黒人の文化を搾取し、未だに目を見開き私たちを見ているかもしれない。それはまるでヤマトから来た人々と重なる。うちなーは好きだけどうちなんちゅーへの偏見は変わらない。沖縄戦で日本兵がうちなんちゅーにスパイ容疑をかけたり、方言を使うだけで疑った。偏見は命すら奪いはじめる。（後略）

終了後、ぼくは（ぼくよりは）若い友人数人といつもの「米仙」へ。そのあと近くのバーをはしご。何かが弾けたような感覚があって、調子に乗ってつい飲み過ぎ・食べ過ぎた。帰宅しても胃がむかむかして眠れないのであえて喉に指をつっこみ嘔吐。そうしたらすっきりして眠ることができた。

3月14日

案の定、二日酔い。昼過ぎまで何度も寝たり起きたりを繰り返す。夕刻あたりからやっとエンジンがかかり始め、パソコンに向かう。深夜に原稿を編集者に送る。まだ固まっていない点も多々あるが、方向性だけ確認してもらおう。ちょっと肩の荷が降りる。

3月15日

昼過ぎまで雑用をいろいろ片づける。仕事的に一段落ついた感があるので、昼過ぎにぶらぶら散歩がてらジュンク堂書店に寄り、雑誌「ｃｏｙｏｔｅ」と太めのボールペンを買いもとめる。右手の軽い麻痺（右小脳出血の後遺症）で汚い字がよけいに汚くなっていたのだが、ある人から胴体の太いペンを試したらいいよとのアドバイスを受けた。そのまま一階のカフェで買ったばかりの「ｃｏｙｏｔｅ」の沖縄特集をめくっていたら森本店長が来てくれたので、しばしゆんたく。そうこうするうちに「ｃｏｙｏｔｅ」の写真の多くを撮影した写真家の垂見《たるみ》健吾さんと久々にばったり。三人でいろいろ情報交換。

そのあとひとりでむつみ橋のスタバに入って雑用をこなしていたら、漫画家でアクティビストの山本夜羽音《よはね》（本名は洋一郎）さんの訃報を知る。思い起こせば、彼が札幌の高校生の頃、保坂展人《のぶと》さん（現・世田谷区長）とぼくのふたりを学園祭か何かに招いてくれたのだった。ぼくは高校三年のときに『オイこら！学校―高校生が書いた〝愛知〟の管理教育批判』（一九八四）という青臭い告発本を仲間と出したのだが、その前後数年はそれなりにハデに活動していた。いまでいうところの「ブラック校則」――当時は「管理主義教育」と言っていたが――そういったものを告発する社会運動をやっていたのだ。出版直後は高校生だけで数百人を集めて、「愛知の管理教育」に抗議する集会を開いたこともある。高校を卒業してからもしばらくは、名古屋と東京の二重生活をしていた。

保坂さんは、内申書裁判の原告として東京をベースに長年にわたって活動していた。ぼくはといえば高校生「活動家」を自認していた。しかし、数年で諸事情から若者の「社会運動」は空中分解してしまい、ぼくは東京に出た。それからは東京の保坂さんの事務所（若衆処のようなところで、「青生舎」という名前だった）にたまに出入りするようになっていた。高校二年ぐらいから保坂さんとは知り合っていたが、保坂さんの事務所には学校や社会からはみ出したクセの強い連中が集まっていた。そのあたりの事情は、いまは「ファシスト」を名乗る外山《とやま》恒一さん（彼も九州から東京に出てきていた）『改訂版　全共闘以後』（二〇一八）にくわしい。ぼくのこともたくさん書かれていることは、出版されたあとに読んで知った。

夜羽音さんの案内で札幌市内の中心部を三人で歩き、焼きトウモロコシにかぶりついた記憶がある。彼も高校を卒業したあと東京に出てきて、いろいろな活動を始めることになるのだが、そのころから漫画を描いていたように思う。いつも大きなショルダーバックを両肩にかけていた。資料や本でぱんぱんにふくらんでいた。ぼくはそのころはよく会っていたが、自然に疎遠となり、彼が漫画を描き続けて『マルクスガール』（一九九九－二〇〇〇）というコミックを出していることも、「夜羽音」を名乗っていることも、かろうじてSNSだけでつながっている状況の中で知った。

五〇歳を過ぎて、きつい肉体労働をしながら漫画を描いていた生活がときどきわかった。新型コロナに感染して重症化、入院している様もわかった。しかし治療がうまくいき、笑顔でビールを飲んでいる様も投稿で見た。が、それが最後になった。退院後も体調が思わしくないことはその投稿からもわかったのだが、散歩中に倒れたらしい。冥福を祈るしかない。洋一郎、いつかそっちで会えたらいいな。

牧志の「K－MEAT」という昼間から酒が飲めるバルで、放送作家のキャンヒロユキさんと建築プロデューサーの増田悟郎さんと合流しビールを飲み、いつもの「米仙」に開店と同時に入る。生命保険コーディネイターの高光優海《たかみつゆうみ》さんも合流してきた。キャンさんと高光さんとぼくが帰る方向が同じだったので、泊の「串豚」でかるく一杯やって、コンビニに寄って帰宅。

3月16日

朝早く覚醒してしまう。昼前まで雑務をして、昼前にモノレール県庁前駅で、京都から日帰りでやってきた作家の仲村清司さんと合流。ぼくが時間をまちがえたらしく、一時間近く待つ。久茂地の「永當蕎麦」。県庁地下の喫茶店でゆんたくし、近くの立憲民主党事務所へ。元衆議院議員の辻元清美さん（現・参議院議員）のユーチューブチャンネル「清美ちゃんねる」で、辻本さんと仲村さん、琉球大学の島袋純さんが鼎談するのを、ぼくは部屋の片隅で見学させてもらう。

いま話題の『つながる沖縄近現代史』の著者のひとり・古波蔵契さんと、フリーライターの篠田恵さん、立憲民主党の選挙スタッフの秋本雅人さんらと一緒に拝聴。島袋先生とは数年ぶり。清美さんとは、たしかピースボートの平壌クルーズに「水先案内人」と称したゲストとして乗船させてもらい、平壌のホテルで朝飯を一緒に食べたのが最後だから二〇数年ぶりの邂逅。彼女とは互いに十代のころから知っている。仲村さんもかなり前に会ったことがあるみたいで、番組が始まるまでなんか同窓会みたいな感じになった。

終了後、ぼくは仲村さんを空港まで送り、フライトの時間までいっしょにビールを飲む。帰りに「一幸舎」でラーメンをすすって帰る。

3月17日

起きて洗濯。那覇空港へ向かう準備をする。早めに着いてブタキムチ弁当四〇〇円。論創ノンフィクションから五月に出す予定の『沖縄の街で暮らして教わったたくさんのことがら』の再校のアカ入れをひたすら。かなり加筆したのでけっこうな束《つか》になりそう。

V　今日も沖縄で暮らすぼくは、どこへ向かっていくのだろう

25　『沖縄から貧困がなくならない本当の理由』への違和感

2022年4月3日

夕刻に那覇着。橋本倫史さんの『水納島再訪』（二〇二二）を書評で取り上げるために飛行機の中で読んできた。拙宅に帰って荷物をほどき、牧志の「米仙」へ。普久原朝充さんと深谷慎平さん、岡本尚文さん、森本浩平さんが三々五々集まってきて、撇旨安寿司をつまみながら一杯やる。

誰かが栄町の「アルコリスタ」が再開していたというので、電話してみるとオーナーの矢島裕光さんが出た。全員で行ってみると、コロナ禍の影響で一年半休業していたという。この店一八番のアラビアータをシェアして赤ワインを飲む。店を出たあと、ほかのメンツはラーメンが喰いたいというが、ぼくは満腹で離脱。安里駅前の「リウボウ」で食材を買い込んで一足先に帰る。

数日前から話題になっている記事がある。写真家のジャン松元さんが、米兵に銃を水平に向けられた様子を撮影した写真をめぐる騒動。記事が出るとネトウヨ連中がわいてきて、ネットで罵詈雑

言を書いている。ジャンさんを擁護する人も、相手を罵っている。Twitterは匿名でしかものが言えない卑怯者が跋扈する空間である。

「琉球新報」の見出しは「米兵が本紙記者に銃口　那覇軍港警備訓練の取材中に」（二〇二二年四月一日デジタル版）。引用してみたい。

在沖米陸軍は三一日夕、米軍那覇港湾施設（那覇軍港）で基地警備訓練を実施した。銃を携帯し武装した兵士が軍港内の倉庫を警戒する様子などが、国道三三二号沿いから確認された。基地フェンスの外で写真を撮影していた琉球新報のカメラマンに対し、兵士の一人が銃口を向ける場面があった。

記事によれば、「米兵は銃を構えて数秒間静止していた」という記者が撮影時の様子を語ってもいる。

米軍は沖縄防衛局を通じて県に訓練実施を事前に通告していたが、武装するという情報は伝えられていなかった。

琉球新報の目視で、軍港内の倉庫前に米軍警察の車両や輸送車両が集まり、小銃を構えた兵士約二〇人が警戒しながら倉庫内に入ると、車両が続く様子が確認できた。県によると、小型輸送艦艇も接岸した。

県によると、那覇軍港の第八三五米陸軍輸送大隊を中心に訓練を実施した。米軍は日常的な訓練だと説明している。県は訓練確認のため、現場に職員を派遣した。

那覇軍港では二月にも、普天間飛行場所属のMV22オスプレイの飛来を伴う訓練が実施され、武装した兵士が、デモ隊に見立てた一団から建物を警備する様子が確認された。

4月4日

昼まで寝ていて、飯を作って腹を満たし、自宅にこもって読書をする。上間陽子さんと信田《のぶた》さよ子さんの往復書簡『言葉を失ったあとで』(二〇二一)をご恵送いただいていたので、関心があるテーマだし、おふたりとも面識があるので、じっくり心して読む。アポ取りをいくつか。編集者とのやりとり等をしばらく続ける。

そういえばこの記事も気になる。ようやく「あの本」をファクトチェックの視点で批判した記事が「沖縄タイムス」に出た。「貧困本、前提事実に『誤り』真偽と推測ない交ぜ」(沖縄タイムスプラス、二〇二二年三月三一日)という見出しで、編集委員の阿部岳記者の仕事である。ぼくもかねてから、その本についてフェイスブックで樋口さんをタグ付けして批判していたが、ぼくが小物だからだろう、音沙汰はなく、無視されてしまった。記事を紹介したい。(後日、本紙にも掲載された)。

『沖縄から貧困がなくならない本当の理由』(光文社新書)が発売から二年近くたっても売れ続けている。著者は沖縄大学准教授の樋口耕太郎氏で、貧困の原因を「自尊心の低さ」に求める内容。立論の前提となるデータを本紙がファクトチェックすると、「誤り」や「不正確」な記述が複数あった。「根拠不明」な推測もあり、真偽がない交ぜになっている。

同書は、沖縄の問題点を繰り返し列挙する。例えばこんな記述がある。「沖縄社会における、自殺率、重犯罪、DV、幼児虐待、いじめ、依存症、飲酒、不登校、教員の鬱の問題は、全国でも他の地域を圧倒している」。

しかし、脚注をたどってデータを検証すると重犯罪、幼児虐待、いじめへの言及は「誤り」。DVは「不正確」、依存症、飲酒は「根拠不明」だった。この一文で指摘する九点のうち六点に何らかの問題がある。

重犯罪は凶悪犯罪のデータで、沖縄の認知件数は人口比で全国一八位。全く「他の地域を圧倒」していない。

幼児虐待といじめの根拠として示した新聞記事は沖縄で増えていることを伝えているだけで、全国比には触れていない。同書刊行時点の国の統計を調べると、児童虐待は人口比で全国三三位、いじめは全国一一位で、「圧倒」は誤りと言える。

「不正確」な記述のうちDVはさまざまな指標があるが、脚注で挙げた県資料では保護命令件数が人口比一～八位で推移する一方、相談件数は全国平均を下回る年もある。依存症、飲酒は肝疾患の死亡率が高いというだけで、他の統計的根拠は不明だ。

樋口氏自身が「かなり乱暴な私の感覚」と断っているデータもある。県が県民総所得のうち基地関連収入を五％と見積もっているのに対し、樋口氏は二五％との見立てを披露。さらに「ひょっとしたら五〇％に近いのかもしれない」と自説を展開している。

記事は、「2012年凶悪犯罪認知数」(『100の指標からみた沖縄県のすがた』平成二八年一〇月版)や最新の厚生労働省「平成三〇年度　児童相談所における児童虐待相談対応件数」などの公的データを使って、樋口氏の「恣意的使用」を指摘していく。そして、やはりというべきか、「本紙は著者の樋口耕太郎氏にインタビューを依頼したが、樋口氏は辞退した」という。

そして、糸数温子（日本学術振興会特別研究員／沖縄ＳＮ協議会共同代表）のコメントを付記している。

『沖縄から貧困がなくならない本当の理由』はツイートのような本だと感じている。学術書のような論拠や先行研究への目配りはなく、かといってエッセーのような思想の統一性もなく、即時的に、思いついたままをつぶやいている印象だ。

本書は『愛』を説くのだが、その視線はパターナリズム（父権的温情主義）に貫かれている。日本より劣位にある沖縄を、劣位にあるからこそ愛し、矯正してあげる、という姿勢だ。（中略）「沖縄の社会構造が貧困を生み出していると同時に、沖縄経済が貧困によって維持されている」「貧困の対症療法ではなく根本原因の特定に労力を費やすべきだ」という主張には同意する。根本原因は、産業構造の変化、社会的排除、階層の固定化などさまざまな角度から論じることができる。税の再配分を求める政策提言やユニバーサルな支援を求める声、そして多様な実践が存在する。しかし本書は、挑発的なタイトルに反して、その社会構造や根本原因を追求した記述が浅いために、本書を読んだ人びとからの批判を免れないのである。（後略）

糸数温子さんとは仕事をしたことがあるが、明晰で切れ味鋭い人である。ぼくはちなみに、二〇二〇年八月の本連載で同書を以下のように批判していた。

最近、なにかと話題の樋口耕太郎さんの『沖縄から貧困がなくならない本当の理由』を読んでみて、かなりの違和感が残った。何年か前に氏にはインタビューしたことがあって、当時は、那覇軍港の移転について反対していた浦添市長のあっと言う間の「転向」について構造的な鋭い分析等をしていた。すごいなあと思って話を聞かせてもらった。物腰のやわらかい人だった。

が、同書については経営者としての記述に刮目するところも多々あるのだが、同書に寄せられた批判に対して「まとめて」樋口さんが反論しているのを見て、がっかりしてしまった。反論というより、ぼくには言い訳のように読めてしまった。

「反論」の中で、「『この本は〇〇の本だ』、と語ることが難しければ、まずは、そうでないものを説明する」、「この本のジャンルを特定することはむずかしい。沖縄地域研究、経済、貧困問題、文化、心理学、幸福論、哲学、スピリチュアリティ、経営、マーケティング、未来学、教育、子育て、自己啓発、社会学、日本研究、エッセイ、ノンフィクション、物語……どれも該当しそうだが、どのカテゴリーでもないとも言える」(以上、「ニューズウィーク」二〇二〇年八月三日)というくだりにはとくに脱力してしまった。

同書には、沖縄の貧困問題に対する既存の対策を対症療法だと断じた一方で、肝心の政策提言らしきものがなく、問題の本質を沖縄の個々人の心の有り様に求めてしまっているのに、だ。樋口さんに悪意はないのだろうし、同書は沖縄でもよく売れているのだから、賛否両論があることは一般的にいいことだと思う。ぼくもいろいろと嫌われているので「嫌われる勇気」的な気持ちはいつも持っているつもりだ。けれど、「自己肯定感が低い」という物言いを個人以外に対して使うことは、ぼくには憚られる。

考え方の異なる署名記事を掲載するのは公器たる新聞の役割だが、「ファクトチェック」の対象となると意味合いが違ってきて、「批判」の対象になる。

それにしてもこの本が版を重ね、四万五〇〇〇部も出ているという事実もある。沖縄でもおそらく二万部以上は売れたし、樋口さんに賛同している知人が何人もいる。樋口さん、社会に何がしか発信をしている「言論人」なのだから、阿部記者の取材は受けるべきだと思う。反論すべきところは反論し、訂正する箇所があるなら対応したほうがいい。樋口さんに悪意がないことはわかっている。いまのままだと単に「逃げている」だけで印象が悪いと思う。

4月5日

早めに起床して雑務を片づける。Twitterで知花園子さんが「一カ月以上外で酒を飲んでない」と投稿しているのをたまたま見つけ、すぐに飲みに行く約束をした。はやめに出て、歩いて「桜坂劇場」に行って、ドキュメンタリー映画『牛久 "Ushiku"』（二〇二一）を観る。トーマス・アッシュ監督が牛久にある「東日本入国管理センター」の面会室などを隠し撮りした衝撃映像の連続。「不法滞在」の外国人は人間として扱わなくてよいという、日本という国の排外的な本質の一端を見せつけられる。だが、隠し撮りを知らされていなかったと主張する収容者もいて、監督とモメている情報も聞いた。どう判断したらいいのか情報に乏しく、むずかしい。

映画を観たあと、一階の「さんご座キッチン」で本を読み、「GARB DOMINGO」と「陶よかりよ」「古民芸 陶楽」、「ひばり屋」に顔を出してゆんたく。周辺の猫を撮りながらぶらぶら歩いて、いつもの「米仙」で知花園子さんと合流。久々に彼女と酒を飲む。アラレちゃんのようなかっこうをしたど派手な知花さんは、何か言うたびにいちいち「藤井さん！ あのですね！」と前振りをするしゃべり方の癖があるので、米仙の大将が笑っている。

知花さんが働いている「町中華」ならぬ「町ケーキ屋」が、建て替えによる立ち退きをしなければならない事態になっており、移転・再建には資金がいる。だから、その資金を集めるために知花さんはSNSなどでカンパを呼びかけていることは知っていた。聞けば、それなりの資金は集まっているらしいが、まだまだ足らないし、移転先も見つからないらしい。廃業させないために知花さんの孤軍奮闘ぶりには、あたまが下がる。「米仙」のあとは数十メートル先の「浮島ブルーイング」で定番のクラフトビール。知花さんは米仙で純米酒を飲みすぎて、トイレに行ったかと思ったら帰ってこないので、探しに行ったら店内のソファで寝入っていた。

4月6日

すがすがしい天気。昼前に起きて、パスタを喰い、あちこちにアポとり。シャワーを浴びて、市役所でジャン松元さんと合流。「復帰っ子」を扱うヤフーニュースの取材で那覇市議会議員の前泊《まえどまり》美紀さんにインタビュー。インタビューと撮影が終わったあとに、ジャンさんと少し話し込む。ジャンさんと別れたあと、前泊さんがFM那覇でパーソナリティをつとめる番組に出演させてもらい、琉球新報社から出したばかりの『沖縄ひとモノガタリ』についていろいろしゃべる。

沖映通りを歩いていると、信号の向こう側を歩く三人の親子連れから声をかけられた。そのときは遠目で誰かわからなかったが、あとで共通の知り合いから彼らが誰だったかを聞いた。いつかどこかで飲んだご夫婦で、夫は米軍基地勤務の人だった。

帰りにひとりでとんこつラーメン「一幸舎」へ歩いて行って、バリカタの麺をすする。帰宅して寝ころんでいたら寝落ち。夜中に目が覚めて、歯を磨いてから再び眠る。

4月7日

レトルトカレーと冷凍野菜を食べて、昼過ぎまで仕事して、午後からNPO「kukulu」へ。出版のための打ち合わせをして、深谷慎平さんと上原岳文さんといつものセンベロ寿司「米仙」へ。飲んでいたらNHKの渡辺考ディレクターがクルーを伴ってやってきた。隣のテーブルに陣取ってわいわいやる。渡辺さんたちは先に帰り、ぼくらも解散。深谷・上原コンビはもう一軒どこかへ行ったようだが、ぼくはコンビニで買い物をして帰宅。カウンターでひとりで飲んでいた男性客が、帰り際に「フジイさんですか。いつも日記、読んでますよ」と言って名刺をくれた。大手生協チェーンの人だった。

4月8日

早起きして資料を読む。昼過ぎに若狭でジャン松元さんと合流して、やはり「復帰っ子」を扱う記事の取材で、若狭公民館館長の宮城潤さんを取材。そのあと、玉城デニー知事私邸に移動して、七月に出す玉城さんの青春時代ノンフィクションの表紙を撮影。

斉藤鉄夫・国土交通相による裁決で、辺野古新基地の設計変更申請を不承認とした県の処分が取り消された。国交相は二〇日までに設計変更を承認するよう求める勧告をしているが、そもそも「味方同士」で裁決云々なんてシステムそのものがおかしい。

4月9日

部屋に籠もって〆切の原稿に集中。夕刻に栄町まで歩いていって「おとん」でかるく飲む。宮古島へ数年間赴任していた高校の先生（いまは那覇市内の高校に勤務）や、石獅子彫刻作家の若山大地さんがあらわれてワイワイゆんたく。若山さんには『沖縄ひとモノガタリ』に登場してもらっている。

4月10日

ありものの野菜でペペロンチーノを作って朝飯を食べ、昼過ぎまで仕事。一五時からジュンク堂書店で『沖縄ひとモノガタリ』のトークライブの最終回。ゲストは仲地宗幸さんと石垣綾音さん。地方自治の在り方や地域づくりといった話になる。後半には、特別ゲストで本の表紙にもなっている沖縄民謡の唄者・大城琢さんに登場してもらい、何曲か歌ってもらう。「今帰仁《なきじん》網底節《あみすくぶし》」、「白雲節《しらくむぶし》」、「ナークニー」（ぼくが『沖縄アンダーグラウンド』で売春街を取材したときの話を、琢さんが歌詞にしてナークニーに乗せてくれた）。ナークニーとは沖縄民謡定番の即興歌。観客は満員で六〇名以上いた。お三方ありがとう。そういえば、石垣さんのお母様の友人の女性から、「ANOTHER WORLD OF OKINAWAN MUSIC」（二〇二〇）という新垣《あらがき》睦美さんのアルバムとお菓子をプレゼントしていただく。

打ち上げで、森本浩平さんと普久原朝充さん、深谷慎平さん、上原岳文さんらといつもの「米仙」——道端にテーブルを出して飲み喰いするスタイルなのだが——櫛安旨寿司をつまみながら、飲む。するとお目にかかるのは一〇年以上ぶりか、松山の焼酎バー「高山　琉球別邸」のマスター・河島謙二さんが親子連れで通りかかったのでご挨拶。沖縄に通いはじめたころ、芋焼酎好きのぼくとしては県内最大の品揃えを誇るこの店を知ったことは、ほんとうにラッキーだった。もちろん泡盛も麦焼酎もある。

あるとき、波照間島の泡盛「泡波《あわなみ》」（ほんとうは観光客が島外に持ち出すことは原則的に禁止されているのだが）が異常に高騰していた時期があり、河島さんの店でもたしかロック一杯三〇〇〇円以上した。それを一升瓶ごと飲みつくした「軍団」がいた。当時、「アントンリブ」という飲食店を那覇でも展開していたアントニオ猪木さんたちだった。会計で十数万円を払っていたっけな。

会員制泡盛バーの「泡盛倉庫」の比嘉康二さんも「米仙」のカウンターにいて、帰るときにお互いに気づいてご挨拶。そのうちにNHKの渡辺考さんが――なんでも昼から飲んでるそうで――べろべろになって登場。だんだんとぐだぐだになり、娘さんもいっしょに来ていたので、愛娘に連れ帰られる光景には笑った。

そしたら、いま書評を書いている『水納島再訪』の著者・橋本倫文さんも通りかかり、座に誘って飲む。彼は最近亡くなった坪内祐三さんや西村賢太さん絡みの対談などの構成をしていたので、いろんな話が聞けてとても興味深かった。その他にも知り合いが通りかかり、ご挨拶。近くの「武蔵家」で塩ラーメンをすすって帰る。

4月11日

昼近くまで寝る。沖縄そばと島野菜と島豆腐で焼きそばを作る。こもりきりで仕事をすることに決めた今日は、美学者の伊藤亜紗さんの「現代の肖像」が掲載されている週刊誌「AERA」の発売日。ぼくが執筆した。伊藤さんと出会ったのはぼくが脳卒中（右小脳出血）をやった数カ月後で、リハビリ中だった。東京・西荻窪の書店「Title」でおこなわれた伊藤さんのトークライブを聞きにいったときだから、三年近く前になる。

病気になってから、伊藤さんの『目の見えない人は世界をどう見ているのか』（二〇一五）、『どもる体』（二〇一八）、『記憶する体』（二〇一九）、『手の倫理』（二〇二〇）などの著作を読んで、病で失った体の機能――幸いわずかだったが――と、どう折り合いをつけていくかを考え続けていた。伊藤さんを書いてみたいと思ったのは一年ほど前だが、ようやく実現できた。拙い文章でどこまで描けたかは自信がないが、充実感は残った。

4月12日

昼近くまで寝ていた。今日もひきこもって仕事をすることにした。ゴミを出しにいったら風が心地よい。冷蔵庫を開けたら島豆腐一丁と卵一個しかなかったので、豆腐を温め、海苔のふりかけで食べる。卵は目玉焼き。あと鯖の水煮缶もあったので食べる。沖縄の豆腐はデカいので腹が満たされた。夕刻までひたすら仕事。まだ外は明るい。

部屋を出たいという衝動にかられ、やーぐまいを中断して、シャワーを浴びて、近所の「すみれ茶屋」へ。玉城丈二さんや常連さんたちと久しぶり。バカ話をしながらチヌマンを焼いてもらう。帰りにスーパーに寄り、買い出し。部屋に着いて、明後日には名古屋に行かねばならないことを思い出したが、ときすでに遅し。大半の食材を冷凍庫に放り込む。

4月13日

作家の仲村清司さんが昼前ぐらいにやってきた。彼の沖縄大学での授業（前期）が始まる。合流して、安里の「あかね食堂」で豆腐チャンプルーを食べる。仲村さんはゴーヤーチャンプルー。ご飯と沖縄そばがつく。糸満市にある山城豆腐店の豆腐を使っているそうで、味が濃くて旨い。近くで珈琲を飲んだあと、仲村さんは大学へ。ぼくは部屋に戻り仕事。

夕刻に旅行雑誌の取材で仲村さんと写真家の垂見健吾さんが牧志や栄町をぶらつくというので、

重鎮おふたりと編集者の武田千代子さんにくっついて栄町場内へ。「ちぇ鳥」で焼き鳥を四人で食べたあと、仲村さんとぼくは「勝男」で一杯だけ。仲村さんは拙宅に泊まる。

4月14日

仲村さんは朝早く出立。ぼくも昼すぎに部屋を出て那覇空港へ。名古屋へ向かわねばならない。そういえば、NHKの朝ドラ「ちむどんどん」がスタートしているが、ほとんど興味なし。ただ、会う人がよく話題にする。〝サンシンを弾くシーンに沖縄の訛りがなくてダメ〟とか、〝サーターアンダギーを食べてチムドンドンしたさ〜はないよ、言うなら、チーチーカーカーだろー〟というキビしい意見ばかり。

そもそも、ぼくも沖縄との二拠点生活を始めてから十数年間経つが、たとえば〝チムドンドンしたさ〜〟みたいな言い方を生活の中で聞いたことがない。まあドラマだからいいも悪いもないのだろうけど、リアリティに欠けているのはまちがいなさそう。東京発の目線で「地方」を描こうとすると、だいたいこうなるってことかな。

ぼくは飛行機まで時間があったので洗濯して、室内乾燥機の上に干す。空港では四五〇円のビッグメンチカツ弁当を食べる。名古屋へ行って翌々日は京都へ移動。

26 バイクで国会に突っ込んだ彼のこと

2022年4月25日

早めに羽田に着いたので、ロビーでコミック『水乞い』(全四巻、二〇一九)を読む。ホラーチックだが、少年犯罪(には限らないが)について考えさせられる要素が詰まっている。飛行機の中ではNetflix。「未成年裁判」を三話まで観る。全話、実際に起きた事件を題材にしているところが野心的である。ハマりそうな予感。こちらは少年事件専門の判事が主人公。Netflixで司法ものは、やはり韓国の「秘密の森」にドハマりしたから二度目だな。しばらくは心の中に検事の「ファン・シモク」が棲んでいた。

夜遅めに那覇に着いて、冷凍しておいた豆腐や野菜などを解凍して炒め、サバ水煮缶などと食べる。豆腐は冷凍しておくと不味くなることを再認識。

4月26日

午前中、昨夜と同じ解凍した島豆腐を野菜と炒めて食べる。解凍の仕方がだめなのか、不味い。原稿の直しをして送稿。午後からジャン松元さんと合流して、人気MCのひーぷーさんこと真栄平仁さんにインタビュー。稽古の撮影。復帰五〇周年を期して「72'ライダー」を取り上げる。前から観たかった芝居だ。

一九七三年の「本土復帰」の翌年。沖縄出身の青年が国会議事堂の門にバイクで激突して即死するという事件が起きた。抗議の自殺と思われるが遺書はなかった。亡くなったのは上原安隆《やすたか》さん。

その事件にこだわり続けて、真栄平さんは一〇年前に芝居を初上演。以来、数回だけ公演してきたが、今年は復帰五〇周年ということで再演をおこなうのだ。

ぼくは事件にもかねてから関心があったが、真栄平さんの思いに興味があった。真栄平さんは役者としては出ない。役者は全員が、真栄平さんが運営する芸能事務所「劇団O・Z・E」の所属。今日が初めての通し稽古だという。上原さん役の平安《へいあん》信行さんともご挨拶。今回の取材をアテンドしてくれるのは、役者の秋山ひとみさん。何から何までありがとうございます。

秋山さんに、上原さんが激突死したときに被っていた上原さんの黒いヘルメットを持ってきてもらう。思ったより小さい。小柄な人だったようだ。ヘルメットの前頭部に鉄柵に激突した二本の線状痕が残っている。この傷跡に何を見出すのか。

通し稽古(沖縄テレビのカメラも入っていた)を途中まで見せてもらってからジャンさんと別れ、森本浩平さんと牧志で合流。浮島通りの台湾料理「華」で餃子センベロ。ビーフンを頼んだら、沖縄の「ポーク」が入っていて笑った。沖縄に取材に来ている「Discover Japan」副編集長の今《こん》智子さんも合流。

4月27日

午前中は原稿の直しに費やす。途中、書棚にあるはずの本を探す。見つからないので買い直すことにする。かつては狂ったように探し続け、時間を浪費していたが、今は自然とあきらめてやらないようになった。探している最中に同じ本が二冊あるのを何度も発見し、かるく落胆。

午後からある人に追加取材して、県庁に行って玉城デニー知事絡みの資料を秘書さんに頼んでいたので、それをいただく。八月に刊行の拙著のタイトルは『誰も書かなかった玉城デニーの青春』。

新書の予定だったが単行本に変更となった。

県庁の横にある帽子専門店「analogue.」の前を通り掛かると、好みの色合いのパナマ帽を見つけ、購入する。さらに足を伸ばして「ちはや書房」に寄った。店主の櫻井伸浩さんとゆんたくして、新《あら》崎盛暉《さきもりてる》さんの『沖縄返還と70年安保』（一九六八）、沖縄県学生会の『祖国なき沖縄―戦後沖縄の真相』（一九五四）、牧瀬恒二さんの『沖縄返還運動―その歴史と課題』（一九六七）をもとめる。コンビニで「モモト」五〇号の「復帰五〇年」特集も入手。途中、珈琲を飲んで涼み、安里まで歩く。「高良レコード店」の高良雅弘さんにばったり、ちょっと立ち話。まだ暖簾を出していない「すみれ茶屋」で地魚を焼いてもらうなどして晩飯。

4月28日

今日はサンフランシスコ講和条約発効から七〇年。奄美群島や小笠原諸島、沖縄諸島が「日本」から切り離された日。沖縄では「屈辱の日」と呼ぶ。九時に起きて、昨日買っておいたゴーヤー弁当を温めて食べる。遅めの午後から「パシフィックホテル」に行き、ジャン松元さんと合流。批評家の仲里功さんに会う。真栄平さんが芝居にする、一九七三年に起きた上原安隆さんが国会のゲートにバイクごと激突させ即死した事件について。仲里さんは自著『オキナワ、イメージの縁（エッジ）』（二〇〇七）でそのことに触れているので、本棚から探し出して再読。

そういえば、「沖縄タイムス」の与那嶺功《よなみねいさお》さんの記者コラム「戦さ場の哀れ　コザの哀れ」（二〇二二年四月一七日）をとても興味深く読んだので、一部を引用させてもらう。

「（前略）ただの騒ぎでなく、暴力のニュアンスを含む「暴動」だとして、「コザ暴動」と呼ぶべきだという声もある。だが、「騒動」か「暴動」かを論議する前に、なぜ、その前に付く「コザ」という呼称に疑問を抱かないのか。

もともと地元言葉ではない。「胡屋（GOYA）」や「古謝（KOJA）」といった地名を米兵らが誤って表記した「KOZA（コザ）」がそのまま定着したといわれる。いずれにせよ、米軍支配の名残だ。治外法権下では、沖縄人を殺しても「無罪」。今も事件・事故は絶えない。それでもなぜか、米兵がミスった名前を使う。

巨大な米軍基地が存在するグアムは一九九八年、首都名を「アガナ」から、地元語に近い「ハガッニャ」に替えた。それに従い、日本の総領事館も改称した。国連はグアムを米国の植民地として認定しており、先住民族は自らの歴史を取り戻す運動の中で改名した。

大東亜共栄圏が崩壊した後、中国や朝鮮でも、日本名を捨てた。アフリカや中南米でも、植民地時代の地名を変えている。つい最近、日本政府は、ウクライナの首都名をロシア語由来の「キエフ」から、ウクライナ語の「キーウ」に変えた。侵攻する側の表記は好ましくないからだという。

国連地名標準化会議（UNCSGN）は、旧宗主国から押し付けられた地名、戦乱によって占領されていた地域の地名を改めたり、少数民族の古来の地名を保護するといった活動を後押ししている。それがワールド・スタンダードだ。」

沖縄では「コザ」や「ライカムイオン」のように、学校名や施設名、地名などにアメリカ世の名前を残しているところが目につく。与那嶺記者も「読者に叱られるだろうが、コザ生まれの僕は「コザ」を当たり前のように使う」と書いている。

〔「どこの人」と聞かれれば、「コザんちゅ」。「どこから来た」と聞かれれば「コザ」。「沖縄市」とは言わない。本土の人には、嘉手納飛行場というアメリカの大きな基地がある街でね、いわゆる基地の街、「コザ」というところです、と答える。「アメリカ文化があってね、ハーフもたくさんいて、ロックも盛ん」。ほとんどは「あぁ、聞いたことある」といった反応が返ってくる。「観光地オキナワ」を演出するアメリカンタウン。「アメリカのカルチャーが世界の中でいちばんカッコいいし、進んでいる。世界のスタンダードはアメリカだ」。そんなことは当然という何げない意識、〝常識〟を共有している。よくよく考えれば、おかしな話だ。（中略）沖縄では「ハンビー」や「ライカム」「マクラム」など米軍に関わる地名が行政用語となるだけでなく、普段の会話でも使われる。七七年もの軍事支配・植民地支配に慣れきって、そのメンタリティーにどこか歪みがあるからだろう。

世界でも類を見ないほど米軍基地が集中する理由、その割には反基地運動が紆余曲折を経る理由は、そのあたりにあるのかもしれない。琉球が奪われてきた歴史・文化を取り戻すには「しまくとぅば」だけでなく、地名の復興も大切だ。

もちろん、「コザ」を名乗る自分自身にも、その「植民地精神」が深く染み込んでいることを自覚はしている。「コザ」は、専制者の文化に対抗して独自の文化を創ってきた歴史があるにせよ、いかんせん、いまひとつ弱さがある。「基地経済」のどつぼから抜け出すには、いまひとつエネルギーが足りない。〕

腑に落ちる感じを覚えると同時に、考えさせられる。ひるがえって、客人であるぼくが「沖縄市」ではなく「コザ」と言ってしまうことをどう考えたらいいのだろう。

4月29日

朝からインタビューの文字起こし。人に手伝ってもらってはいるが、とても追いつかない。資料本読みに原稿書き、ゲラチェック、連日のインタビューと、終わりが見えない。しばらくこの状態が続く。それにしても、ぼくの原稿は必ずといっていいほど優秀な編集者がテを入れてくれると確実によくなるとつくづく思う。小説家はとくにそうだろうが、ノンフィクションの書き手にも一文字たりとも変えさせないという方がいる。だが、ぼくにはそんな意地もないし、自信もない。納得できることはすべて編集者に従って直す。

それなりにライターをやってきて多少は取材はうまくなったというか、運も実力のうちと考えれば、そうなってきたかなあと思うが、「取材以降」の作業は借り物競争のように、秀でた人に手伝ってもらわないとにっちもさっちもいかない。万年データマン的なのである。構想から取材、執筆まで完遂できるようなライターになりたいという気持ちは捨てたくはないが、どうやらあきらめたほうがよさそうだなあ。

森口豁《かつ》さんの『復帰願望―昭和の中のオキナワ』(一九九二)が届いたので、さっそくページをめくる。この人の仕事の量と視点の細やかさに圧倒される。夕刻まで仕事や洗濯を続ける。「桜坂劇場」の「さんご座キッチン」で、沖縄へやってきたパートナーと待ち合わせて牧志の居酒屋で晩飯。

4月30日

ソーメン炒めを作って食べる。ぼそぼそにかたまってしまい、失敗作。比嘉《ひが》春潮《しゅんちょう》さんの『沖縄の歳月―自伝的回想から』(一九六九)が届く。

昼過ぎに県庁の近くで構成作家のキャンヒロユキさんと会って、某案件についていろいろ相談させていただく。新都心に寄って買い出しをしていったん自室に戻り、仕事をする。夕刻、「桜坂劇場」に寄ったらボーダーインクの新城和博さんとばったり。立ち話する。牧志の「ちるり」でパートナーと盛岡冷麺と串焼きを食べる。

5月1日

冷蔵庫にあった野菜とソーセージ、沖縄そば、トマトソースをつかったいわゆる「ナポリタン」。夕刻までずっと仕事をする。

いったん仕事を切り上げ、小禄のイオンまで出向く。映画監督の當間早志さんにインタビュー。那覇在住のミュージシャンで、今年で結成三〇周年を迎えたバンド「やちむん」リーダー・奈須重《なすしげ》樹《き》さんのライブ（首里劇場）を中心に追ったドキュメンタリー映画『一生売れない心の準備はできているか』（二〇二二）についてあれやこれやうかがう。映画に使われている映像は二五周年当時のもの。

夕刻、栄町でパートナーと合流して「アラコヤ」へ。

5月2日

深夜に寒かったせいもあり、あまり寝つけず。なんだか体調もいまいち。曇天。道路は濡れている。深夜に雨が降ったか。正午前に、歩いて「あかね食堂」へ。照明はついていないが、人影らしきものが。近づいてみると主のおばあさんだ。ノックしてみると気づいてくれて、なんでも白米を炊き忘れたそうで、一五分ぐらい待ってくれという。食堂の中で待っていると、沖縄そばならすぐにできるというので、沖縄そばを注文。豚の三枚肉、ランチョンミート、玉子焼きがどっさりのっかった頼もしき陣容。徒歩で帰宅して昼寝。

起きて、飯田基晴《もとはる》監督のドキュメンタリー『あしがらさん』（二〇〇二）を購入。ダウンロードして鑑賞。当時、新宿でボランティア活動をしていた監督が、ある野宿者を追ったドキュメンタリーだ。夜は「米仙」へセンベロ寿司を喰いにいくと、普久原朝充さんや岡本尚文夫妻がたまたまいて、相席。一日一食限定のブリのカマ焼きのデカさにあらためてびっくり。

5月3日

買っておいた沖縄そばに市販のスープと肉と野菜を炒めたものをのっけて、なんちゃって肉野菜そば。ひたすらに取材関係の読書。鼻水が出て風邪っぽい。高校時代にかじった（ぜんぜん理解できなかった）高橋和巳さんの旺文社文庫版『孤立無縁の思想』（一九七九）をこの歳になって読むとは思わなかった。

タイトルになっている「孤立無縁の思想」という文章は、一九六三年に発表されている。そして、同書はバイクで国会の正門につっこんで激突死した上原安隆さんの遺品のひとつだ。生きていれば、七六歳。近々、双子の兄・安房さんにお目にかかるが、安隆さんの心中を想像する。文庫版の解説を文芸評論家の川西政明さんが書いている。高橋和巳という小説家の人生の辿り方に刮目する。森口豁さんの『沖縄 近い昔の旅―非武の島の記憶』（一九九九）のページもめくる。

5月4日

パートナーと「あかね食堂」でカレー（ミニ沖縄そば付き）を食べてから安里駅まで見送り、スーパーで買い物をして帰宅。Netflixの「未成年裁判」を最終回まで見終わる。司法ものは、韓国のドラマが圧倒的におもしろい。韓国の司法にくわしくはないが、日本の仕組みとよく似ている。ドラマ中の「少年刑事合議部」という部署は実際にはないようだが。

少年法については韓国でも批判がかねてから強いが、そもそも少年法の根幹にある「国親思想」が——このドラマを観る限りは——少年部の判事が捜査にまで独自に乗り出していったり、更生にまで継続的に責任を持っていくという仕組みを知ると、かなり強いような気がした。

台詞が少ないのもいい。チョ・スンウがシモク検事のハマり役だったように、シム・ウンソク判事はキム・ヘスのハマり役だな。非行や犯罪に走る少年も親や社会の「被害者」といえるが、実際に起きた少年事件の被害者は置き去りにされる法の在り方に明確な一石を投じる内容だった。

過日お目にかかった今さんから依頼された「Discover Japan」の原稿を書き始める。お題は「那覇で飲む」である。二〇二二年七月号に載ったそのコラムは、「名店は路地裏にあり！　那覇ではしご酒」とタイトルがつけられた。

十数年続けている沖縄と東京の二拠点生活を振り返ってみますと、東に旨いものがあると聞けば駆けつけ、西に唸らされる味があると知れば飛んで行き、南に死ぬまでに食べておくべき逸品があると言われれば訪ね、北に希少な伝統食ありと教えられれば探し求め、それに相性のいい酒を浴びるように飲んできました。最近は加齢のせいで、かつてほどの飲み食いはできなくなりましたが。ですから仕事部屋は那覇市の中心部にあるので、取材等で遠出する以外は徒歩圏内で腹を満たしています。

東京在住やその他の地域の友人知人が那覇に来た時は、ぼくが普段遣いしている店に連れて行きます。たとえば安里にある「すみれ茶屋」は食べログ等ではヒットしませんが、地元の常連さんに愛される老舗です。仕入れてきた地魚をいろいろな方法で食べさせてくれますが、マース（塩）煮は絶品です。処理した魚を塩で煮るだけ。そこにアーサー（海藻）と島豆腐をいっしょに煮てもらえます。この滋味深さよ。

泊の住宅地に佇む「串豚」という立ち飲みのモツ焼の店があります。いま那覇の繁華街は立ち飲みブームですが、この店は立ち飲み客が肩を寄せ合って飲むというスタイルの草分け的存在です。沖縄では豚肉料理が有名ですが、ホルモン（豚が中心）を部位ごとに串に打って焼いて食べる食文化は皆無に近かった。その分野でも先駆者です。新鮮な内臓肉や希少部位をていねいに仕込み、絶妙な火加減で焼き上げる技術はいつ来ても唸らされます。冬場は豚の喉肉（拳骨大）を丸ごと煮込んだ具の入ったおでんもあります。

牧志の市場通りのアーケード通りに面している「米仙」は〝センベロ〟が売りの寿司屋です。北海道出身で東京・銀座でも修行した大将が握るおまかせ江戸前握り五貫と酒二杯で一〇〇〇円。酒のおすすめは日本酒。銘柄は店におまかせですが、東京ならグラス一杯一〇〇〇円近くするであろう純米酒がいつも用意されています。この店以上のお得感とぼくは出会ったことがありません。一時期は沖縄滞在中はほぼ毎日通っていたほどです。石垣牛の握りが一貫一〇〇円！なんです。

そこから数十メートル先にあるクラフトビール専門店の「浮島ブルーイング」は、つまみなしでビールの旨味や苦味だけで何杯でも味わえ、ビールの概念が変わります。もちろん、つまみも気が利いてます。

栄町は拙宅にいちばん近い繁華街ですが、規模はちいさいものの公設市場があり、飲み屋は場内と場外に別れていて、場内で金曜と土曜だけ暖簾を出す「おとん」は外せません。大阪出身の大将の出すつまみは「いか焼き」など関西系中心ですが、「軟骨ソーキポン酢」や「冷やしゆし豆腐」など沖縄系もだいたい三〇〇円代で食べられます。どれもシンプルで美味しい。

国際通りに面して「沖縄色」を前面に打ち出した飲食店が並んでいます。中には唸らされる料理を供する店もありますが、安価で美味しい店はあまり目立たない路地や繁華街の外れにあるものです。

5月5日

昼過ぎにジャン松元さんと合流して恩納村の喜瀬武原《きせんばる》へ。上原安隆さんの双子の兄・上原安房《やすふさ》さんをたずねる。まず仏壇に手を合わせる。遺影は安隆さんと、彼の母だ。喜瀬武原はかつて米軍が演習をおこない、県道一〇四号をまたいで演習地があったため、人々の頭上を砲弾が飛び交っていた。インタビュー中の家のすぐ裏手にある密林からパンパンパンという乾いた銃砲音が途切れなく聞こえ、機関銃のそれもあった。この土地で安隆さんは生れ育った。安房さんは一〇年ほど前に脳梗塞を患い、その影響か記憶にも若干の薄れが生じているように感じたが、貴重な話をうかがうことができた。沖縄は一昨日、例年よりはやく梅雨入り宣言。終日、雨に降られた。

安隆さんのことを取材していくと、一九七五年に嘉手納空軍基地で抗議の焼身自殺を遂げた船本洲治さんの話とどこかでリンクしてしまう。安隆さんの事件とは直接は関係ないが、船本さんといえば釜ヶ崎や山谷で日雇い労働者を組織した「釜共闘」などの活動で現代左翼史の中で知られた人物である。最近たまたま同氏の『黙って野たれ死ぬな―船本洲治遺稿集』（二〇一八）を読んだばかりだった。

帰りに、二〇一六年に元海兵隊員の男性に殺害された女性が遺棄された現場に寄って、ジャンさんと手を合わせる。山道へは立ち入り禁止。花が手向けられている。たまたまそういう取材が多いせいなのかもしれないが、沖縄では合掌する機会が多い。
Ｙａｈｏｏ！のオリジナルニュースに、沖縄の「復帰っ子」について書いた拙文がアップされた。前泊市議や宮城潤さんらにお会いしていたのは、この取材のためだ。タイトルは、「沖縄復帰五〇年　格差や基地問題は解消されたのか？　問い続ける一九七二年生まれの『復帰っ子』たち」だ。編集部は、「二〇二二年五月一五日、沖縄が日本に復帰して五〇年を迎える。復帰の年に生まれた子どもを沖縄では『復帰っ子』と呼ぶ。彼らのなかには進んで協議会を作り、復帰前と復帰後の変化や経済発展について語り合ってきた人たちもいる。生まれた年に米国から日本に施政権が移った世代。彼らにとって復帰とはどんな意味をもっているのか、話を聞いた」とリードをつけた。

那覇市中心部の国際通り。その南端にある那覇市議会の議場で、市議の前泊美紀さんは、「この庁舎ができてちょうど一〇年なんです」と紹介した。同庁舎は二〇一二年に竣工。当時、前泊さんは市議一期目だった。

この年は沖縄が本土復帰を果たして四〇年で、前泊さんは五月一五日に四〇周年のイベントを開いた。テーマは「復帰っ子と語る沖縄のこれから」。沖縄では、本土復帰の一九七二年から翌年三月までに生まれた子を〝復帰っ子〟と言う。

イベントでは、前泊さんや県庁職員、児童養護施設出身の子の進学を経済的に支援するＮＰＯの代表ら復帰っ子が語った。基地問題のほか、児童養護施設を出た子どもたちが仕事を選択できる社会づくりや、若者が先々の夢や暮らしを描けるようになるにはどうしたらいいかなどを話し合った。

このとき、登壇者たちが似た思いを共有したことを前泊さんは覚えている。復帰っ子ならではの同志的な感覚だ。

「幼い頃から一九七二年生まれ＝〝復帰っ子〟と言われてきて、その言葉だけで、当人たちはどこか引き寄せ合う磁力のようなものを感じるんです」

議場の一角で前泊さんはそう振り返る。

一九四五年の終戦から七年、一九五二年四月のサンフランシスコ講和条約発効で日本は主権を回復した。だが、沖縄、奄美群島、小笠原諸島は切り離されて米国の統治下に置かれた。佐藤栄作首相らの返還交渉の末、沖縄返還協定が締結されたのが一九七一年六月。晴れて沖縄が本土復帰を果たしたのが翌一九七二年五月一五日だった。

この年、沖縄で生まれた子どもは二万八七一人。一九八三年刊行の「沖縄大百科事典」に「復帰っ子」は掲載されていないが、時代が下るにつれて、いつしか一九七二年生まれが復帰っ子という言葉でくくられるようになった。

前泊さんは那覇で生まれ育ったが、当初は「復帰」という言葉に対して「道半ば」という認識をもっていたという。だが、八〇年代にかけて、道路などのインフラが整備され、多くの商業施設もできていった。二〇〇〇年の沖縄サミット、二〇〇一年のNHK連続テレビ小説「ちゅらさん」ブームなどがうれしく、誇らしくもあり、「やっと沖縄の時代がきた」と実感が湧いたという。

二〇〇〇年に琉球大学大学院（刑法専攻）を修了し、翌年に沖縄ケーブルネットワーク（OCN）に入社。二〇〇二年、復帰三〇周年の特別番組で「復帰っ子座談会」に取り組んだ。また同時期に二日間のイベントも復帰っ子有志で実施。音楽やアートなど思い思いに表現する総合芸術祭で、「復帰っ子」の名のもとにさまざまな地域や業種のネットワークが広がった。これらの経験がその後の自身の方向性を決めることになった。

「沖縄はとかく保守・革新という政治思想でもめることがあるのですが、この場では思想信条を超えて、本当にいろんな仲間とつながった。それが復帰っ子としての活動の第一歩でした」

多くの同世代と語ることで改めて実感したことがあった。自分たちが復帰前の沖縄をよく知らないということだ。前泊さんが言う。

「戦後から復帰までの歩みについて詳しく知らないし、五月一五日の報道では、米軍基地などに抗議して基地周辺を歩く行事『五・一五平和行進』くらいしか思い浮かばない。復帰前、復帰について賛否の意見があったのは聞いていました。人権の問題で日本に復帰したかったという人もいれば、復帰したら沖縄は貧しくなると反対した人もいると。でも、なぜそう思ったのかはよくわからない。そこで復帰前の沖縄をもっと知らなければいけないし、いまの問題について政治思想にとらわれず、意見交換をしていきたいと思いました」

そうした考えの先に二〇〇七年に作ったのが、復帰っ子連絡協議会だった。復帰当時を知る政治家や経済人、活動家らを招き、当時の大半を占めていた復帰推進論から、「日本は帰るべき祖国ではない」という主張に象徴される反復帰論、さらに独立論までを聞いた。活動するなかで気づいたのは、復帰の問題は地続きで現在につながっているということだった。

「復帰前、多くの人は復帰すると平和な沖縄が帰ってくると思っていたと思います。ですが、復帰しても基地の整理縮小や経済発展はなかなか進まなかった。県内で生じた利益や公共事業での多額の財政投下が県外に流出し、地元企業や県民所得に十分に還元されない『ザル経済』と言われる経済構造があったのです。過去を知るほど、いまの沖縄への課題を感じるようになりました」

同年五月一五日、協議会の主催で「復帰っ子議員と語る沖縄のこれから」というシンポジウムを開いた。県議や市議ら四人の議員が集まり、観光産業や基地問題などを論じた。当時、前泊さんは協議会代表という立場で関わったが、こうした議員との関わりの中で、自身も政治参加する決意を抱いた。

二〇〇九年の那覇市議会選挙。前泊さんは無所属で立候補すると、先達がしていたように、自身も「復帰っ子」と選挙ポスターに記した。ただ、それは選挙のためだけではなかったという。

「私自身は復帰っ子と呼ばれることで、復帰後の沖縄の将来を担おうという思いができたし、議員という責任を負う決断ができた。復帰っ子じゃなかったら議員になっていなかったと思います」

当選後は議会改革や地域の目線を重視して活動し、二〇一五年には第一〇回マニフェスト大賞で優秀マニフェスト賞をとるなど外部の評価も得た。ただ、自身が歩んできた五〇年間を復帰後の沖縄の姿と見たとき、まだ課題は山積みだという。

「二〇一六年に公表された沖縄県の独自調査で、沖縄の子どもの相対的貧困率は二九・九％。全国平均が一六・三％なので、その一・八倍です。背景には全国に比べて所得が低く、若者や非婚のひとり親家庭が多いことがあります。私は当選一期目から、非婚ひとり親世帯への寡婦控除適用の実現や「那覇市ひとり親家庭自立促進計画」などの議論を通して、支援策につなげてきました。県外の人たちは基地問題ばかりを見ると思いますが、ここで生活する市民としては労働環境の改善や貧困問題、あるいは多様な性の尊重など身近な問題が大事。なかなか改善されてこなかった問題を変えていくことが、復帰っ子たちの使命なのではないかと思います」

米国が統治した一九四五年から一九七二年までの二七年間を、沖縄では「アメリカ世《ゆー》」と呼ぶ。法律はもちろん、社会生活でも今とはさまざまな違いがあった。

通貨は一九四八年から一〇年間は「B円」、一九五八年から一九七二年の返還までは米ドルだった。B円は軍が発行する疑似紙幣で一〇〇〇円から一〇銭まで種類があり、本物の円と比べて約三倍の価値があった。道路は米国と同様、車が右側通行。本土への渡航には渡航証明書（パスポート）が必要だった。

米軍による軍政府、米国民政府の統治のもと、一九五二年に立法・行政・司法の三権を備えた琉球政府が設置された。本土では一九四七年に日本国憲法が施行されたが、沖縄には適用されなかった。沖縄では事実上、主権はなく、米軍が絡んだ刑事犯罪などに関して捜査権もなかった。

一方、米国統治の期間、米兵による犯罪が年々増加。ベトナム戦争が熱を帯びる一九六〇年代後半は、沖縄の基地に多くの米兵が来たことで犯罪件数は年間一〇〇〇件以上になった。沖縄県民の米軍への反感や忌避感が大きくなり、早期の本土復帰を望む声が高まった。

一九七二年五月、沖縄は本土復帰を果たし、社会生活も日本の様式に転換した。ドルから円へ、車は左側通行に。立法・行政・司法の三権を行使する施政権は日本の法体系になった。当時、日本は高度成長期の後半で、日本政府は沖縄に対して長期的な支援政策を整備した。第一〜三次沖縄振興開発計画を掲げ、大型の公共事業を実施していった。

こうした転換期に生まれたのが、復帰っ子だった。だが、そう呼ばれても、自身をどう位置づければよいのか困惑してきた人もいる。

那覇クルーズターミナルまで徒歩数分の那覇市若狭地区。その一角にある若狭公民館は、公民館活動を評価するさまざまなコンクールで一五もの賞を受賞してきた。ここを運営しているのが、NPO法人「地域サポートわかさ」。理事で館長の宮城潤さんも、復帰っ子のひとりだ。

宮城さんは復帰っ子という言葉に親しみを覚えつつも、そのくくりを全面的に肯定してきたわけではない。どちらかと言えば、復帰という言葉を語るのが難しいと感じてきた。

「五月一五日が近づいてくると、あなたたちは復帰っ子ですねと学校の先生が言う。だから、意識はしてきました。同級生がつながる言葉ではありますが、その言葉に思い入れがあるわけでもない。やはり復帰前を知らないからでしょう」

宮城さんは沖縄県立芸術大学大学院（彫刻専修）を修了後、二〇〇一年に現代アートの団体を設立。その後、公民館の活動にも手を広げた。そのなかで、前泊さんの復帰っ子の活動（協議会）に参加するようになった。

背景にあったのは、復帰前と復帰後をどう考えればよいかという問いだった。協議会に参加した宮城さんは、復帰を目撃してきた人を呼んで話を聞く連続イベントをおこなった。復帰後の初代県知事・屋良朝苗の秘書、自民党の重鎮県議、反復帰論の論者、報道カメラマン……。証言に耳を傾けていくと、復帰は混乱を生んだことも知った。

一九六九年の佐藤首相とニクソン大統領の日米共同声明では「核抜き、本土並み」という言葉が出され、沖縄に核兵器は持ち込ませず、本土と同じような施政権を日本政府が持つとされた。だが、現実には、核には密約があった。復帰について論者が「沖縄の米軍基地の集中化・固定化と引き換えだった」と語った言葉に、宮城さんは「脳裏にへばりつくような」感覚を覚えた。

とりわけ印象的だったのは、一九三二年生まれの思想家、川満信一さんの回。会場から「うちなーんちゅの心とは?」と質問の手が挙がった。川満さんは「宮古・八重山にしてみれば、かつての琉球からの支配もあった。民族という概念にはアレルギーがある。私は〝シマの人間〟と言いたい」と返答した。宮城さんが振り返る。

「復帰というとき、沖縄も他の島も一口に言えるわけではない。その言葉に、民族主義というアイデンティティーを前面に押し出すと、差別や排除が生まれる危うさがあると思いました」

一方で、こうした諸先輩は、復帰後の社会を復帰っ子世代に託しているようにも映ったという。米軍基地は、復帰後も沖縄に集中したままでほとんど縮小しておらず、所得格差はいまなお全国平均の七四・八％だ。

「沖縄が日本に復帰するまでが二七年。この間、本土は高度成長期でどんどん経済的に発展していった。沖縄は復帰しても、インフラや制度の問題が残っていて、本土に追いつくまでに時間がかかった。基地や経済格差の問題は五〇年経っても解消されていない。この先さらに二〇年、三〇年と経っていくとき、問題が解決されていかなかったらどうなるか。復帰っ子なんて呼ばれてきた立場からすれば、それは自分たちの責任で解消していかないといけないんだと思います」

一九五八年生まれで沖縄にルーツをもつ作家の仲村清司さん（六四）は、復帰っ子だけが基地や格差など沖縄の諸問題の責任を負う必要はないと言う。いずれも日本全体の問題であって、特定の世代だけで解決できるわけでもないからだ。ただし、復帰っ子世代がそれまでの世代と違う要因も見いだせると言う。

「復帰っ子が高校三年の一九九〇年は、甲子園で沖縄水産高校が準優勝した。その後まもなく、芸能界では沖縄出身者が活躍したり、沖縄を舞台としたドラマや音楽も流行したりと、九〇年代後半から沖縄ブームが全国を席巻した。海などの自然はもとより、伝統芸能のエイサーや食のゴーヤーなども全国区になった。同じ沖縄県人であっても、それまでの世代と復帰っ子以降の世代では、沖縄という土地の見え方が違うと思う。簡単に言えば、復帰っ子はそれまでの世代にあった内地に対するコンプレックスが薄いんです」

復帰前の内地では、〝沖縄人お断り〟という貼り紙をしたお店があるなど差別や偏見があったと仲村さんは振り返る。

「沖縄県民にも自分たちの文化や方言に劣等感をもつ人がいて、内地に行った沖縄の人は沖縄出身であることを隠す時代があった。だが、復帰っ子の世代にはそうしたコンプレックスが見られない」

復帰後の三代目の知事で、一九七八年から一九九〇年まで務めた西銘順治は、「本土に追いつき追い越せ」をスローガンに開発に力を入れた。金武湾の石油コンビナート建設で海が汚染されたり、本島北部の林道工事で赤土が流出したりと環境の急激な悪化が指摘された時代でもあったが、そうした問題を深く知らずに育ったことが、復帰っ子の軽やかさにつながってきた。

「たまたま一九七二年という年に生まれたことで、彼らは保守・革新という思想信条で溝をつくらず、意見の違いを乗り越えて集まることができる。復帰っ子の強みはそこにあると思う。ただ、すでに彼らも五〇歳です。貧困や基地集中化も含め、復帰後に生まれた課題もあります。それらにどう向き合い、取り組んでいくか、また、沖縄返還の内実とは何だったのか。その歴史的背景は問い直してほしいと思います」

5月6日

久々にぐっすり寝た。素麺を茹でて食べ、仕事にとりかかる。夕刻までパソコンに向かう。合間に洗濯。

夕刻に深谷慎平さんに迎えに来てもらい、彼の首里にあるオフィスで写真のスキャン。作業が終わり、上原岳文さんと深谷さんでいつもの「米仙」で晩飯。今日も「ここへ来れば藤井さんに会えると思って」と、那覇出身の映像作家・高山創一《そういち》さんに声をかけていただいた。深谷さんと上原さんはラーメンを食べるためにどこぞへと歩いて消えて行ったが、ぼくは帰宅。

5月7日

冷凍野菜などを炒めて温サラダ。シャワーを浴びて桜坂劇場へ。三〇年前に中江裕司さんと當間早志さん、真喜屋《まきや》力《つとむ》さんが監督を手がけたオムニバス映画『パイナップルツアーズ』（一九九二）デジタルリマスター版を観に行く。監督たちのトークショーもあった。三〇年前は復帰二〇周年。そのタイミングにぶつけて公開された。

当時ぼくはこの映画をどこかで観た記憶があるが、内容はほとんど忘れていた。ただあのスピード感はよく覚えていた。一九九二年といえば、ぼくが沖縄にハマりかけたころである。当時、この映画を観たことでより背中を押されたことはまちがいない。その後、中江さんと當間さんとは知り合ったが、真喜屋さんとはリアルでは初対面なのでご挨拶（SNSではつながっていた）。会場で當間さんが作ったばかりのドキュメンタリー映画『一生売れない心の準備はできているか』の主人公でシンガーソングライターの奈須重樹さんがいらしたのでご挨拶。

同劇場で知花園子さんと顔を合わせたので、そのまま近くのセンベロ居酒屋で軽く飲み、旧パラソル広場にある高齢者向けの古着屋で（雑多に服が積み上げてある）いかにも昭和的柄のシャツ二枚を五〇〇円で買い、すぐ斜め横にあるジャン棚橋さんが経営するカフェ「パラソル」へ顔を出す。そのあとはお決まりの「米仙」でセンベロコースを頼み、朝飯用に弁当を買って帰る。

5月8日

昼前まで寝ていて、昨夜買った弁当をあたためて喰う。夕刻まで仕事。

Coca-Cola®
Coca-Cola®

一七時すぎに「那覇文化芸術劇場 なはーと」へ。ひーぷーさんこと真栄平仁さんが取材する劇団O・Z・E「72'ライダー」を鑑賞（取材）する。ジャン松元さんと客席後方から撮影。予約しておいたオリジナルTシャツを受け付けで買いもとめる。ひとりで「一幸舎」まで歩いて、とんこつラーメンをすすって帰宅。

5月9日

久々に自転車のタイヤに空気を入れて、自転車こぎこぎ「あかね食堂」へ。今日はちゃんぽん普通盛り。碗に入った小そば付き。原稿の〆切が目の前に迫っているので、ひーぷーさんとメールのやりとりをしながらキーボードにはりつく。外出はしないで、書き続け、晩飯は素麵を茹でて冷凍のほうれん草とゆで卵をのせて食べる。

過日、仲里効さんにお目にかかったとき、数枚のコピーを手渡された。「沖縄国会」と言われた一九七二年の国会では、沖縄返還についての関連法案や日米協定の内容について、野党が軍事同盟化を図るものとして大反対。荒れに荒れた。そのとき、三人の沖縄青年同盟の青年が衆議院の傍聴席で爆竹を鳴らし、「すべての沖縄人は団結して決起せよ」というビラをまいた。三人は建造物進入と威力業務妨害の罪で一九七二年二月に裁判を受けた。

そのとき裁判官の質問に対し、被告のひとりは「むかせー、かいしゃぃんやたしが、なまー、ぬーんそーねーん」と答えた。動揺した裁判官は、日本語で答えなさいと注意したが、被告は「ぬーんちぃうちなーぐち、ちかてーならんがー」、「うちなーやにほんどやがやー」といった言葉を発し、法廷は混乱する。被告三人それぞれが八重山、宮古、沖縄と出身地が異なるため、弁護側は別々の通訳を要求する展開となった。裁判では、琉球の歴史などを説明するとともに行為の正当性を主張したが、これが有名な「うちなーぐち裁判」である。仲里さんは当然、被告らを支援していた。
その三人のうちのひとりは真久田正《まくただただし》という人物で、上原安隆さんが国会にバイクでつっこんで即死した直後に、ガリ版刷りの詩集でその「事件」について触れているのだ。真久田さんは川崎市の沖縄出身者の集住地域にオルグに行っており、もしかしたら、当時川崎に住んでいた上原安隆さんと接触があったかもしれない、と仲里さんは推測した。事実、真久田さんは上原さんの死に思い入れが強く、自身の詩集『海邦』の中の「銀色の傷―故 上原安隆さん追悼」と題された詩を残している。

あっ、黒いヘルメット
時速八〇キロで、国会へ突っ込んだ
勇士が残した
たったひとつの、これが〝言葉〟だ!
国家なのだ
そうだ、国家は死滅しなければならない
現状がどうであれ
我々はひとりでもいってしまわなければならないのだ
だが、兄弟よ!我々は惜しい
あなたの死が、あまりにも〝言葉〟でありすぎるからだ
ひとりで言わねばならぬまでに

あなたを追いこんでいたのが、我々であったことを知るからだ
川崎は晴れていた
初夏の風が吹いていた
白い布は閃光に焼け
ひらひらと、そよいでいた
あゝ兄弟よ！
故郷の夏の気だるさのように
僕の胸はキリキリと痛むのだ
黒ヘルメットの銀色の傷跡が
僕らの胸をぐさりと
突き刺しているからだ
兄弟よ！　安らかに眠れ
一本の線香に、いつか僕らも
きっと〝やる〟決意をこめて

詩が書かれたのは一九七三年五月二二日なので、「事件」（五月二〇日）の直後であった。真久田さんは一三年前に亡くなっている。

仲里さんが事件のことを知るのは、このガリ版刷りの詩集が出たもっとあとで、森口豁さんの「激突死」というドキュメンタリーを見てからのことらしい。自分の「近く」に存在していたであろう、同じ懊悩を抱えていたであろう青年が国会に突っ込んで、「自死」を遂げたことに衝撃を受

けたという。その意味を今も考え続けなくてはならないと言う。当時の少なからぬ沖縄青年が悩んでいたこと、考えていたことが、「事件」に凝集しているのではないか、と。
今日は「Snarky Puppy」のアルバムを何枚か繰り返し聴いていた。

5月10日
午前中の便で東京へ。空港で岡本尚文夫妻とばったり。機内で普久原朝日さんとばったり。元山仁士郎さんが官邸前、自民党本部前などでおこなっているハンストを激励にいくという。元山さんは、『沖縄ひとモノガタリ』にもご登場願ったが、①辺野古新基地建設の即時断念、②普天間飛行場の数年以内の運用停止、③日米地位協定の運用にかかるすべての日米合意を公開し、沖縄県を含む民主的な議論を経て見直すこと、を訴えている。ひとりの青年にそこまでさせる「復帰五〇年」の意味とはなんだろうか。お祝いをしている人たちにとやかく言うつもりはないが、沖縄が本質的に何も変わっていないのは私たちの問題であることを自覚しなければならない。「沖縄問題」ではなく「日本問題」なのである。

27 玉城デニーさんの思い

2022年5月某日
国際通りを歩く。さまざまな労組などが労組名を大書した旗をかかげて、「日米安保粉砕」と叫びながら一〇〇人ほどのデモ隊となって歩いている。国際通りはそのせいで大渋滞を引き起こしている。脇道からの右翼の街宣カーが「おまえら、人のメイワク考えろ！　キ〇ガイ！　キ〇ガイ」と差別用語を連発している。不愉快な気持ちになる。

ジュンク堂書店に歩いていって雑誌「越境広場」をもとめる。特集は「『復帰』五〇年 未完の問いを開く」。森本店長と一階のカフェでゆんたく。そのあと、リスペクトする陶芸家のキム・ホノ（金憲鎬）さんと兼松春美さん、「陶 よかりよ」の灰谷明彦さんご夫妻と牧志の隠れ家的バー「kana」で晩飯。

五月一三日〜二二日まで「陶 よかりよ」でキム・ホノさんの個展「想天然色サーカス」が開催されている。作陶歴四〇年の中で個展は三〇〇回以上、「陶 よかりよ」では一〇回目。ぼくは「琉球新報」に展評を書くことになっている。

ひとりの作家の作品で、ぼくが五〇点以上持っているのは、キム・ホノさんだけである。ご本人にお目にかかれて、感極まる。解散したあと、ひとりで「米仙」のテーブルでひとり寿司をつまみつつ、余韻に浸る。またも、映像作家の高山創一さんに声をかけられ、彼のいまの構想を聞かせていただいた。

以下は「琉球新報」（五月一九日付）に掲載された展評。

私がキム・ホノ氏の器を那覇・壺屋にある「陶 よかりよ」で手と眼で触れ、電撃が走ったようなショックを受け、そのまま虜になってしまったのは二〇一二年のことだったと記憶している。象の鼻が腫れたようなかたち――私にはそう見えた――をした白色系のマグカップだと思う。以来、「よかりよ」で買いもとめるなどして、数えたことはないが、五〇点以上の器やオブジェを集めてきた。集めたというより、気がついたらそれぐらいの数になっていたというほうが正しい。たぶんこれからも増殖していく。陶器好きのぼくにとって、ひとりの作家の作品を次々と手元に置いていく「体験」はキム・ホノ作品以外ない。

私の生活にとって必要な「存在」になっていると言い換えてもいい。器はもちろん使っているし、私の日常の視界に入るところに何気なく置いているものもある。オブジェはうやうやしく鎮座させているわけではなく、仕事机の資料の間に置いてあったり、ときには文鎮がわりに使ったりもする。ほとんどの作品は常に同じ場所になく、日常の中を移動する。置きかたや置き場所が変わると、キム氏の作品は大胆に表情を変え、場と自身に作用する。時空に溶け込むときもあれば、抗うときもある。

今回の個展は、「陶 よかりよ」のためだけに三〇〇個以上を作陶した。テーマは「昭和の色」。キム氏曰く「こういう色の出し方は初めてだった」と言うほど、全部が原色を独自の文様と組み合わせたテーブルウェアだが、同じ作品はひとつとしてない。「よく似ている」ものすらない。「陶 よかりよ」の店内に足を踏み入れると、まさに「サーカス」のテント小屋の中に迷い込んだような錯覚に陥る。じっくりと、ときに手に取りながら見ていると、それは作品群の同一性を激しく拒絶する作家の意思が選ぶ側に伝わり、選ぶ側の「眼」を惑わせ、試すメッセージが込められているようだ。

こんなことがあった。何年か前、「陶 よかりよ」に恐竜の頭部を模したような氏のオブジェがあった。値段がついていなかった。一目惚れして、これを欲しいと主に言うと、値段をどうするかキム・ホノ氏本人に電話した。「あれを欲しいなんてバッカなやつがいるなあ」と作家は大笑いし、「値段は自分で決めさせよう」という話に落ち着いた。私はキム・ホノ氏から最大限のほめ言葉をいただいたと解釈し、熟考して値段を提示すると、「陶 よかりよ」の主と作家が相談して決めた値段の設定幅のど真ん中だった。キム・ホノ氏の「遊び心」に私は心酔した。

キム・ホノ氏と杯を交わす機会があった。作家は自らの出自に対して受けた社会からの差別や偏見に怒り、同調圧力に屈しやすい社会や人を憂いた。そして氏が抱きしめる「孤高」と「自由」の断片に触れることができたと思う。ちなみに私は同展でカップをひとつ、購入した。

録画しておいたTBS「報道特集」を観た。「復帰五〇年―国会爆竹事件と沖縄の今」。前回の日記で取り上げた「うちなーぐち裁判」が取り上げられていた。逮捕され、被告となった三人のうちのひとりの男性が、初めてテレビの取材に応じていた。当時、「沖縄青年同盟」の活動家だった本村紀夫さんである。リーダー的存在だった仲里効さんも出ていた。被告だった女性との関係は切れているという。

5月15日

「復帰の日」。沖縄は梅雨にとっくに入っているが、今日も雨がしとしと。「琉球新報」を買う。一九七二年の紙面をまるまる使って、もう一枚「一面」を被せている。つまり一面が二枚重なっているわけだ。五〇年前と変わらない沖縄というトーンで貫かれている。手放しで喜ぶような「復帰」五〇年ではないことは、現状を見れば一目瞭然。数軒コンビニを回ったが、地元紙含めてほとんどが売り切れ。

昨年秋に亡くなった写真家・勇崎哲史さんの追悼写真展「光の記憶」を、県立博物館・美術館の県民ギャラリーへ見に行く。実行委員長は弟子にあたる石川竜一さん。勇崎さんは故・平敷兼七さんと親しかった。ぼくは平敷さんの娘・七海さんが経営するギャラリーで、勇崎さんと一度だけお目にかかったことがある。一九四九年に札幌で生まれ、二〇〇七年に沖縄に移住している。勇崎さんといえば――ぼくも持っているが――二〇年間、島民を撮り続けた『大神島』（一九九二）が傑作だろう。

その足でジュンク堂書店へ。ノンフィクションライターの安田浩一さん、「琉球新報」の松永勝利さん、小説家の深沢潮さんのトークイベント「沖縄を書く・沖縄で書く――誰が何を書くか」があったので聴きにいく。安田さんや松永さんたちが作った『沖縄の新聞記者』（二〇二二）と、深沢さんの『翡翠色の海へうたう』（二〇二一）の発刊を記念して開かれた。全員知り合いなので、イベント終了後、開店間近の「米仙」へ。登壇者全員に岡本尚文さんと普久原朝充さんも交え、ちょい早めに店に入れてもらって乾杯。橋本倫史さんともばったり会ったので座に引き込んで飲む。キャンヒロユキさん家族が通り掛かったのでご挨拶。ヤラバーがでかい。

安田さんと深沢さんは飛行機の都合で中座したが、入れ違いで森本浩平さんがやってきた。寿司屋のネタがなくなったので早めに閉店。ラーメン「武蔵家」でかるく飲んでラーメンをする。こうして「復帰」五〇年の日は過ぎた。

5月16日

「中日新聞」に月イチ連載している書評に『サンマデモクラシー――復帰前の沖縄でオバーが起こしたビッグウェーブ』（二〇二二）を取り上げるため、一気に書く。同書の著者は沖縄テレビの山《やま》里孫存《ざとまごあり》さん。一度だけどこかでご挨拶をしたことがある。

用事があったので、ひとりで泊の「串豚」へ。喜屋武満さん手作りのクーブイリチーと赤ウインナー炒め、黒ホッピー。帰りに「すみれ茶屋」にも寄り、本マグロを刺身で少し食べる。沖縄でこの時期だけしか喰えない。お持ち帰りで本マグロのカマを漬けにしたものなどをいただく。

気分は献杯。というのは、社会学者のケイン樹里安《じゅりあん》さんが三三歳の若さで世を去ってしまったのだ。お目にかかったことは一度しかないが、ある用事で頻繁に、訃報を知る直前までメールのやりとりをしていた。その過程の中で本人から闘病していることを聞かされていた。その時点で生存率はきわめて低いことはわかっていたが、可能性にかけて治療をおこない、彼は気丈にふるまっていた。マイノリティ研究で鋭い発言をおこなっていて、ぼくはどれだけ彼にアドバイスや気づきをもらったことか。彼は関西から東京の三軒茶屋にある大学に就職したばかりで、三茶を案内するよと約束していた。やりきれない。合掌。

5月17日

雨。昨夜、すみれ茶屋の玉城丈二さんがお土産にもたせてくれた「つけダレ」に漬け込んだ鶏肉を野菜といっしょに焼いて食べる。漬けにした本マグロのカマも蒸し焼きにして喰った。原稿のゲラを直したり、取材依頼の許諾を待っているうちに時間が過ぎていく。

夕方に作家の仲村清司さんがやってきた。週に一回の沖縄大学の授業のために、授業日の前日に拙宅に泊まりにやってきたのだ。仲村さんが荷物をほどいたあと、ふたりで小雨の中を泊まで歩き「串豚」へ。仲村さんは京都に移住する前、この店の前に住んでいたので毎日のように来ていた。京都に移ってからはなかなか来れないので、常連さんたちの消息を主の喜屋武満さんにたずねていた。仲村さんが通っていたころの常連たちは引っ越すなどして、いまの常連の顔ぶれはほとんど変わっていた。

そのあと、牧志のクラフトビール専門店「浮島ブルーイング」に寄って、主の由利光翠さんとゆんたくしながら、極上のビールを味わう。

5月18日

昼前に仲村さんと「あかね食堂」へいちばん乗り。ぼくはハンバーグ定食。仲村さんは沖縄そば。いったん拙宅に戻り、仲村さんは沖縄大学へ仕事に向かう。ぼくは雑務やら、資料読みやら、ふて寝やら。今回はいくつか取材が延期になってしまったので、スケジュールがぐちゃぐちゃに狂う。

今日は何もやる気が起きないが、送ってもらった宮沢和史さんの『沖縄のことを聞かせてください』（二〇二二）をぱらぱらめくる。そういえば、政府の復帰五〇周年式典で歌っていたらしいが、沖縄の歌い手のほうがよかったのではないかな。宮沢さんも複雑な心境だったにちがいないと思う。

彼とは数十年前「週刊朝日」でインタビュー記事を書くために一度、会ったことがある。「BOOM」がイケイケのころだった。たぶん向こうは覚えていないだろうけど。当時、ファンクラブの会報誌の編集長だった杉山敦さんと親しくしてもらっていて、何回か書かせてもらったこともある（バンドとぜんぜん関係ない話だったけど）。

5月19日

昼前に起きて「ナポリタン」スパゲティを喰う。しばし惚けたあと、赤坂憲雄・藤原《ふじはら》辰史著『言葉をもみほぐす』（二〇二一）と荒井裕樹著『まとまらない言葉を生きる』（二〇二一）を読みだす。

知花園子さんからお誘いのメールが来たので、いつものセンベロ寿司屋「米仙」へ。「浮島ブルーイング」に寄って、クラフトビール。オリジナルの七部袖のシャツを購入。

5月20日

昼前に起きたら、あと三〇分ほどで「あかね食堂」が開くので、雨なのでパンツのすそをめくって草履でいってみた。先客は女性客ひとり。ぼくは、なすみそ炒め。すごく美味い。六〇〇円。そういえば、前に喰ったここのハンバーグは肉屋から合い挽き肉を取り寄せ、店主が手作りしているそう。美味いわけだ。

Ｙａｈｏｏ！ニュースで、企画・取材・執筆を担当した記事が発表された。撮影はジャン松元さん。一九七三年五月に国会正門にバイクで突っ込み即死した沖縄出身の青年について書いた。タイトルは、「望む形の復帰ではないことを、命をかけて表現しようとしたのか―復帰一年後に国会議事堂に激突死した沖縄の青年が残すもの」だ。

今から四九年前の一九七三年五月二〇日。一人の青年がオートバイで国会議事堂正門の門扉に突っ込み、即死した。正門は、警視庁のある桜田門の坂を登り切ったところにある。当時の新聞報道によれば、警備に当たっていた警察官が、正門前の信号が青に変わるや、オートバイが時速八〇キロで突進するのを目撃した。ブレーキ痕はなかった。

青年の名は上原安隆といい、沖縄出身の二六歳の男性だった。神奈川県川崎市のアパートに住み、長距離トラックの運転手をしていた。遺書はなく、事故か自殺かは明らかにされなかった。門扉はただちに修理された。安隆さんの死が社会を大きく動揺させることはなかった。

沖縄の本土復帰一年後のこの出来事を記憶している人は、沖縄でも数少ない。

沖縄本島北部の恩納村に、安隆さんの双子の兄、上原安房さん（七五）が暮らしている。安房さんは「弟のことは忘れたことがない」と言う。一〇年前に脳梗塞をわずらった影響で言葉や記憶に多少の障害が残るが、うちなーぐちを交えてゆっくりと話す。

「(無条件全面返還ではなかった本土復帰への)抗議だったと思う。絶望もしていたんでしょうね。復帰後の沖縄への期待半分、日米政府への絶望半分。復帰して五〇年になるけど、弟が生きていたら、今も同じ気持ちだろう」

安房さんの自宅は恩納村の喜瀬武原《きせんばる》地区にある。取材のあいだ、パン、パンという乾いた射撃音が聞こえていた。ヘリの旋回する音、機関銃を連射する音。米軍の演習場がすぐそばにある。

かつて、地区を通る県道一〇四号線を通行止めにして、その上を飛び越えて一五五ミリ榴弾砲実弾射撃演習が行われた。住民は演習のあいだ産業道路へ迂回しなければならなかった。民家に流れ弾が当たったり山火事が起きたりもした。県道一〇四号線越えの実弾砲撃演習は一九九七年に県外に移転されることになったが、実弾を使う演習は現在も行われている。

「(安隆さんは)コザ暴動も引っ掛かっていたんじゃないかな。私も参加していたのに、なんで弟がつかまったのか。みんなが首謀者だったんだ。弟は優しくておとなしいやつで、よく本を読んでいたよ。(高橋和巳の)『孤立無援の思想』という本を読んでいたのは覚えている」

コザ暴動とは、一九七〇年一二月二〇日未明にコザ市(現・沖縄市)で起きた反米騒動だ。きっかけは、米兵が運転する車が道路を横断中の男性をはねたことだった。事故現場に集まってきた群衆にMP(米憲兵)が威嚇発砲、怒りを募らせた人々は米軍関係者の車をひっくり返し、火を放った。約五〇〇〇人が参加したとされる。

コザのAサインバー(米軍公認の飲食店)で働いていた安隆さんと安房さんも騒動に加わった。後日の逮捕も含めると三十数人が逮捕され、一〇人が放火などの疑いで起訴された。安隆さんは起訴された一〇人の一人だった。

安隆さんは一九七一年一月に保釈されると、友人を頼って東京に出た。安隆さんの足跡が追える資料は多くないが、ジャーナリスト・森口豁さんの著書『復帰願望―昭和の中のオキナワ』に、アパートの大家の女性の「おとなしい人でしたよ。別にこれって……家賃はちゃんと持ってくるしね」という証言が記録されている。

一方で、コザのバーテン時代はジルバダンスでペアの女性をうまくリードしてくるくると回転させ、安房さんが「外人よりうまい」と言うほどだった。また、同郷者の多い川崎市に引っ越してからは、酒席などで沖縄の基地問題に話がおよぶと、政治のあり方に対して怒りをむきだしにすることもあったという。

当時の沖縄の青年たちは、本土復帰に対してどんな思いを抱いていたのか。安隆さんと同世代の批評家、仲里効さんを訪ねた。安隆さんと直接の面識はないが、著作で安隆さんに触れており、その死に強い関心を持った数少ない一人だ。

「彼はコザ騒動で起訴までされて、川崎に来ていろんな仕事をしていくうちに、沖縄へのこだわりを強くしていったと思います。国会に突っ込んで自らの命を絶つという彼の行動を突き詰めて考えると、日米両国の沖縄支配のあり方の否定と、それを自らをなげうって訴えていくということだったのではないか。あの時代に沖縄の青年たちが悩んだり考えたりしたものと共通するのではないかと思うのです」

仲里さんは復帰の年は東京にいて、沖縄出身の学生や集団就職で内地にやってきた青年たちが結成したノンセクト（無党派）の政治組織、沖縄青年同盟に関わっていた。沖縄では本土復帰を祝う空気が圧倒的だったが、米軍基地を残したままの復帰は果たして復帰と言えるのだろうか、という言説もあった。

「ぼくらの主張は、日米で決めた返還協定それ自体を拒否して、その先に沖縄の自立を考えていくということでした。日本という国家に同一化していくという考え方や運動を根本的に断ち切らなければ、沖縄の新しい展望は開けないのではないかと考えました。沖縄の近現代史の精神構造を幽閉し、拘束した〝病根〟のようなものを断ち切っていく。沖縄がどういう理念の政治体制を持つかは、次の段階の議論だと考えていました」

当時に思いを馳せるように宙を見る。「安隆さんの思想については、あくまでも、いわば状況証拠と時代背景を重ね合わせた上での想像にすぎませんが」と慎重に言葉を選んだ。

「沖縄から復帰を望んだように見えますが、結局は日米共同の管理体制の移行だったのではないか。上原さんは本土で就職して生活するうちに、そのことを身に染みて感じていったんだと思う。バイクで国家に突っ込んでいくことの意味は、日常的な矛盾の背後に国家というものを感じ取ったということではないのか。そう受け止めざるを得ないところがあります」

安隆さんの死にこだわる人物がもうひとりいる。劇団O・Z・Eを主宰し、作・演出を務める真栄平仁さん（五三）。沖縄では、ひーぷーさんと言ったほうが通りがいい。地元のテレビやラジオでMCを務めるなど、お茶の間を楽しませる人気者だ。

真栄平さんは、埋もれていた安隆さんの死を掘り起こし、「72'ライダー」という芝居を書いた。初演は二〇一二年。復帰四〇年のタイミングだった。復帰五〇年の今年、「那覇文化芸術劇場なはーと」で再演した。

「いつごろ知ったのかはっきり覚えていないんですが、少なくとも二〇歳を過ぎてからはずっと頭の中にありました。学校で習った記憶はないです。何かのきっかけで、誰かから聞いたんじゃなかったかと思います。聞いた途端、ビビッときたんです。何か、すごく強い思いがないとできないようなことなので。しかも、復帰させろと言ってやるならまだしも、復帰した後に実行したわけだから。よほど訴えたいことがあったんだろう、いつか芝居にしようと思っていたんです」

一九七二年生まれを「復帰っ子」と呼ぶが、「72'ライダー」は復帰っ子の同窓会で幕を開ける。もしそこに安隆さんがいたら、どういう会話が交わされるだろうか——真栄平さんの想像力がストーリーを引っ張っていく。作中に登場する「安隆」は復帰っ子の設定で、昔話をしてはしゃぐ同級生に心を閉ざし、大好きなオートバイをいじることに集中する。

真栄平さんは、安隆さんについて調べられる限りのことを調べ、世代を超えてその思いを受け取ろうとした。

「上原さんは、キャンプ・ハンセンのそばで育って、薬莢を拾ったり、青年になってからはコザに出て、米兵相手のお店で働いたりして、生計を立てていたそうです。芝居の中で『(コザ騒動で)米軍の車に火をつけたことと、酒を飲んで運転して人をひくのと、どちらが悪いのか』『婦女暴行して何の罪にも問われないのとどちらがひどいのか』というせりふを書きましたが、何か複雑で矛盾した、煮えたぎる怒りみたいなものが彼の中にあったんだろうとしか思えないんです。生きて沖縄を変えていくという選択肢もあったと思うんですが、それ(国会議事堂に突っ込む)しかもう方法がないと思ったのか……」

安隆さんが国会議事堂に突っ込んだとき、現金三〇五円と高速道路の半券しか持っていなかったという。

「テンションが幕末なんですよ。命をかけて国を変えるという、幕末の志士のような。望む形の復帰ではないということを自分の命をかけて表現したかったのか。国会に突っ込んで亡くなったことを美化しようとは全く思わないですが、現代のぼくたちがそこまでのテンションを持てるかといったら、絶対に持てないじゃないですか。ぼくらが今悩んだり考えたりしていることは、上原さんのような先人たちの歩みの上にあるんだよということを、若い人たちに知ってほしいなと思うんです」

真栄平さんはもともと、ダーティビューティという漫才コンビで活動していた。一九九八年にコンビは解散、翌年劇団を立ち上げた。お客さんに笑ってもらいたいというのが信条だ。「72'ライダー」もシリアス一辺倒ではなく、復帰っ子たちの悲喜こもごもの人間模様を描く。

真栄平さんよりさらに若い世代は、安隆さんの死をどう受け止めるのだろうか。

「72'ライダー」で主人公の安隆役を演じた平安信行さん（四七）は復帰二年後の一九七四年生まれだ。本作を通じて安隆さんの存在を知り、復帰について深く考えるようになった。

「復帰前後に生きていた、安隆さんたちのような沖縄の若者も、当たり前に楽しいことをやりたいとか、幸せになりたいと思っていたと思うんです。彼らにとっての幸せってなんだったんだろうと思うんですよね。自分たちのことよりも、沖縄の未来や子どもたちの未来のことを一番に考えたりしたのでしょうか……」

「72'ライダー」が上演されたホールの入り口に、安隆さんのヘルメットが展示されていた。激突したときにかぶっていた遺品だ。そこだけぽっかりと、時空に穴があいているようだった。

ヘルメットは、普段は兄の安房さんが自宅で保管している。今回の公演の前に、真栄平さんはヘルメットを借りるため、安房さんを訪ねた。そのときに、上原家の仏壇に手を合わせ、安隆さんに挨拶をした。

「一〇年ぶり（の再演）ですみませんって言いました。あとは、ちゃんと無事に成功させますよと。少しでもたくさんの人に上原さんのことを知ってもらいたいと思って上演するので、見守っていいてくださいとお願いしました。沖縄では、米軍がらみの事件は減ったかもしれないですけど、構造的には何も変わっていません。だから、安隆さんに申し訳ないような気がするんです」

「72'ライダー」にこんなシーンがある。

沖縄を出て内地で働き始めた「安隆」は、ある女性とこんな会話をする。「沖縄はいつも本土から見捨てられる。なんでですか？　沖縄はあなたが思うようなところではない」「ごめんなさい、私そういうのよく分かんなくって」。「安隆」はこう答える。「いいんです、悪いのは政治ですから。でも、もっと悪いのは無関心です。謝るくらいなら、もっと沖縄を知ってください」

真栄平さんは、お笑いタレント・ひーぷーとして見せるのとは違う顔でこう言った。

「ちっちゃい沖縄がやっと日本の仲間に入れるかと思いきや、マイナスの部分だけそのまま置いていかれて、形だけ『仲間ね』と言われて、現状は何も変わっていない。沖縄県の面積は国土のたった〇・六％しかないのに、いまだに米軍施設の七〇％以上が集中している。辺野古の新基地も、無理やりつくろうとしているという気持ちがぼくにはあります。そういうことを内地の人はほとんど何も知らない。沖縄はさんざん苦労させられてきたのになんで知らんばー？　何も変わってないのはどういうことやんばー？って聞いてみたいです」

たまたま友人のSNSを見たらショックを受けた。ひどいヘイトを息子が受けたという激しい怒りが投稿されていたからだ。彼女はアフリカ系アメリカ人を父親に持つミックスルーツなのだが、その息子が同級生から「おまえの（肌の色）が黒いのは、おまえがお母さんのお腹にいるうちにお母さんがたばこを吸いすぎたためだったと、母さんに言われた」と言うのだ。その同級生は白人とのバイレイシャルの子どもだった。おそらく母親は日本人だろう。

露骨なレイシャルハラスメントを受けた彼女も息子、いや家族中の怒りと悲しみを考えると、ぼくはしばらく唖然としていた。こういった差別が放置されている。投稿からは学校に教員に訴えたどうかはわからないが、教員はまともな対応ができないだろう。

関西は「解放教育」や「人権教育」といって被差別部落や在日コリアンなどの外国人に対する差別を抑制するための教育が根付いているが、沖縄ではミックスルーツ、とくに黒人差別について「反差別」の教育がなされているのだろうか。もっと何十年も早くから取り組むべきだったと思う。こうした「戦後」の差別も「復帰」五〇年後もなくなってはいない。

5月21日

昼前に起きた。今朝は晴天。今日も「あかね食堂」に朝兼昼飯を喰いにいくために自転車をこぐ。通り道にあるポストをドラムのように手のひらで叩いている老人がいる。前も見かけた。仙人のような雰囲気。一通り叩き終わると、何かを唱えて空に向かって拝み、すたすたと踵を返す。ぼくは「あかね食堂」で今日はカツ丼の並盛りに挑戦。予想通りカツは二重敷。沖縄のカツ丼は、キャベツやたまねぎを卵でとじて、それをカツの上にのせるのがスタンダード。カツは煮ない。なんとか完食。そのあと新都心へ行って生活用品の買い出し。いったん帰宅して、「陶よかりよ」に寄って取り置きしてもらっていたキム・ホノさんの作品をもとめる。そのあと、栄町「おとん」で普久原朝充さんとあれやこれや飲みながら話す。「琉家」でラーメンをすすってわかれる。

玉城デニー知事が日米両政府に提出した「平和で豊かな沖縄の実現に向けた新たな建議書」の

「いまだ残る課題」と題した箇所を読み直してみた。デニーさんは九月の知事選にまちがいなく出馬するが、きっと「思い」はここに込められているのだと思う。

（前略）戦後、戦禍を被った鉄道の復旧が、他都道府県においては旧国鉄等により進められました。一方で、米軍の施政権下にあった沖縄では、沖縄戦により壊滅した沖縄県営鉄道の復旧は行われず、現在、陸上交通の大半を自動車交通に依存しておりますが、広大な米軍基地の存在や基地による市街地の分断という社会的事情から広域道路網の整備が遅れ、特に人口や、物流などの産業活動が集中する中南部都市圏の交通渋滞は深刻となっております。

沖縄県の振興は、復帰してから五次にわたる振興計画等に基づき進められてきましたが、依然として、目標として掲げる沖縄の自立的発展、豊かな住民生活の実現といった社会経済面においては、課題が残されています。

沖縄の米軍基地に関しては、本土復帰後においても、一九七二年の基地従業員が米兵にライフルで射殺される事件、一九七三年の米軍戦車に女性がひかれて亡くなる事故、一九八三年のタクシー運転手が米兵二人に刺殺される事件、九五年の少女暴行事件、二〇〇四年の普天間飛行場に隣接する沖縄国際大学への米軍ヘリ墜落事故、一六年の米軍軍属による女性暴行殺人事件など、米軍基地から派生する事件・事故が後を絶たず、県民は過重な基地負担を強いられ続けています。また、普天間飛行場、嘉手納飛行場その他訓練場の周辺住民は、長年にわたって昼夜を問わない航空機騒音に悩まされ、有機フッ素化合物（ＰＦＯＳ）をはじめとする米軍基地から発生する有害物質による水質や土壌等の環境汚染なども県民の安全・安心を脅かしています。

沖縄県及び市町村は、これまで機会あるごとに日米両政府に対して基地負担の軽減を求めてきたところであります。また、二〇一三年には、県議会、県内四一の全ての市町村・市町村議会等が連名で、オスプレイの配備撤回、普天間飛行場の県内移設断念等を求め、政府に「建白書」を提出しておりますが、その願いは一顧だにされておりません。（中略）

具体的には、第一に、辺野古新基地建設に反対する民意が、辺野古新基地建設の是非が大きな争点となった二度の県知事選挙や全市町村で実施された県民投票など民主主義の手続により明確に示されているにもかかわらず、国は県民の思いを顧みることなく埋立工事を進めていること、第二に、国の地方公共団体に対する関与は必要最小限度のものでなければならないとされておりますが、辺野古新基地建設に関し法令により権限と責任を委ねられた知事が行った処分が国により取り消されるという事態が生じており、地方自治の観点から大きな問題があること、第三に、新たな米軍基地の建設が、国民的議論や国会での議論を経ることなく法的な根拠がないまま閣議決定のみで進められていること、などであります。

また、復帰当時、日米安全保障条約や日米地位協定が適用されることで沖縄の米軍基地も「本土並み」になると言われていましたが、日米地位協定は、一九六〇年の締結から一度も改定されず、社会情勢の変化や人権、環境問題などに対する意識の高まり等の中で、時代の要求や国民の要望にそぐわないものとなっています。

日米地位協定に係る課題については、米軍機の低空飛行による騒音被害や米軍基地に由来する新型コロナウイルスの感染拡大など、近年、全国的に認識が広がっており、沖縄県のみならず、渉外知事会、全国知事会の要請等を通じて全国の地方公共団体の思いとして、何度も日米両政府に抜本的な見直しを求めてきましたが、いまだ実現されておりません。

さらに、近年、アジア太平洋地域の安全保障環境の変化を背景に、沖縄の軍事的機能を強化しようとする動きや核兵器の共有、敵基地攻撃能力の保有等の議論が見られるようになっておりますが、このような考えは、悲惨な沖縄戦を経験した県民の平和を希求する思いとは全く相容れるものではありません。

沖縄県としては、軍事力の増強による抑止力の強化がかえって地域の緊張を高め、意図しない形で発生した武力衝突等がエスカレートすることにより本格的な軍事紛争に繋がる事態となることを懸念しており、ましてや米軍基地が集中しているがゆえに沖縄が攻撃目標とされるような事態は決してあってはならないと考えております。

本年二月に勃発したロシアによるウクライナ侵攻で、ウクライナの国民に甚大な犠牲が生じ、美しい街並みや空港、道路等の重要なインフラが徹底的に破壊されていく状況は、七七年前の沖縄における住民を巻き込んだ悲惨な地上戦の記憶を呼び起こすものであり、これが過去のことではなく、今、現実に起こっている事態であることに例えようのない衝撃を受けるとともに、沖縄を取り巻くアジア太平洋地域の今後の情勢等について重大な危機感を持たざるを得ません。（中略）

政府においては、平和、経済、交流等の武力によらない手法によって、アジア太平洋地域の現在及び将来にわたる安定した発展を図るため、国および地域間の協調を基本とする外交に取り組んでいただきたいと考えております。

5月22日

早めに起きて（といっても九時だが）、冷蔵庫にある野菜やらを炒めて焼きそばを喰う。洗濯。原稿に取りかかる。夕方、ジュンク堂書店に行って森本店長とゆんたくしていたら、島袋寛之さんと邂逅。一階のカフェでコーヒーを飲む。そのあと「米仙」に行ったら友人知人がたまたまわらわらと集まってきていて、ネタがなくなり閉店するまで居すわる。友人の家で飲み直す人もいれば、ラーメン〆組もいてばらばらになる。ぼくだけコンビニに寄って帰宅。

5月23日

東京へ移動する日も近いので冷蔵庫の中を整理。ソーセージと島豆腐、島野菜などを炒めて食べ、原稿にとりかかる。今回はずっと「The Fearless Flyers」のアルバムを何枚か繰り返し聴いている。かっこいい。今日は仕事をやる気が出ない。めったにテレビは観ないのだが、たまたまつけたCMに薬師丸ひろ子が出ているのを観て、発作的に本棚にあった『Wの悲劇』(一九八四)のDVDをひっぱり出して、観た。昨年、名匠・澤井信一郎監督が亡くなったことも頭のどこかにあったのだろう。薬師丸がブルーリボン賞の授賞式で「この映画で女優をやめようと思っていた」と発言したこともふいによみがえってきた。

いつぞや観た記憶があるが、再び観ると、よくできた映画だなあと思う反面、いま問題の映画界や演劇界の監督や演出家のパワハラやセクハラ話が「常識」として下敷きになっている感が否めないため、どうもそっちに気がいってしまう。流れで、細野辰興監督の『シャブ極道』(一九九六)も観た。毎年、夏の短い期間だけ日本映画大学の実習授業で、細野さんにはお世話になっている。

勢いで、『ニライの丘―A Song of Gordola』(二〇一〇)も鑑賞。沖縄を舞台にした父と息子の物語。もちろん創作なのだが、リアルな沖縄の「家族」を描いていて引き込まれた。役者はほぼ全員が沖縄の人。沖縄を舞台にした映画は地元で生まれ育った人がやると細部のリアリティが違う。生々しさすらただよう。全国区の役者を起用することは、映画の知名度を上げることにつながるのかもしれない（そうでもないとも思う。有名人揃いの映画がヒットをしていない現実はいくらでもある）が、そういった業界の「お約束」がわかるとすぐにシラける。

二四日の「中日新聞」（夕刊）の月イチ連載に、沖縄テレビディレクターの山里孫存さんの『サンマデモクラシー』を取り上げた。

沖縄が「復帰」する前の一九六〇年代に沖縄を施政権下に置いていたアメリカ民政府は沖縄に対して、魚介類に対して課税をするという高等弁務官布令を出していた。布告とは施政権を握るアメリカが発する、沖縄で強制力を持っていた法律と考えてよい。正確に書くと、琉球列島米国民政府の高等弁務官布令・物品税法を定めた高等弁務官布令十七号（一九五八年公布）。だが、関税がかかると指定された魚の項目に、「サンマ」の三文字はなかったのである。大衆魚であるサンマに高い税率がかけられていることを知らなかった玉城ウシはじめ、人々は怒った。

「なんでこんなにサンマが高い？　ガッティンナラン！（合点がいかない）」

しかし、沖縄の最高権限者・高等弁務官W・キャラウェイは相手にせず、高い税率を維持したのだ。「あくまで例示であるからサンマなども当然その中に含まれる」。そこで、玉城ウシという魚卸業を営んでいた「ごくふつう」の中年女性が反旗を翻し、課していた税金を返せと訴えを起こした。これが「サンマ裁判」である。返還せよと迫ったのは当時の貨幣換算で七〇〇〇万円にものぼった。

W・キャラウェイとは、アメリカ施政権下の帝王と恐れられた、一九六一年初めから一九六四年夏まで第三代高等弁務官を務めたポール・W・キャラウェイのこと。布令を乱発して民衆を縛り付け、本土復帰運動をも弾圧する施政を展開した人物として有名である。戦後の沖縄史には

「キャラウェイ旋風」という言葉がたびたび登場するほどだ。そんな我が物顔で沖縄を支配していた「超大物」に対して、魚市場の片隅から強烈な一撃が加えられていく。裁判が勝ったのか、負けたのかは本書をぜひ読んでもらいたい。

サンマ裁判をきっかけに、その裁判を支えた弁護士であり、大言壮語を吐くことから「ラッパ」と呼ばれた下里恵良や、〃米軍（アメリカ）が最も恐れた政治家〃・瀬長亀次郎らが登場し、群雄割拠劇を見るかのような話の展開に惹き付けられる。

著者は、いまは東京にある玉城ウシの位牌をたずねる。玉城ウシがあの世から語りかけてきた。「あんた変わっているね？ アタシの話がそんなに面白いかね？ 普通のことだよ。自分のことは自分で守る。おかしいことは「おかしい」って声をあげて言えばいいのさ。当たり前のことさ。はぁ？ そんな当たり前のことが、むずかしい世の中になっているわけ？ はっさ、もう大変なっているさ」

5月24日

雨が降り続いている。レトルトカレーと冷凍野菜を食べて、仕事。夕刻には仲村清司さんが大学の授業をするためにやってくる。日帰りのときもあるが、今日は拙宅に泊まるそうだ。栄町の「ちぇ鳥」で合流。「おとん」の池田哲也さんには声をかけてあったみたいで、行ったら先に池田さんがビールを飲んでいた。ぼくが入店すると数秒後に仲村さんが暖簾をくぐった。

5月25日

今日も雨模様。一一時前に一瞬やんだので、傘なしで「あかね食堂」へ。ぼくは野菜炒め定食。

仲村さんはチャンポンを食べる。食べ終わっていざおもてに出たら大雨。交差点まで走ってタクシーをつかまえ、仲村さんを某ホテルの前で降ろす。ロビーで大学の講義の時間まで仕事をするそうだ。ぼくはそのまま濡れ鼠状態で那覇空港から東京へ。帰りの便は空いていた。これから約二カ月間、ある仕事で沖縄には来れない。

あとがき

「はじめに」でも触れたが、この二拠点日記がウェブから紙の本になるころ、連載していた双葉社のウェブマガジン「TABILISTA」はとうに幕を降ろしているから、更新はもちろん、過去記事も読むことができない。

じつは「TABILISTA」には本書に納めきれなかった何回分かがある。それもとうぜん二〇二二年末で読むことができなくなってしまうが、別のウェブサイト（ブログ）に移植するか、あるいは将来、本書の第三弾が実現できたら、そちらで読んでいただけることになると思う。

いずれにせよ、ぼくはどこかの媒体――あるいは自分でブログを立ち上げて――細々と極私的記録を書き続けていくはずだといまの段階では思っているが、これから沖縄との二拠点生活がどう変化しているかもわからないし、気が変わって日記をつけることをやめてしまうかもしれないし、ぼくが生きているかどうかもわからない。沖縄とぼくとの「関係」もたぶんうつり変わっていくのだと思う。

最後になったが、「真栄原新町」の元「ちょんの間」をリノベーションして運営していたギャラリー「ＰＩＮ－ＵＰ」のオーナー・許田盛哉さんが殺人容疑で逮捕・起訴された。被害者は栄町の有名店「おでん東大」を経営していた女性だ。逮捕されたのは許田さんとその妻。妻は「おでん東大」の経営者の娘であった。二人は容疑を否認している。刑事裁判の行方を注視していきたいと思う。

「TABILISTA」で編集を担当していただいた更科登さん、論創社の谷川茂さん、ほんとうにお世話になりました。

それから、勝手に「書かれちゃった」人たち、ごめんなさい。

二〇二三年一月　東京にて

藤井誠二

藤井誠二（ふじい・せいじ）

1965年愛知県生れ。ノンフィクションライター。ライターの他にもテレビやラジオ、インターネットのコメンテーターや司会、大学の非常勤講師を務めてきた。主な著書に『コリアン・サッカー・ブルース』、『人を殺してみたかった』、『暴力の学校 倒錯の街』、『体罰はなぜなくならないのか』、『殺された側の論理』、『加害者よ、被害者のために真実を語れ』、森達也氏との対話本『死刑のある国ニッポン』。人物ルポ集として『「壁」を越える力』、『路上の熱量』。沖縄関連の著書として『沖縄アンダーグラウンド―売春街を生きた者たち』（第5回沖縄書店大賞・沖縄部門大賞受賞）。仲村清司氏と普久腹朝充氏との共著で『沖縄オトナの社会見学 R18』、『肉の王国― - 沖縄で愉しむ肉グルメ』、『沖縄の街で暮らして教わったたくさんのことがら―内地」との二拠点生活日記』、ジャン松元氏と共作で『沖縄ひとモノガタリ』、『誰も書かなかった玉城デニーの青春―もう一つの沖縄戦後史』がある。単著・共著合わせて50冊以上。ミックスルーツの女性の人生を描いたウェブ媒体のルポで「PEPジャーナリズム大賞・現場部門2021」を受賞。

論創ノンフィクション 035

沖縄でも暮らす

「内地」との二拠点生活日記 2

2023年4月1日 初版第1刷発行

編著者 藤井誠二

発行者 森下紀夫

発行所 論創社

東京都千代田区神田神保町 2-23 北井ビル

電話 03（3264）5254 振替口座 00160-1-155266

カバーデザイン	奥定泰之
カバーイラスト	宮城恵輔
組版・本文デザイン	アジュール
校正	塩田敦士
印刷・製本	精文堂印刷株式会社
編 集	谷川 茂

ISBN 978-4-8460-2103-0 C0036